C000083140

1 MONTH OF
FREE
READING

at

www.ForgottenBooks.com

By purchasing this book you are
eligible for one month membership to
ForgottenBooks.com, giving you
unlimited access to our entire
collection of over 700,000 titles via
our web site and mobile apps.

To claim your free month visit:

www.forgottenbooks.com/free631636

ISBN 978-0-483-57966-8
PIBN 10631636

Friedrich Kind's

Theaterschriften.

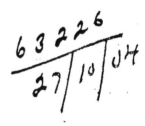

Erster Band.

Leipzig
bei Georg Joachim Göschen 1821.

Herrn

Bürgermeister

T. L. Neumann

aus Liebau,

anjetzt zu Zelmenecken in Curland,

mit

innigster Hochachtung und Freundschaft

gewidmet.

I.

Der Minstrel.

Dramatisches Gedicht in fünf Aufzügen.

1 8 0 4.

Theaterschr. I.

Personen.

———

Edmund, Graf zu Aklam.

Ritter Adelbert, sein Bruder.

Beatrix, Edmunds Gemalin.

Idella, Adelberts Gemalin.

Violette, ihre Tochter von fünf Jahren.

Vincens, Adelberts Stallmeister.

Fabio, Castellan.

Robert, ein junger Minstrel.

Edmunds Leibschütz.

Thomas, ein alter Jäger.

Jägerbursch, sein Sohn.

Ein Page.

Ein Arzt.

Mehrere Jäger und andere Nebenpersonen.

Erster Aufzug.

Zu Rosse rein, und Rosse raus, im grünen Gras,

Erster Auftritt.

Düsterer Gothischer Saal des Schlosses Aklam mit Familienbildern in Lebensgröße. Die dritte Stelle ist mit einem rothen Vorhange bedeckt.

Graf Edmund. Vincenz. Fabio.

Edmund, einen Brief wieder zufaltend:

Wie lang' ist's her, daß du den Zug verließest?
Mir wallt das Herz, die Theuern zu umarmen.

Vincenz.

Sie hielten nahe bei St. Rochs Capelle.
Dort, wo drei finstre, dicht verwachsne Ulmen,
Des Brunnen Stufen vor der Sonne schirmen,
Auf weichem Moos, mit Herbsteslaub bestreut,
Begehrte, von der weiten Reis' ermüdet,
Die zarte Dam', ein wenig auszuruh'n.
Nur ungern hob der Ritter sie vom Zelter,
Und sein Befehl trieb eilend mich voraus.

Edmund.

Entbiete ihm den herzlichsten der Grüße;
Der sein'gen gleich ist meine Ungeduld.
Was ihm der tapfern Ahnen graue Burg,
Was ihm das Herz des Bruders bieten kann,
Ist froh bereit, ihm einzig zu gehören. —
Zu Rosse jetzt, und schone nicht den Rappen —
An langer Ruhe wird's euch nicht gebrechen!

Vincenz.

So frohe Botschaft ist der schärfste Sporn.

Vincenz ab.

Zweiter Auftritt.

Edmund. Fabio. Zuletzt Beatrix.

Edmund.

Wohlauf nun, Fabio! genüge deiner Pflicht,
Wie meine Ehr' und meine Freude heischt.
Der finstre Haß, der Jahrelang gegrollet,
Der Jahrelang den Bruder mir geraubt,
Ist ausgetilgt. Es kehrt vergessend wieder,
Und führt Gemahl und Kind mir liebend zu. —
Biet' alles auf, sie würdig zu empfangen!
Laß die Gemächer schmücken — späte Blumen
Mit glüh'nden Trauben schwesterlich sich mischen,
Und goldne Frucht bei goldnen Bechern schimmern;
Laß Harfner rufen —

Fabio.

Einer, dem vor allen
Ihr günstig seyd, kam früh zu diesem Schlosse,
In' Eurem Park das Lob des Herbsts zu singen.
So sagt' er. —

Edmund.

O, mein Robert! — Nun erwünscht,
Wie in das Vaterhaus ein lieber Pilger,
Kommt dieser immer. Laß ihn höchlich ehren!
Du weißt nun gnug! Jetzt melde Beatricen,
Daß sie erscheine köstlicher geschmückt,
Als selbst am Brauttag' —

Fabio ab.

Ach! seit jenem Tage
Schlug nie mein Busen an des Bruders Brust! —
Hinweg jetzt! —

Beatrix,
zu einer andern Thür schnell eintretend.

Edmund! laß mich alles wissen!
Des Rosses Stampfen, wohlbekannter Laut,
Als tönt' er aus vergang'ner Zeiten Grunde,
Rief mich zum Altan. Unsre Schildesfarben
Erblick' ich, Deines Bruders alten Diener.
Was bringt er uns nach Jahren starren Schweigens?
Was meldet dir der edle Adelbert?

Edmund.

Die Zeit hat uns versöhnt. Er hat verziehen,
Daß ich, was er geliebt,

Beatricen leicht umarmend.

. . . zu lieben wagte,
Und weil Idella's Ohm und zweiter Vater,
Der fromme Abt von Elgin, jüngst verschieden,
Und ihr Gemüth sich wunderbar gewandt
Zu tiefer Trauer —

Beatrix.

Die Idella ziemt!
Der Waisen Schutz, der Armen Trost war Er;
Sie war des Heil'gen einz'ge Altersfreude —

Edmund.

— so eilet er zu uns, ob ihr vielleicht,
In Schwesterarmen! Tröstung wiederkehre.
Jetzt ist's an dir, mit linden Schmeichelworten,
Mit frommer List der Freundin Gram zu täuschen,
Und, wie beklagend du so oft gewünscht,
Dieß öde Schloß mit Festen zu beleben! —
Er sendet von St. Rochus aus den Boten,
Daß er, und mit ihm seine sanfte Gattin —

Beatrix, *feurig.*

Er kommt! O so laß uns
Mit prangendem Zuge,
Dem Helden entgegen!

Zum Fenster eilend und hinausrufend.

Auf! rüstig, ihr Knappen!
Die Renner gezäumet!

Sich an Edmund mit freundlichem Kosen anschmiegend.

O steh' nicht so ruhig!

O laß mir den Willen! In [...]
Auf! sie zu empfangen! [...]
Gleich kehr' ich, als Reit'rin [...]
Gekleidet, zurück! [...]
Wir jagen die Wette — [...]
Der Erste am Ziele [...]
Herrscht heute allein! [...]

Indem sie ab will, öffnen sich die Thüren, so daß sie dem zuerst
und schnell eintretenden Adelbert fast in den Arm sinkt.

Dritter Auftritt.

Die Vorigen. Adelbert, an seiner Hand Violette, in Knabenkleidung. Idella, in dunkelm Reitrock,
das Gesicht dicht verschleiert. Männliches und Weibliches Gefolge, welches im Vorzimmer zurück bleibt und
sich nach und nach verliert.

Adelbert.

Seyd mir gegrüßet, liebe, schöne Schwester!
Euch führt das Glück zuerst in meinen Arm,
Dieß bürge mir für Gerngesehn und Freude!

Beatrix,
erst feurig, dann mit Grazie sich von ihm los windend.

Willkommen, Adelbert! — willkommen, Bruder!

zu Violetten.

Wie heißt du, Kleiner! der so dreiste thut, [...]

Und wie ein Sieger kühnlich um sich schauet? —
nimmt sie auf den Arm und küßt sie.

Adelbert, in Edmunds Armen.

Mein Edmund! — Lange wünscht' ich hier zu
ruhen,
Und als vom Hügel ich das Schloß erblickte
Konnt' ich nicht weilen, nicht des Boten harren —
An deiner Wildbahn Gränze träf' ich ihn.

Edmund.

Mein Bruder! — Nimmer konnt' ich mit dir
zürnen —
Dich lieben mußt' ich, mußte dich bewundern.
Mit neuem Glanz umgabst du Aklams Namen;
Mir schlug das Herz bei deiner Thaten Rufe —

Adelbert.

Vergieb mir, was ich je an dir gefehlt;
Was du gefehlet, tilge dieser Kuß! —
Dieß ist Idella, Beatricens Freundin, —
Sie liebten sich als Kinder schwesterlich;
Jetzt sind sie Schwestern; um den Kranz der
Freundschaft
Schlingt liebend sich der Weihe heil'ges Band.

Idella,
jetzt erst näher tretend und den Schleier hebend.

Beatrix!

Beatrix, sie umarmend.

Kaum erkenn' ich die Gespielin;
Die Knospe ist zur Wunderblume worden!

Edmund,

Idella gleichfalls umarmend.

Erfreut, begrüß' ich Euch als liebe Schwester;
Auch ich gedachte oft der Jugendzeit,
Und in der Schwägerin find' ich die Freundin.

Idella.

Ja, theure Freunde! — O vergebt der Rührung,
Die mächtig mich ergreift! — Ja, nicht als Fremde
Betret' ich dieses Ahnen-Schlosses Schwelle,
Wo ich so oft gelächelt und geweint. —
Ach, damals lebt' er noch, mein edler Oheim,
Und Eures Vaters biedre Gastlichkeit
Versammelte die alten treuen Freunde.
Hier dachten sie beim Becher ihrer Jugend,
Hier schauten sie der Kinder frohe Spiele,
Und segneten prophetisch ihren Bund.
Auch ich, die Waise, saß auf ihren Knieen —
Denn hoch ward hier mein theurer Ohm geehrt —
Wenn, einem Barden früh'rer Zeiten gleich,
Greis Bertrand sang — und wenn er längst geendet,
Ehrfurchtig Schweigen noch die Zungen band. —
Wie wird mir! — Gleich verblichnen Schatten
                                    steigen
Erinnerungen an den Wänden auf;
Die Bilder regen sich an diesen Pfeilern.
Das ist der erste Atlam — dieß ist Hilda,

Ein Heldenweib — das ist die blut'ge Decke,
Das Warnungszeichen noch für Enkelsöhne,
Das oft mit Angst die junge Brust erfüllte.
Dieß ist der Fromme, der am heil'gen Grabe
Die Palm' errang — das Edward und Ma-
thilde —
Das ist Gräf Richmond — dieß ist Eure Mutter —
Das ist das Bild von Beatricens Vater —
Dieß meines Oheims — ach, die sanften Züge,
Die mir noch sterbend, Tröstung zugewinkt!
O Theurer! konnt'st du ohne mich erblassen,
Und vaterlos die Weinende verlassen?

Sie stürzt sich erschöpft auf Beatricen.

Beatrix.

Zu heftig wirkt auf Deine sanfte Seele,
Geliebte Schwester! jener Tage Traum,
Und jetzt, da Brüder reuig sich umfangen,
Nach langer Zwietracht Herz an Herzen klopft,
Muß nur der Freude Thräne sich ergießen!

Idella.

O wüßtest du, daß schon seit sieben Monden
Nur Thränen dieses Herzens Wonne sind,
Nicht würdest du dem milden Strome wehren,
Der, in gepreßtem Busen lang verschlossen,
An deiner Brust die Ufer überschwillt!

Beatrix.

Gern wird Beatrix mit Idella trauern;
Doch ziemet nicht der ungemeßne Schmerz.

Von etwas Anderm! von dem holden Knaben —
Wie freundlich er mir thut, der muntre, Schalk!

Adelbert,
indem er Violetten liebkosend aufhebt.

Es ist kein Knabe, doch wie Knaben muthig!
Violette schlingt sich um seinen Hals, und windet sich geschickt wieder
herab.

Beatrix, zu Idella.

Ists nicht dein Aeltester?

Edmund.
Wär' falsch die Kunde,
Daß Ihr zuerst dem hocherfreuten Gatten
Des Namens Erben, und des Ruhms geschenkt?

Beatrix.

So hört' auch ich, und wähnt' in diesem Kleinen,
Selbst kinderlos, einst Aklams Herrn zu grüßen,
Und nannt' im Geist ihn segnend meinen Sohn!

Adelbert,
mit bedeutendem Wink.

Still, Schwägerin!

Idella.
Euch täuschte nicht die Kunde;
Doch schwand mein Richmond längst aus diesen
Armen,
Das holde Kind mit zarten Rosenwängen,
Mit blondem Haar und stillen Engelsaugen —

Beatrix, schmeichelnd.

Der Mutter Augen! —

Idella,

mit tiefem, schwärmerischen Schmerz.

Hin ist er gegangen,
Im Seraphs-Chor den Oheim zu empfangen!

Eine kurze Pause, während welcher die Uebrigen sich verlegen ansehen.

Beatrix.

Doch Eines blieb Dir! — Nie von süßen Lippen
Hab' ich den Mutternamen lallen hören,
Werd' ihn nie hören, trügt nicht Prophezeihung,
Für die nun sieben Jahr' erfüllend bürgen: —

Die Violetten aufnehmend und ihr vorhaltend.

Und sieh', wie lieblich! Aus den dunkeln Augen
Blitzt Witz und Feuer, Muth und Heiterkeit! —
Auch mein' ich, bei der Tochter sanften Spielen
Muß ruhiger das Mutterherz sich fühlen.

Idella.

So sagt man. — Diese nännt' ich Violette,
Doch sanft und veilchenhaft ist nichts an ihr!

Edmund.

Sie gleicht Euch wenig; doch das Bild des Gatten
Spricht Euch aus jedem dieser Züge an.

Idella.

Wie sie des Vaters Bildung an sich trägt,
Ihm völlig gleich an dunkelm Haar und Auge;

Wie seine Liebe stets nur ihr gehörte,
So hegt sie auch, des Vaters, leichten Sinn.
Sie fühlt sich glücklich nur in diesen Kleidern,
Und Roß und Falk und Jagdhunde sind, ihr Spiel.

Adelbert.

Hast du von Amazonen nie gehört?
Von Hilda nicht, der Mutter unsers Stammes?

Idella.

Sie scheute nicht die fahrvoll weite Reise,
Saß immer auf des Vaters wildem Roß,
Und jauchzte, wenn es bäumte — oder raufte
Oft neckend die vom Wind gehobne Mähne.

Ein Trompetenstoß.

Violette,

die sich bis jetzt im Saale herum getrieben, hüpft zu dem Vater und faßt seine Hand.

Horch, Vater!

Edmund, *halb vor sich.*

Endlich!

Vierter Auftritt.

Die Vorigen. Fabio eintretend.

Fabio.

Alles ist bereitet,
Und ungeduldig drängt sich schon die Menge,
Den tapfern Ritter jubelnd zu begrüßen
Und an Idella's Blicken sich zu weiden.

Beatrix.

So kommt denn, Freunde! daß in heitrer Runde
Wir wiederum einmal beisammen sitzen,
Wie vormals. Viel und Fröhliches ist übrig,
Was Ihr, wenn Freud' und Wein die Herzen öffnet,
Der Freundin Forschen nimmer sollt entziehn!

Edmund,
mit Adelbert Arm in Arm.

Auf, Adelbert! zu süßer Eintracht Feste,
Und jeder künft'ge Tag sey solch ein Fest!
Der Fröhlichste sey heut' von uns der Beste,
In keinem Becher bleibe heut' ein Rest!
Heut' nenn' ich alles meine Freund' und Gäste,
Was nur ein lächelnd Antlitz blicken läßt.
Heut' ruh'n wir — morgen soll in Waldes Hallen
Das lang' verstummte Hifthorn freudig schallen!

Zweiter Aufzug.

Erster Auftritt.

Romantische Herbstgegend des Parks mit hohen Bäumen
und Felsensitzen.

Idella,

weiß gekleidet, blos eine Perlenschnur durchs Haar, eine Laute im
Arm, kommt langsam vorwärts.

Euch kenn' ich noch, bemooste graue Eichen!
Ihr sprecht mich noch wehmüthig, schaurig an;
Tief im Gemüth vernehm' ich euer Rauschen. —
Nicht so die Wohner dieser Burg! Ihr Laut,
Der alte zwar, voll edler, treuer Liebe,
Er dringt mir nur zum Ohr' —, doch keine Stimme
Antwortet ihm aus meines Herzens Tiefen.
Mit zarter Tröstung will die heitre Gräfin
In meines Kummers Heiligthum sich schleichen,
Und, früher Jahre Traulichkeit erneuend,
Der Todten heil'ge Bilder mir entwenden;
Mit edler Schonung sucht der biedre Edmund
Aus ihrem Traum die Sinnende zu wecken,
Mit leichtem Scherz mir Rede abzulocken.
Doch mich verwunden schon die lichten Strahlen,
Die Beatricens feurig Auge wirft;
Ich seh' des Grafen ängstliches Bemühn,

Der stolzen Seele Nachsicht abzuringen,
Und was sie thun, und was sie reden mögen,
Fremd sind sie mir, fremd werd' ich ihnen bleiben,
Mir drückend stets die Luft in ihren Sälen!

Sie läßt sich auf einen Felsensitz nieder.

Doch wohl mir, daß ich endlich dort entronnen,
Und hier in stiller, grüner Einsamkeit
Dich, einz'ge Freundin, in den Armen halte.
Ertöne! Nur bei Deiner Saiten Tönen
Kann sich der Geist zur Herrlichkeit verschönen.

Sie spielt eine Weile fantasirend und geräth auf eine Melodie, die sie erst allein, dann mit Gesang vorträgt.

Und wenn die Blum' sich schließet,
Erquickt der Thau die Flur.
Bei stiller Nacht ergießet
Sich milde Kühlung nur.
Ach nirgends, nirgends hienieden,
Nur dort winkt Ruhe dem Müden —
Seele, heilig und fromm,
Komm, o komm!

Was steigt vom Himmel nieder
Und flüstert um mich her?
Was tönt im Herzen wieder,
So leis und ahnungschwer?
Ach, nirgends, nirgends hienieden,
Nur dort ist Eingang zum Frieden,
Seele, heilig und fromm,
Komm, o komm!

Zweiter Auftritt.

Jdella. Beatrix, die einige Zeit in der Ferne zugehört hat und nun näher kommt.

Beatrix.

Vergieb, Jdella, wenn das Amt der Wirthin,
Und mehr noch, wenn des Herzens sanften Ruf
Ich nicht beachtet, und auf Augenblicke,
Indeß die Männer traulich sich ergehn,
Die liebe Schwester selbst sich überlassen.
Mich rief der Hausfrau Pflicht; des Gatten Freude,
Den nimmer noch so heiter ich erblickt,
Verlangt das Volk, das Euch zu seh'n geeilt,
Zu seines Festes Zeugen und Genossen.
Bald flimmern Lampen auf dem Lindenplatze,
Dem frohen Mahl bis Mitternacht zu leuchten;
An langen Tafeln reihen sich die Männer,
Die Weiber nahen, steif im Hochzeitschmucke;
Einladend ruft der Geig' und Flöte Klang,
Und schamhaft ringeln Dirnen sich zum Tanze.

Jdella.

Nicht ziemet mir, die Freude zu verdüstern,
Die voller Huld des edlen Edmunds Liebe
Dem theuern Bruder zum Empfang' bereitet;
Nach langer Frist schmückt mich des Schwanes
          Farbe.
Doch — ach Beatrix! könntest du erblicken,
Welch düstres Schwarz des Herzens Grund bedeckt,

Du wüßtest es, daß jene Freudentöne
Zerreissend durch die kranke Seele schmettern.
Den Freudigen erfreuen ird'sche Freuden,
Mein Busen sehnt nach stillen·dunklen Mauern,
Mich ewig von der Erde Tand zu scheiden —
Geh', Freudige, und laß Idella trauern!

Beatrix.

Ist nicht beglücken stets des Weibes Pflicht,
Und rein der Quell, dem Edmunds Lust entströmt?
Drum, wenn ich gern mit Fröhlichen mich freue,
Willst du, Idella, kalt mich von dir weisen,
Als hätt' ich für die Trauernden nicht Thränen?
Nein, Schwester, bei der Jugend heil'gem Bande,
Bei Adelbert, den Beide wir geliebt,
Bei deines Oheims, deines Kindes Schatten!
Ich laß' dich nicht — ich muß es dir entreißen,
Was selbst von mir dein sanftes Herz gewandt.
Gern will ich mit dir trauern, mit dir klagen,
Und jedem Glück, bis du es theilst, entsagen.

Idella.

Du rührst mich, rührst mich innig — o verkenne
Mich nicht — Du nicht — zu tief schmerzt solch
Verkennen!
Zwar schein' ich kalt — auf meiner Liebe Garten
Hat schonungslos ein früher Frost gedrückt.
Nun wandl' ich sinnend an dem Beet' vorüber,
Wo sich die blassen Blumen welkend neigen,
Und seufze: Ach, daß ihr verblühen mußtet!
So bin ich nun — wer änderts? doch mit Undank

Der Schwester Mitgefühl von mir zu stoßen,
Vermag dieß Herz, wenn auch gebrochen, nicht!

Beatrix.

Ich kenne dich, und deine milde Seele;
Doch solltest du der Menschen Kreis nicht meiden,
Nicht deinem Grame ganz dich übergeben!
Wohlthätig würde dieser Augen Lächeln
Gemahl und Kind, wie Lenzesluft, beleben;
Nicht wecken ihre Thränen deine Todten!

Idella, ablenkend.

Du hast auch Recht. Oft, wenn ich ausgeweint,
Hab' ich das selbst, vorwerfend mir, bedacht.
Laß mich an deinem Arm dem Schmerz entweichen;
Laß jetzt, gleich jetzt, uns heitre Rede wechseln! —
Zuerst — das wollt' ich längst von dir erkunden —
Sag' an, wie fern liegt Isidorens Kloster?

Beatrix.

Wenn du den kleinen Hügel dort besteigst,
Siehst du durchs Laub die Zellen=Fenster schimmern.

Idella.

So freundlich nah? — So sind es jene Thürme,
Wonach, als Kind ich oft mit Wehmuth schaute,
Wenn mildes Abendroth die Kuppel färbte
Und durch das Thal der Hora Glocke scholl?

Beatrix.

Dort hausen sie, die Nonnen Isidorens!

Idella,
mit ausgebreiteten Armen.

O selig, wer von aller Welt geschieden,
Nur für den Himmel lebt und seinen Frieden!

Beatrix.

Wie? welch Gefühl? — Hast du des Worts ver=
gessen,
Das zu entsagen deinem Schmerz gelobte?

Idella.

Dem Schmerz' entsagen? — meinem Schmerz
entsagen?

Beatrix.

Idella! —

Idella.

Nun, was hab' ich denn verschuldet? —
In jenes Klosters stillen Gängen wandelt
Die fromme Clara als der Nonnen Mutter,
Die Heiligste, wie stets mein Oheim sagte.
Sie ward durch ihn Aebtissin in dem Orden;
Um ihr des Theuern Scheidegruß zu bringen,
Ward mir zur heil'gen Pflicht die werthe Reise.

Beatrix,
mit Wärme ihre Hand fassend.

Du bist nicht redlich, willst mich liebend täuschen,
Und das Gespräch auf fremde Dinge lenken.

Doch kenn' ich's, was an dieser Blüte nagt,
Und darf nicht schweigen — kostbar sind Minuten,
Wo mit dem Sandkorn deine Thräne fällt!
Du sollst mir reden, müßt' ich's knieend bitten! —
Du bist nicht glücklich! Deines Gatten Blicke,
Dein scheues Schweigen, wenn er freundlich winkt,
Dein kalt Vorübergehn an Eurer Liebe Blume,
Dein Glaube, einsam, ungeliebt zu wandeln. —

Idella,
an ihre Brust sinkend.

Ich bin es, — wandle einsam — ungeliebt!

Beatrix.

Du irrst dich, bist erfind'risch, dich zu quälen!
Ein böser Dämon, eure Ruhe neidend,
Hat wuchernd Unkraut feindlich ausgestreut.
Nun flieht ihr, Lieb' im Busen, von einander,
Da leicht vermittelnd eine günst'ge Stunde,
Leicht eines weisen Freundes Rath euch einte.

Idella.

Er liebt nicht, wie Idella! nein, so nicht!

Beatrix.

Nicht lieben Er? — Doch sag', aus welchen Gründen
Den edlen Gatten du so hart beschuldigst?

Idella.

Das wollt' ich nicht! Wie? hätt' ich das gethan?
Sein Wille nicht, das Schicksal scheidet uns!

Du weißt es selbst — denn früh muß ich beginnen —
Wie hier auf Aklam Edmund und Beatrix,
Und mein Gemahl und andre Edelkinder
Im Angesicht der Väter fröhlich schwärmten.
Schon damals hieng mein junges Herz an ihm,
Ihm nur allein folgt' ich zum Spiel der Knaben.
Doch damals schon beherrscht' ihn deine Liebe,
Und überseh'n stand trauernd oft Idella. —
Bald rief der Ohm mich ab zu seiner Pflege,
Und ich vernahm von ferne nur die Kunde,
Für Beatricen glühe Adelbert,
Doch sey sie längst durch beider Väter Willen
Dem ältern Bruder zum Gemahl beschieden.
Nicht trug es Adelbert. Er floh aus Aklam,
Und stürzte sich in wildes Kriegsgetümmel,
Den Tod zu finden — doch er fand nur Siege!

Beatrix.

Und reichte dir den frischen Lorbeerkranz!

Idella.

Sein Ruhm, des Königs gnädiges Geheiß
Rief ihn zum Thron. Mit hoher Wonne hört' ich,
Daß ihn der König seinen Degen nenne;
Mit minderer, daß selbst die Königin
Vor allen Rittern gnädig auf ihn blicke,
Daß ihre Farbe oft durch ihn gesiegt! —
Und nun erschien er unverhofft, den Oheim,
Den alten Freund des Vaters, heimzusuchen.
Ich sah ihn, reizend wie den Gott der Sonne.

Im Waffenschmuck, und alle Pulse flogen —
Im ganzen Weltall sah ich jetzt nur ihn —
Und neu erwachend, höher glühend zogen
Durch dieses Herz der Kindheit Fantasie'n. —
Ich sah ihn. —

Beatrix.

Und der Edle sah Idella,
Der tapfre Sieger fühlte sich besiegt!

Idella.

Nicht also, Freundin! Adelbert gewahrte
Die Flamme nicht, die er in mir entzündet,
Und als Gespielin nur schien ich ihm theuer;
„Geliebte Schwester!" war sein trautstes Wort. —
Laß mich die Zeit nicht schmerzlich jetzt erneuen,
Wo an verschwieg'ner Neigung ich verglühte,
Des Oheimes Sorge endlich mich errieth
Und seine Hand der Liebenden erflehte.
Nur Mitleid gab ihn mir. —

Beatrix.

Nein! nimmermehr!
Ich kenne ihn — Wenn diese Augen flehen,
Wie kann sein Herz dem Zauber widerstehen?

Idella.

Die Folge lehrt' es. Reichlich ausgestattet
Von meinem Oheim, nahmen wir Besitz.
Das heitre Schloß, nur ländlich ausgeschmückt,
Wird rings umgränzt von Paradiesesauen;

Nie fertig wird man, Schöneres zu schauen, –u
Hier sieht man aus der Flut den Schwan sich heben,
Dort an des Hügels Hang die Heerden schweben.

Beatrix.
Arkadien und ein beglücktes Paar!

Idella.
Nur wochenlang! Bald sah ich seine Stirne
Getrübt, und wallte einsam durch die Gärten.
Er rühmte stets des Hofes Glanz und Feste,
Fand nöthig, mich der Kön'gin vorzustellen,
Und nur mein Flehn hielt ihn von Zeit zu Zeit.
Erweitert ward der Marstall. Gäste flogen
Herbei zu Schmauß und Jagd und Ritterspielen,
Des Rosses Huf verwüstete die Fluren
Und Jagdgeschrei entweihte meine Haine.
So ist es denn seit Jahren her ergangen,
Und jeder Mond bringt neue Trauer mir.

Beatrix.
Du bist nicht billig, kennst die Männer nicht;
Nach stetem Wechsel sehnt ihr feurig Herz.

Idella.
Noch jüngst — ich hatt' ein zahmes Reh, erzogen
Für mich von einem alten Eremiten.
Es hörte nur auf mich, und nahm das Futter
Am liebsten nur aus meiner Hand, und folgte
Mir oft durch Busch und Garten, blickte traurig
Mich an, als wollt' es fragen, was ich weine.
Ich liebt' es dankbar — bis ich eines Abends,
Erschreckt durch Winseln, in das Dickicht eile

Und mein getreues Reh im Blute finde.
Die Zunge lechzte, die mich sanft gekos't,
In Todesnöthen — es verendete,
Von einem Gast bei trunknem Muth' erlegt.

Beatrix.

Gewiß, ein Wort von dir, und Adelbert
Wär' zu vergüten den Verlust geeilt.

Isella.

Er that's — und schnell! Ich hätt' es nicht ver-
schwiegen —
Denn nimmer werd' ich ungerecht ihm seyn!
Nach kurzem hüpfte mir — mit vielen Kosten
Aus königlichem Zwinger selbst verschrieben,
Ein silberfarb Gazellchen leicht entgegen.
Hier schien die Kunst nur kaum durch rastlos Mühen
Die wildere Natur besiegt zu haben.
Nicht schildern läßt sich diese kirre Scheuheit,
Und feinern Bau, und liebevolles Trotzen,
Und hellre Augen kann man nimmer seh'n!
Vom künstlichsten der königlichen Meister,
In Gold und Silber war das Band getrieben,
Das schimmernd um den schlanken Hals sich schmiegte,
Und auf des rosenfarbnen Sammtes Grunde
Stand die Devise: Alles weicht der Rose! —
So schön war alles — ohne mich zu trösten!
Mir kann das Gemschen kein Vergnügen geben;
Es mahnt mich immer an mein sterbend Reh;
Es dient nur zur Gespielin Violettens,
Und schlummert nächtlich oft an ihrem Herzen.

Beatrix.

O ſüßes Kind! — Doch wem verrieth dieß Auge,
Wer glaubt' es dieſen ſeidenweichen Locken,
Daß ſolche — Feſtigkeit im Buſen wohne?

Idella.

Ich kann mein Herz nicht wenden und nicht theilen;
Ich liebe ewig, was ich je geliebt!

Beatrix.

Und von dem Gatten könnteſt du dich wenden,
Von dem Geliebten deiner frühen Jugend?
Nicht nachſichtsvoll ihm Rede abgewinnen,
Daß er, welch reicher, klarer Wunderquell
Der Lieb' ihm ſtröme, hochbeglückt erkenne?" —
Genug jetzt! Laß der Schweſter Sorge walten.
Noch heute ſoll dein Adelbert erfahren,
Wie er gefehlt — dich freudeweinend küſſen!
Doch komm, und laß uns nun zurücke kehren;
Sey ruhig, ſey voll Hoffnung —

Indem ſie ſich umwenden und Arm in Arm einige Schritte gehen,
läßt ganz in der Ferne Adelbert mit einem Edelknaben ſich ſehen.

Idella, zurückfahrend.

Heil'ge Mutter!

Lehnt ſich an Beatricen.

Dritter Auftritt.

Die Vorigen. Abelbert, mit dem Edelkna=
ben im Gespräch; noch ganz im Hintergrunde zu

Beatrix.

Was ist dir?

Idella.

Dort! Er selbst!

Zieht Beatricen zurück und weiter seitwärts.

Adelbert,

zu dem Edelknaben.

Du glaubest also?

Edelknabe.

Nach diesem Eichenhain sah' ich sie wandeln!

Ab.

Idella,

Beatricen noch immer auf die Seite ziehend, und sehr dringend.

Sprich jetzt mit ihm, daß von ihm selbst ich höre,
Was er erwiedert — laß mich lauschend harren.

Beatrix.

Es ist nicht gut — Du wolltest? —

Idella.

Und gelobe,
Daß du mich ihm auf keine Weis' entdeckest.

Beatrix.

Sey ruhig —

Indem sich Idella ganz seitwärts auf eine etwas erhabene, vom Gebüsch verborgne Felsenbank setzt.

Himmelsmächte! hört mein Flehn,
Daß wir von hier mit Wonnethränen geh'n!

Vierter Auftritt.

Idella verborgen. Beatrix, einige Schritte dem Ritter entgegen. Adelbert. Letztere Beide sind während dieser Scene so gestellt, daß nur Beatrix, wenn sie etwas vortritt, nicht aber Adelbert, Idella erblicken kann.

Adelbert, sehr heiter.

Bald leuchtet nun des Mondes Silberlicht
Dem Bundesmahle — und die Königin
Des Festes weilt, den Reigen anzuführen? —
O trefflich ist's doch hier auf Aklams Höhen!
Wie vormals sprudelt noch in Goldpokalen
Der Wein, an Alter unserm Stamme gleich;
Wie vormals ist noch hier des Gastrechts Tempel,
Wie vormals noch die Wohnung der Gesänge!

Beatrix.

So ist's nicht immer, lieber, heit'rer Bruder!

Adelbert.

Und welch ein Waffensaal, und welche Rosse!

Ich sah sie; werth der edlen Reiterin,
Und stolz der schönen Herrin sich erhebend —
Nicht trefflicher sind selbst der Kön'gin Renner!

Beatrix,

die ganze Scene hindurch dann und wann, je nachdem das Gespräch
es mit sich bringt, bald unruhig bald beängstigt nach Idella blickend.

Ihr habt am Hof' gegolten — seyd ein Ritter —
Drum übt ihr der Chevalerie Gesetze!

Adelbert.

O wären noch der Väter goldne Zeiten! —
Doch Ihr habt recht! Was denk' ich auch der Dinge,
Die Ihr mit ändern Eures Standes theilt,
Nicht dessen, wo Ihr einzig — nicht des Lebens,
Das Euer Geist erquickend um sich breitet,
Nicht dieser feinen Wahl — nicht dieses Zaubers,
Womit Ihr Ernst und Scherz zu mischen pflegt —

Beatrix.

O schweigt, ich bitt' Euch! Nach so langen Jahren
Sehn wir uns wieder — und der Freund, der Bruder,
Der Held erniedert sich zu Schmeicheleien?
Nicht also, Adelbert! Sprecht herzlicher —

Adelbert.

Was ich gesagt, ist herzlich, kommt von Herzen.
Ach, freilich war es anders, als zuletzt
In dieser Haine heil'ger Dunkelheit
Ich Euch umarmte — Euch mit Jünglings=Feuer
Die Thränen von den glüh'nden Wangen küßte! —

Wohin verirr'. ich mich! — seit jenem Tage,
Wo ich des Schmerzes Bodensatz geleert, a
Sank mancher Mond, sank manche Sonne nieder,
Doch unverändert blieb —

Beatrix, ängstlich.

Nicht das, mein Bruder!
Leicht könnte uns ein Dritter mißverstehen.

Adelbert.

Längst schwand mein Zorn. Doch fürcht' ich, Euch
zu sehen,
Mißtrauend dieses Herzens stillen Flammen.
Ich sah Euch wieder, sah euch schweigend herrschen,
Sah Euch geehrt von Edmund, angebetet
Von Greis und Kind. Die allgemeine Liebe
Und Eure Würde wirkte auch auf mich.
Nicht bebt' ich, Euch ins offne Aug' zu schauen;
Mein Herz schlug feurig, ganz Euch zu vertrauen!

Beatrix.

Das ist es, was ich wünsche. Dankbar nehme
Ich das Versprechen Eurer Zuversicht,
Und komme ihr zuvor. Euch froh zu wissen,
Ist ewig dieses Herzens wärmster Wunsch.
Ihr könnt es seyn — Idella's hohe Reize —

Adelbert,
ein wenig zurücktretend.

Wie, Gräfin?

Beatrix.

Ja, bei allen Heiligen!
Als, Engeln gleich, sie fromm den Schleier hob,
Stand ich gefesselt von der Schönheit Zauber.
So hatt' ich nie; so nie sie denken können,
Die Jugendfreundin, himmlisch aufgeblüht.
Könnt' ich der Weiblichkeit Verklärung mahlen,
Nur von Idella lieh ich Farb' und Strahlen.

Adelbert.

Wollt Ihr mir schmeicheln durch der Gattin Lob?

Beatrix.

Nicht schmeicheln, Bruder! — nein! nicht Schmeich=
         lerinnen
Sind Weiber, wenn sie fremden Reiz erheben —

Adelbert.

Von etwas Anderm! — Freundin, wollt ihr heute
Nicht rein die Freude, ungetrübt mir gönnen?

Beatrix.

Wie? schmerzt euch das, was euch beseel'gen sollte?

Adelbert.

Es könnte — wohl! vielleicht! wär' ich ein
         And'rer!
Ich achte sie, ich ehre sie von Herzen!
Nichts mangelt ihr, was ich ihr geben kann.
Doch müssen wir uns flieh'n. Wer mag es tragen,

Da, wo er Mitgenuß, Erheiterung sucht,
Nur Duldung finden und ein weichlich Klagen?

Beatrix.

Es ist so weiblich, seine Todten lieben!

Adelbert.

Sagt weibisch. — wenn die Klage nie verstummt!

Beatrix.

Seyd milder, nicht so hart! dem Mann ziemt
      Stärke,
Empfindung ist der holde Schmuck der Frauen.
Seyd schonend — seht, Idella liebt die Laute,
Gewiß hat oft ihr Spiel Euch hoch entzückt;
Ihr liebt sie auch — o schont Idella's Seele,
Die zart besaitet, wie die Laute, ist.
Jetzt hat der Tod mit kaltem, starren Finger
Der goldnen Saiten reinen Ton verstimmt;
Wollt fühllos Ihr das Instrument zertrümmern?
Laßt sie gewähren — bis der schöne Engel
Des Trostes naht, der Saiten Zug zu ordnen;
Dann lauscht Ihr froh dem neugebornen Liede!

Adelbert.

Ihr seyd beredt, sprecht mit der höchsten Wärme,
Kommt's darauf an, mich bitter zu verklagen:
Traun! keinen schlauern Redner kann Idella
In Rom einst finden für die Märtyrkrone!
Fast scheint sie eine heil'ge Dulderin,

Ich ihr Verfolger — faft, als spräch sie selbst
Aus Euerm Munde — hätte Euch gesandt! —
Doch nein! so gut, so feurig sprach sie nie!

Beatrix.

Wie Adelbert? soll das mich widerlegen? —
Zweideutig ist der Spott, und solcher Wendung
Bedient sich nur die schaamgefärbte Schuld.

Adelbert.

Gern schwieg ich; doch Ihr zwingt mich! diese Trauer
Ist's nicht allein, was mich von ihr entfernt.
Ich weiß es, sie ist reizend — und mit Stolze
Nimmt sie der Reize Huld'gung schweigend an.
Ich weiß es, Viele huldigten ihr lange,
Und warben, gleich den Rittern treuer Minne,
Um ihre Hand. Sie wurden nicht erhört,
Weil unbewußt ich ihre Lieb' gewonnen.
Doch war das meine Schuld? hab' ich, wie Jene,
Um ihre Huld, um ihre Hand gefleht?
Ist's meine Schuld, daß unsre Herzen
So anders stets empfinden? so verschieden?
Sie — liebt zu wandeln auf beblümten Wiesen,
Zu träumen unterm Schatten silber Weiden,
Wo Lämmer grasen — von erträumten Leiden
Balladensang zur Laute zu ergießen;
Doch mich erfreut das rasche Jägerhorn,
Und Schimpf und Ernst, Turnier und Fackeltanz
Sie fliehet früh aus ihrem seidnen Bette,

Zu Beicht' und Altar, zu der heil'gen Mette;
Ich eile, wenn die Morgenröthe winkt,
Im dunkeln Wald dem Eber nachzuspüren.
Sie — wie vergäß' ich? — alles, was ich
　　　　　　　liebe,
Ist ihr zuwider — ach! selbst Violette!
Des sanften, kranken Richmonds denkt sie nur.
Ich liebt' ihn auch; ich sah in ihm den Erben
Von meinem Namen, — warlich weiter nichts!
Er seufzte stets, — es war ein frommer Knabe,
Den Engeln gleich, die still am Oelberg weinen.
Er starb dahin, — und über seiner Asche
Ließ ich ein pracht'ges Marmordenkmal wölben
Mit unserm Schild und mit Idella's Namen.
Was konnt' ich mehr?

　　　　　　Beatrix.

　　　　　　Ich glaubt' Euch heute sanfter,
Ich hofft' Euch heute friedlicher zu finden.
Doch geb' ich Euch nicht auf. Bei günst'gern
　　　　　　Sternen
Hoff' ich —

　　　　　　Adelbert.
　　　　Hofft nichts! — O glüht' in ihrem Herzen
Ein Funke Eures Geistes! — doch ich schwöre,
Bei jeder Hoffnung, selbst bei Violetten!
Wird nicht Idella völlig neugeboren,
So sey die Freude ewig uns verloren;
So fluch' ich jenem Tage, da das rasche,
Das ewige Gelübd die freie Hand

Da uns des Oheims Segenspruch verband;
Ich fluche seinem Segen, seiner Asche —

Beatrix.

Ihr werdet schrecklich — Gott! was redet Ihr?
Wenn Sie es hörte —

Adelbert.

Sie — und alle Geister!

Idella,

die bis jetzt weinend ihr Gesicht verborgen hat, sinkt vom Felsensitze.

Beatrix,

mit Heftigkeit seine Hand ergreifend und ihn vorziehend.

Barbar! hier ist sie!

Eilt fort.

Adelbert, bestürzt.

Himmel! wie? —

Idella,

richtet sich schnell auf und trocknet ihre Augen.

Adelbert,

sehr erschüttert — mit ausgebreiteten Armen auf sie zueilend.

Idella!

Idella,

wendet sich lächelnd und zurückweisend von ihm.

Ja — nur Idella. Dorthin floh Beatrix!

Ab.

Dritter Aufzug.

Erster Auftritt.

Kurz nach Sonnenaufgang. Laubgänge des Schloßgar=
tens, hie und da mit Lauben. Man sieht in einiger Ent=
fernung einen Flügel des Schlosses.

Robert,

in kurzem weißen Leibrock, einen Eichkranz im Haar, eine goldne
Kette um den Hals, an der Seite ein kurzes Schwert. Er hat sich
nachdenkend auf eine Bank hingeworfen und blickt, auf die Harfe
gelehnt, manchmal nach dem Schlosse, als wenn er jemand erwar=
tete. Bald darauf Adelbert, in Jagdkleidern, bei dessen An=
näherung Robert aufsteht und sich ehrerbietig verneigt.

Adelbert.

So früh schon munter, wunderbarer Sänger!
Als wolltet Ihr des Jagens Freuden theilen?

Robert.

Mich weckt der Sonne Gruß durch Herbsteslaub;
Doch lieb' ich nicht des Waidwerks blut'ge Lust.

Adelbert.

Ich glaub' Euch das — Ihr habt mit Eurem
Sange
Mich tief bewegt. Ich habe stets die Dichter
Und ihrer Töne holden Zwang bewundert.

Viel Meistern Eurer Kunst hab' ich am Höfe,
Als Jüngling schon dem würdigsten vor allen,
Dem Greise Bertrand ehrfurchtvoll gelauscht —

Robert,

mit Feuer seine Hand fassend.

Ihm? — o!, so laßt mich warmen Drucks die
Hand
Mit stiller Feier in die Eure schlagen;
Sie sinke hin, des Standes Scheidewand!
Ich darf als Freund Euch zu begrüßen wagen.
Er war mir Lehrer, Vater —

Adelbert.

Ihr sein Schüler?

Robert.

Es ist mein Stolz, mich dankbar so zu nennen!

Adelbert.

Doch sagt, wie lehrt' er Euch? Ich wär' begierig,
Zu wissen, wie Ihr, was Ihr seyd, geworden?

Robert.

Es läßt sich wenig lehren, nichts erlernen,
Was sonderlich des Rühmens würdig wär,
In unsrer Kunst. — Der Dichtung heil'ge Gabe
Ist, wie die Seele! Wie der Weiber Schönheit,
Wie das Gefühl der reinen wahren Liebe,
Stammt sie vom hohen Himmel — und, wie jene,
Beherrscht sie zaubrisch jedes edle Herz.
Doch, lieht Ihr je am schönen, heitern Morgen

Der mütterlichen Lerche Euer Ohr,
Die zum Gesang ermunterte die Jungen,
So wißt Ihr auch, wie Bertrand mich gelehrt.
Die Lerche steigt und singt; nachahmend zwitschert
Der Kinder Kreis und schwingt sich in die Lüfte.
So Bertrand! — Süß erklangen seine Lieder,
Und wenn ich glühte, klopft' er mir die Wange;
Doch blieb ich kalt, stand nur gehorchend stille;
Dann flog wohl oft die Rolle in die Flammen.

Adelbert.

Ihr wart es werth, von ihm geliebt zu seyn;
Ihr ehrt durch Eure Kunst des Meisters Asche.
Verwundernd hab' ich gestern Euch gehört,
Und — winkt euch einst die Zinne meiner Burg,
So zieht nicht, mich verschmähend, stolz vorüber;
Ich werd' Euch ehren, wie ich Bertrand ehrte!
Doch — darf ich, Eure Kunst zwar höchlich liebend,
Doch nur ein Laie, Freundesrath Euch geben,
Euch sagen, was von hochgelahrten Männern
Ich oft vernahm — so mäßigt Euer Feuer;
Laßt nicht so wild das Flügelroß sich bäumen!

Robert.

Ihr sagt's — das Roß hat Flügel! — mögt Ihr ihm
Den Fittig schmachvoll binden? soll es, sklavisch
Vom Zaum gedrückt, sich in die Wolken schwingen?
Könnt Ihr der Sonne Glut in's Glas verschließen;
Wähnt Ihr der Wogen mächt'gen Lauf zu fesseln? —
Geht, fragt sie doch, die hocherfahrnen Richter,

Was doch es ist, das Thrän' und Lächeln lockt;
Was doch es ist, das bald nach finsterm Starren,
Bei Einem Wort, bei einem einz'gen Laute,
Das Aug', wie eine lang verschloßne Wolke,
So plötzlich strömend, schmerzlich süß, entladet;
Bald, selbst dem schwarzen Ungewitter gleich,
Das, lange drohend, endlich Blitze schleudert,
Den Hörer schrecklich, fürchterlich betäubt?
Was doch es ist, das sich im Busen drängt,
Was über Erd'- und Himmel uns erhebt,
Was, nie erkannt, doch ewig rastlos, strebt,
Zu rauschen in die Fluten des Gesangs?

Adelbert.

Ihr seyd ein Schwärmer — und wie möcht' ich rechten,
Der Laie, mit des Meisters Busen-Jünger?
Doch mein' ich, wollt Ihr Lob und Beifall ärndten,
So müßt Ihr auch auf weise Männer hören!
Geschmack und Glutgefühl sind oft getrennt!

Robert.

Ich hab' es oft bei stiller Nacht erwogen;
Ich trug gar oft ein sehnendes Verlangen,
Fein glatt zu enden, wie ich angefangen;
Da kam es, wie auf monderhellten Wogen,
Gleich Silberschwänen, magisch angezogen,
Und Gränz' und Raum und Daseyn war verflogen, —
Und früh hatt' ich ein Wunderkind empfangen!

Adelbert.

Lebt ihr nur Euch? lebt Ihr nur Euch allein?
Leicht trägt der Jüngling Mangel, nicht der Greis!

Robert.

mit hoher Rührung.

Ich leb' allein — werd' unbeweint einst sterben!
Gern möcht' ich leben dann in meinen Liedern,
Daß Enkeltöchter noch das Grabmal suchten,
Mit seinen Zweigen sich die Locken schmückten —
Doch wird ein Fremdling Bertrands Harfe erben! —
Was bräuch' ich wohl? — darf ich den innern

Gott

Verrätherisch um Judas' Sold verkaufen?
Nicht, was ich will, ich singe, was ich muß!
Gebiet'risch rufend tönt in mir die Stimme —
Soll ich mit Goldklang diese übertäuben? — —
Ihr wähnt wohl, wenn, in euern Marmorsälen
Ein Imbiß, wenn aus goldgetriebnem Becher
Ein Labetrunk wohlthätig uns gereicht,
Wenn wohl aus eurer Damen schönen Händen
Ein köstlich Kleinod mild uns wird verehrt,
Dann stehn wir hoch, dann schweigt des Herzens

Schmachten?

Nicht schmäh' ich jenes. Froh labt an den Gaben
Der milden Mutter sich des Dichters Herz,
Gern sonnt er sich im edlen Lobes Scheine;
Doch fröhnt er nie — nicht Gold und Edelsteine,
Ein Höheres verlangt sein inn'res Trachten.

Adelbert.

Doch dient Ihr uns um Sold —

Robert.

Dient Ihr dem Glücke

Wohl für ein edleres? und trägt für Sold
Zuletzt nicht selbst der König seine Krone? —

Adelbert.

Schwer ist's, ich fühl' es, Euch zu überwinden.

Robert.

Drum gebt mich auf, Herr Ritter! — hoch erhaben
Hat die Geburt Euch über uns gestellt,
Ob weiland schon wir ebenbürtig waren
Und Fürsten selbst die Barden-Harfe schlugen.
Doch — nur der Sänger soll den Sänger richten;
Zum R i c h t e r gnüget ihm der Ritter nicht!

Adelbert.

Ihr sprecht ein kühnes Wort, das reizen könnte.
Wie meinet Ihr? —

Robert.

Erlaubt, Ihr seyd ein Held,
Euch trägt der Ruhm auf sonnenhellen Schwingen.
Tief unter solchem Helden steht der Sänger;
Was dieser nur b e s i n g t, das t h a t der Held.
Nun weiter! — jetzt wollt über Künst Ihr richten,
Gleich Alexandern in Apelles Werkstatt —
Doch tief steht solcher Richter unterm Sänger;
Denn dieser sang, was jener n ü c h t e r n hört.

Adelbert.

Sehr schlau, fast wahr! Mehr noch, als ich erwartet!

Faſt höfiſcher, als ſonſt der Künſtler pflegt,
Faſt ſtolzer auch, als es dem Jüngling ziemt.
Ich könnt' Euch lieben. Eure glatte Rede
Wär' ſchier im Stande, trüg ich nicht den Harniſch,
Mich in des Minſtrels weiches Wamms zu locken —

Robert.

Doch beſſer ſtets, als in Diog'nis Tonne!

Adelbert.

Wenn ſäh man Euch um Gegenwort verlegen?
Ich bitt' Euch — ſucht mich heim auf meinem Schloſſe;
Was Ihr nur wünſchet, will ich Euch gewähren.

Robert.

Wollt Ihr?

Adelbert,

reicht ihm die Hand.

Ich will — bei meines Namens Ehre!

Robert,

ſeine Hand mit feierlicher Wärme ans Herz drückend.

Ich dank' Euch, dank' Euch herzlich — Nicht vergebens
Hab' ich Euch hier erwartet. Nicht der Zufall,
Der Wunſch nicht, ehrfurchtvoll Euch zu begrüßen,
Führt mich hieher; der Wunſch nicht, Eure Gunſt
Für mich durch glatte Rede zu gewinnen,
Die Ihr mir ſelber aus der Seele zogt —
Ein ſchön'rer Zweck hat mich zu Euch getrieben!

Ich liebe Euern Bruder — seine Güte,
Des edlen Geistesstille, reine Größe,
Hat ihm vor Allen, die auf Erden wandeln,
Mich tief verbunden — ihm gehör' ich an;
Für ihn versprützt' ich freudig selbst mein Blut —
Ich liebe Euern Stamm — und Euch — und Alles
Was edel, sanft und liebenswürdig ist.
Der stille Friede einer frommen Seele —
Ihr selbst, und Euer Wohl —

Adelbert verwundert.

Was habt Ihr, Minstrel?

Robert.

Werth seyd Ihr mir — verschmäht nicht meinen
Rath!
Mißtraut nicht meiner Jugend; denn mein Kummer
Ist grau an Jahren. Heiß hab ich geliebt,
Und viel erlitten. Bertrands holde Tochter
Liebt' ich, eh sie mich sah. Mein alter Vater
War Waffenschmidt, doch hochberühmt, als Meister
Den Stahl mit edlern Erzen zu verschmelzen. —

Adelbert.

So seyd Ihr Harwichs Sohn!
Lächelnd und mit Laune.

Ich kannt' ihn wohl,
Den künstlichen Vulkan —
wieder ernst.

in meinen Schlachten
Vertraut' ich seinem Harnisch keck mein Leben —

Robert,

ein wenig aufgereizt, doch verbindlich bleibend.

So ziemt' es ja dem muthigen Achill!

Adelbert, *eifrig.*

— und seine Klingen schätz' ich über alles.
Noch gestern hab' ich Harwichs schönsten Panzer
Vom Bruder mir erbeten — Schade, schade,
Daß seine Kunst den Erben nicht gefunden!

Robert, *mit Ironie.*

Verklagt Diönen, daß der junge Cyclops,
Anstatt der Zange, Chirons Cither wählte,
Daß eine Hand dem rüst'gen Hammer fehlt,
Die nur die Saiten beseelt!
Verklagt die Schönheit —

mit Ernst und Schwermuth.

ihr nur dient' ich ja,
Nur frühe Liebe blies der Dichtkunst Funken
In meiner Seele an. Ich floh die Werkstatt,
Ward Bertrands Schüler, ward dem edlen Greise
Vom Grafen Edmund sorglich anempfohlen.
Ich schwieg und liebte — — mit geschloßnen Augen
Lag schon geschmückt im Sarg' die holde Jungfrau,
Von fremder Falschheit feindlich abgemäht,
Eh' ich an Bertrands Brust mein Schweigen brach.
O laßt Euch rathen! Langsam, still verwelken
Sah ich Jacynthen — und ihr rührend Bild
Sah ich erschüttert wieder in Idella!

Adelbert.

Habt Dank! — Ihr meint es gut. Ihr seyd
            erfahren,
Durchs Auge tief in das Gemüth zu dringen.
Doch o! das ist nun nicht zu ändern! — Ach! ꝛc.
An mir hat schwer das blinde Glück gefehlt!
Zwei wären glücklicher — viel könnte ändern —
Laßt mich' — die Sonn' steht höher —

Robert,

der Adelbert mit durchdringendem Blick beobachtet hat.

                        Dort die Gräfin!
Denkt, denkt des Minstrels, wie des Warnungs-
            engels!

Zweiter Auftritt.

Die Vorigen. Beatrix.

Beatrix.

Sieh da! Kaum wag' ich, unter Euch zu treten.
Der Kreis ist heilig. Bei des Kriegsgotts Söhne
Begrüßt der goldne Phöbus seinen Priester.

, Zu Robert, der sich ehrerbietig zurück zieht.

Geht, lieber Sänger! sinnt auf neue Lieder,
Wie gestern, uns, den Abend zu verschönen.
Wie klangen sie im tiefsten Busen wieder,

Bald stürmisch, lieblich bald ꝛc. Euch wirds gelingen,
Als Jüngling noch zum Göttersitz zu dringen.

Robert, lächelnd.

Ihr scherzt. Doch könnte, was Ihr neckend sagt,
An mir noch einstens in Erfüllung gehn,
Wenn immer ich auf Euerm Schloß verweilte.
Leicht läßt sich Berg auf Berg Titanisch thürmen,
Wenn neben uns das Irdische versinkt;
Leicht ist's, der Götter hohen Sitz zu stürmen,
Wenn Euer und Idella's Auge winkt!

Ab.

Dritter Auftritt.

Adelbert. Beatrix. Nach wenig Augenblicken ganz
im Hintergrunde Idella, mit einigen ihr folgenden Dienerinnen. Da sie den Ritter und die Gräfin erblickt, befiehlt sie
ihren Begleiterinnen durch einen Wink, zurück zu kehren, und
schleicht sich, da sich diese entfernt, von den Sprechenden unbemerkt,
in eine Laube.

Beatrix.

Er ist ein Schalk, und bleibet nie was schuldig.

Adelbert.

So merkt' ich; — süß und glatt sind seine Wörte:
Oft fühlt' ich mich gar wunderbar ergriffen;
Oft trieb es mich, an seine Brust zu fliegen;

Doch, war's sein Stolz, dem nichts zu hoch er=
                     scheint,
Der keine Größe, als des Geistes ehrt,
War's die Gewandtheit, kaum verhüllter Spott,
Was mich verwundete? was mich von ihm
Zurücke hielt? — Wie ein Chamäleon
Schien er in jedem Augenblick ein And'rer —

Beatrix.

Ihr kennt ihn nicht! Er ist so treu, so edel —

Adelbert.

Auch scheint er mir der Schönheit sehr ergeben —

Beatrix.

Wie alle Dichter göttlich sie verehren,
Als heil'ge Quelle der Begeisterung! — —
Doch bleibt er ledig. — Hoch wird er geachtet
Von dem Gemahl; fast könnt' ich ihn beneiden
Um dieß Vertraun; er liebt ihn feurig wieder.
Oft hat der Graf ihm großen Sold verheißen —
Denn klüglich weiß er Alles anzugeben —
Wollt' er für immer hier im Schloße bleiben;
Er schlägt es aus, durchstreift entfernte Länder
Nach Pilger Art — lebt oft bei armen Hirten;
Oft ist der Quell sein Trank — ein Stein sein
                   Lager.
„Laßt mich" — sagt er — „so lieb ich's. — wie
                  die Schwalben
Mit meinem Sommer zieh'n und wiederkehren!"
So ist er nun —

Adelbert.

Ja, ja, es giebt der Thoren,
Die ihre Größe im Entbehren finden!
Er liebt das Eigne — und gewiß errathet
Ihr nicht, was er sehr warm mit mir verhandelt;
Warum er durch ein scheinbar Ungefähr
Mir erst begegnet; dann mit kluger Rede
Erst Achtung mir, Bewund'rung abgedrungen,
Und dann —

Beatrix.

So sagt doch!

Adelbert.

Seys! — obwohl ich's anders
Erblicke — Euch wird er dadurch gefallen!
An ihm — ja auch am Minstrel hat Idella,
Mit ihrer Augen frommem Niederschlagen,
Vielleicht durch eine halbverhehlte Thräne,
Unwissend einen Anwald sich erworben!
Er sprach mit einer Rührung —

Beatrix.

O das gleicht ihm! —
Doch war er glücklicher, Euch zu gewinnen?
Zerschmolz an dieser Flamme Euer Herz?

Adelbert.

Verklagt mich nur! verdammt mich! — aber offen
Laßt mich Euch sagen, was ich tief empfinde;

Was diese Nacht von euern weichen Pfühlen,
Dem Unhold gleich, der über Trümmern wandelt,
Den Schlummer mir verjagt — o hört mich, Freundin!
Dann will ich schweigen! dann verwerft mich ewig!

Beatrix.

Nie, nie, mein Bruder! — o wer mag verwerfen,
Was, in des Frühlings erstem Schein geboren,
Was gleich der Blüte, die den Nordwind scheut,
Stets tief verschlossen, still im Herzen blühte;
Was —

Adelbert.

Ja ich hör' Euch wieder! Eure Stimme,
Sie tönt mir wieder, wie in diesen Gängen
Sie einst mir tönte — wenn im Laub verborgen
Die süße Nachtigall mich lockend neckte;
Wenn wir vereinigt Sommervögel jagten,
Wenn vor Gefahr Ihr warntet, doch sie theiltet,
Und — laßt mich's sagen! — dann der Harfner rufte:
„Seht, Amor zügelt schon den jungen Leuen!"

Beatrix.

So denkt auch Ihr noch jener heitern Tage?

Adelbert.

Stets denk' ich ihrer, wie am Eisengitter,
Des freien Walds, des Meeres, der Gefang'ne;
Stets dacht' ich ihrer — doch, o hätt' ich nimmer
Den Schwur gebrochen, ewig Euch zu meiden! —
Sprecht nicht mehr von Idella — oder schafft,

Daß, wenn Ihr sprecht, ich Euch nicht seh' und
        höre —
Seyd nicht Beatrix — Alles ist verloren!

Beatrix.

Seyd Ihr ein Held? des edlen Edmunds Bruder?

Adelbert.

Ich bin ich selbst! — Ich habe meinem Schicksal
Mit tiefem, bitterm Hohne lang getrotzt.
Es ist dahin — dem Feinde höhnend weichen,
Mag nur dem Schwächling, nicht dem Starken,
        ziemen.
Ich lieb Euch, und — Ihr sollt mein Unglück
        kennen!

Beatrix.

Ich bitt' Euch, Bruder! — Soll ich Euch ver-
        lassen?

Adelbert.

Das mögt Ihr, soll ich freundlos Alles wagen!
Hört mich, Beatrix! — seht, ich bin ja ruhig —
Bin sanft! — Ihr saht Idella — hab' ich gestern
Nicht mild mit ihr geredet, hab' ich nicht
Zu Bitten mich erniedrigt? nicht beim Mahle
Mit Freundlichkeit ihr Frieden angeboten?
Doch blieb sie stets verschlossen. Nicht ein Lächeln,
Ein Wort nicht, konnt' ich fliehend ihr entringen,
Und einsam fand mich noch der Stern des Morgens!
Nicht einsam — nein! denn folternde Gedanken,

Bald liebliche, bald schreckende Gebilde,
Umschwebten mich in düstrer Mitternacht.
Mein Bruder ehrt Euch — doch er kann nicht lieben,
So lieben, wie ich Euch, das konnt' er nie!
Ihm gab das Schicksal, was es mir gelobt;
Stolz wandelt er auf meiner Hoffnung Trümmern! —
Ihr seyd nicht glücklich! — o verbirg die Thräne
Mir nicht, Beatrix! die im Aug' dir schimmert —
O wende dich nicht ab — in deinen Armen
Wär' mir die Welt zum Götterthale worden —
Froh würdst du mir mein Kind entgegen heben —
An deiner Brust dürft' ich der Freude leben —
Er wagt' es, meine Hoffnung hinzumorden —
Wär er nicht, und Jdella! —

Beatrix.

              Sprecht nicht weiter!
Wie schrecklich, hätt' ich mich in Euch geirrt!
Macht Liebe glücklich, Ruhe schenkt die Pflicht —
Laßt nie uns wieder so begegnen — weh dem,
Der kühn der frühern Zeiten Kampf erneut! —
Jetzt laßt uns scheiden — — und — wenn dies Euch
              tröstet —
Ach! schwer wird mir's, Euch ohne Trost zu sehn! —
So wisset, daß dies Herz Euch ewig schlage!

        In der Ferne ein Jagdmarsch.

Die Hörner rufen —

Adelbert.

Ha! bei Jagd und Blute

Läßt sich die innre Stimme übertäuben!
Beatrix! — Ewig! — O mit dem Gedanken
Ruf' ich den Tod verzweifelnd in die Schranken!

Beide auf verschiednen Seiten ab.

Vierter Auftritt.

Idella allein,

welche, da jene sich entfernt haben, langsam aus der Laube tritt und
einige Schritte vorwärts geht.

Ha! geht nur! geht! — Bald fällt vielleicht die
Kette,
Und freudig eilt Ihr über düstre Grüfte
Zum Traualtar — zum schön bekränzten Lager! —
Ja, geht nur! Endlich, endlich sank der Schleier,
Mit dem Ihr Eure Tugend dürftig decktet,
Und, wo ich Mitleid sah, erblick' ich Hohn!
Wie? hoffen konnt' ich Thörin, daß der Falsche
Noch immer Liebe für Idella hege,
Noch je dies Herz verstehen lernen werde,
Er, der für Sie in Buhlerglut zerschmilzt?
Noch hoffen konnt' ich, noch es thörigt glauben,
Daß nur der rege Wunsch, nach langer Zwietracht
Den Bruder zu umarmen, und die Bilder
Der theuern Todten freundlich zu verscheuchen,
Zu dieser Liebes = Wallfahrt ihn bewogen? —
Und ihr — ihr konnt' ich trauen? noch mit Thränen
An ihren Busen sinken? noch ihr klagen,

Was auf mich drückt? der Nebenbuhlerin
Den glänzendsten Triumph noch selbst bereiten? —
Was dacht' ich denn? wie? konnt' ich denn vergessen,
Daß schon der Knabe sie zur Braut erkohr? —
Bedacht' ich nicht, daß selbst bei dem Empfange
In seinen Arm sie flog — mit welchem Feuer
Das Lieblingskind sie küßend fast erstickte?
Mit welchem Lob sie ihrer stets gedachte,
In der sie nur des Vaters Abdruck liebt?
Entgieng es mir, daß sie mit glatten Worten,
Frohlockend stets bei meiner Leiden Klage,
Der frühern Zärtlichkeit gedachte? stets
Mit schlecht verborgnem Siegerblick erwähnte,
Was mir zur Schmach, und ihr zu Ruhme diente?
Doch — darf ich klagen? kann der Erde Leiden
Dieß Herz erschüttern, das nach oben schmachtet?
Darf sich ein Herz an ird'scher Hoffnung weiden,
Das nach des Himmels Sternenkronen trachtet?
Darf eine Sünderin den Spott des Staubes meiden,
Der frevelnd selbst das Heiligste verachtet?
O wohl mir, daß ich würdig bin erfunden,
Durch ird'sche Leiden himmlisch zu gesunden!

Fünfter Auftritt.

Idella. Violette, mit einer kleinen Bogenrüstung
fröhlich herzuhupfend.

Violette.

Sieh, liebe Mutter!.— lang' hab'.ich gesucht,
Um Dich zu finden —

Idella.

Mädchen! sprich, was willst du?
Was willst du jetzt?

Vor sich.

Wie? ist's des Himmels Stimme,
Die jetzt mich mahnet an der Mutter Pflicht,
Ist's ird'sche Lockung, trüglich mich zu blenden
Und mit der Weltlust Netzen zu umgarnen? —
Was willst du, Mädchen?

Violette.

Sieh, o sieh nur, Mutter!
Das hat die gute Gräfin mir geschenkt.
Ich bat dich einst —

indem sie sich kauert und mit der Hand zeigt.

ich war da nur so groß —
Du schlugst mir's ab. Doch da im Waffensaale
Ich dies erblickte, und sie leise bat,

Gleich gab sie mir's!" Geh" — sagte sie, mich
streichelnd —
„Du ähmst des Vaters Jugend treulich nach!"

Idella.

Das sagte sie?

Violette.

— — und nahm mich auf die Arme,
Und küßte mich — und hätte fast geweint.

Idella.

Die Zärtliche! — — Nun wohl — bald reis' ich
fort;
Du wirst doch bei der Gräfin willig bleiben?

Violette.

Ach ja. — warum nicht? — bleib doch lieber hier!
Doch — wenn du willst — mich! liebe dich von
Herzen —
Du bist mir gut — die Gräfin sagt mir's auch!

hüpft wieder ab.

Sechster Auftritt.

Idella allein.

Violetten nachsehend.

Du weißt nicht, was du sprachst. Aus deinem
                    Munde
Rief mir des Himmels Stimme rathend zu.
Sie braucht nicht meiner, diese Violette,
War immer nur dem Vater ganz ergeben,
Hat eine beßre Mutter nun gefunden —
Mein Kind selbst hat die Falsche mir entfremdet!

So nehmt denn alles! — Los von jedem Bande,
Eil' ich dem Chor der Heil'gen sehnend zu.
Mein Blick erhellt sich. Aus des Himmels Lande
Kommt über mich der Frommen sel'ge Ruh.
Nichts lieb' ich mehr — nichts laß ich nach hie-
                    nieden,
Bin von der Welt, und sie von mir, geschieden.

Was schimmert dort, wie silberweiße Tauben?
Was ist es, das wie Wirbelwind sich kreist?
Was flüstert so durch falbe Herbsteslauben,
Und schwingt die Flügel, wie ein Himmelsgeist?
Was spricht so lieblich zu den innern Sinnen,
Und zieht mich fort, und locket mich von hinnen?

Seyd ihr es selbst, ihr meiner Lieben Seelen;
Winkt ihr mir selbst aus eurer Herrlichkeit,

Dem Heiligthum mich ewig zu vermählen,
Zu flüchten mich in Klosters Einsamkeit?
Seyd ihr es selbst, die hell herniedersteigen,
Und jauchzend mir die Siegespalme zeigen?

Ich folg' Euch willig — bei St. Isidoren
Wohnt jenes Licht, das meine Nacht erhellt.
Bald ist das ewige Gelübd geschworen,
Es sinkt vernichtet hinter mir, die Welt. —
O schließt euch auf, geweihte stille Hallen!
Durch euch werd' ich hinauf zur Klarheit wallen!

Vierter Aufzug.

Erster Auftritt.

Eine waldige Gegend, auf deren einer Seite zwei gegen
einander stehende Felsen den Eingang in eine tiefe Schlucht
bilden. Auf der andern Seite zerstreute hohe Bäume,
unter welchen hie und da Jäger und Treibleute mit
Netzen und andern Jagdgeräthschaften halten. Fast ganz
im Vorgrunde unter einer alten Eiche ein länglich vier=
eckigter Stein, der fast ganz verwittert und bemoost, und
worauf das Bild eines betenden knieenden Ritters mit
Wappen und Inschrift, den Helm zu seinen Füßen, ein=
gehauen ist.

**Erster Jäger. Zweiter Jäger. Jäger=
pursch. Jäger und Bauern.**

Erster Jäger,

kniet vor dem steinernen Bilde, und sucht mit dem Jagdmesser das
Moos abzukratzen. Zweiter Jager steht dabei.

Jägerpursch,

der einige Augenblicke zugesehen, setzt sich in einiger Entfernung
nieder, und singt, wie unbefangen vor sich:

Es ritt bei frühem Nebelgrau
Ein Jäger in den Wald.

Er kehrte heim im Abendthau
  Nach seinem Aufenthalt.
      Was sah er da? :,:
      Tirili, Tirila!

Was glänzt so hell im grünen Hain?
  Was blinkt an Stromes Lauf?
Ein Mädchenschleier weiß und fein,
  Von Gold ein Krönchen drauf.
      Was that er da? :,:
      Tirili, Tirila!

Leis schlich er hin an Ufers Rand
  Und rührt den Schleier an.
„„Was hat dir, Waidmann, mein Gewand,
  Und meine Kron' gethan?"“
      Was sah er da? :,:
      Tirili, Tirila!

Die zart'ste Maid in Mondenschein,
  Zwei Zöschen wunderhold.
Die strählten ihr die Härelein
  In Zöpfe, hell wie Gold.
      Was sagt er da? :,:
      Tirili, Tirila!

„Ach, allerschönstes Mägdelein!
  Willst du die meine seyn?" —
„„Soll Ottern-Königs Töchterlein
  Den grünen Waidmann freyn?"“

Und was geschah? :, ꝛ ꝛꝛꝛ · ·
Tirili, Tirila! · ꝛꝛ ꝛꝛꝛ

Setzt seinen Hut auf und steht gemächlich auf, als wollt' er fortgehen.

Erster Jäger,

der gleich vom Anfange her seine Arbeit unterlassen und dem Jägerburschen sich genähert hat, jetzt aber mit offnem Munde vor ihm
steht, hält ihn auf.

Nun? lässest du die Dirne im Schlunde sitzen, oder
ist dein Lied schon zu Ende?

Jägerbursch.

Nehmt's, wie Ihr wollt! Beim Bürschen muß
ich jedermanns Knecht seyn, aber beim Singen hat
selbst der König mir nichts zu befehlen.

Erster Jäger.

Wenn du das kleine Ottern-Prinzeßchen zwischen
den Zähnen behältst, so bist du grausamer, als der
Wallfisch des Propheten Jonas; wenn aber dein
Lied zu Ende ist, so sage ich, ob du gleich der
Sohn meines besten Freundes bist: Es ist ein ein-
fältiges Lied!

Jägerbursch.

Ist's Euch zu schlecht, so kauft Euch ein beßres!
Aber, ob Ihr schon der beste Narr meines Vaters
seyd, so wollt ich Euch doch das Lied nicht zu Ende
singen, und wenn Ihr Euch aufhängtet.

Und was geschah?

Tirili, Tirila!

Haha! Haha!

Haha! Haha!

geht von ihm fort.

___

Zweiter Auftritt.

Die Vorigen. Thomas kommt mit einigen andern Jägern aus der Schlucht.

Thomas.

Nun, das glaubt mir! Wenn der Hirsch eben
so stolz und prächtig den Widergang macht, als er
dahinein zu Felde gezogen ist, so hat er ein eben
so zähes Leben, als Ahasverus.

Erster Jäger.

Ist er jagdbar?

Thomas.

Jagdbar, Narr? — Es ist ein Zwanziger, und
so trotzig, wie du mit deinen leiblichen Augen noch
keinen gesehen hast. — Hat dein Vater, wie ich
nicht in Abrede stellen will, solch ein ehrsames
Geweih gehabt, so hat er wenigstens bis zur Zeit
des Abwerfens an der Himmelsthür warten müssen!

Erster Jäger.

Du bist ein Frevler. Aber — man hat so seine Gedanken — glaubst du wirklich nicht, Herzens-Thomas, daß man mit Gehörn durch die Himmels-thür eingehen kann?

Thomas.

Nun, glaubst du's? he! schlägt dir das Ge-wissen?

Erster Jäger.

Ach, geh doch weg, Kammerad! Immer mußt du mich foppen. — Aber — du sprachst da von dem Ahasverus. Sage mir, was ists eigentlich mit dem?

Thomas.

Das ist nur so eine Redensart, und es zeigt nicht für einen falschen Schilling Lebensart von deinem Verstande, wenn er die Redensart nicht versteht.

Erster Jäger.

Ich bitte dich, sage mir, was es mit dem Ahasverus für eine Bewandniß hat?

Thomas.

Bist du so ein Heide, daß du das nicht längst weißt? — Nun sieh, der Ahasverus, das war ein alter Jude, wenn ich mich recht besinne, ein Alt-

flicker seiner Natur nach. — Er trieb den Heiland
von seiner Hausthür, als dieser mit dem Kreuzes-
holz ein wenig rasten wollte. Dafür muß er nun
zur Strafe bis zum jüngsten Gerichte in der Welt
herum schachern, und kann nicht verenden, und
nicht Feuer-und Wassersnoth kann ihn krank machen,
nicht Hieb und Stich kann ihn abfangen.

Erster Jäger.

Das ist eine rare Geschichte, und tausendmal
verständiger, zu dem Jägerburschen, als manches ein-
fältige Lied. — Aber, lieber Thomas, da du
heut einmal so sprechbarer Laune bist, so erkläre
mir doch auch, was hier das alte steinerne Götzen-
bild auf sich hat? Wohl zehn habe ich schon darum
gefragt, aber sie sagten: Weißt du das nicht? und
ließen mich stehen wie einen Narren!

Thomas.

Weißt du das nicht? — Nun warlich, so mußt
du wenigstens um ein Menschenalter jünger, als
dein Bart, seyn.

Erster Jäger.

Hast du nicht gehört, Kammerad! daß ich aus
der Fremde hergestoben bin?

Thomas.

Was sollt' ich? — Nun, drum hast du auch
ein so verlaufnes Gesicht! — Aber! kannst du
nicht lesen?

Erster Jäger.

So nothdürftig, als ein Gelehrter! Aber ich
habe mir fast den Nickfänger stumpf gekratt, und
die Augen aus dem Kopfe gegukt. — die alten Zau-
ber-Charakter mag ein andrer lesen!

Thomas.

Nun, so komm nur her! Sieh, die Schrift
hier — das heißt: Qui — es — cat in pa — ce.

Erster Jäger.

Aber — mit Verlaub — wer ist der alte steinerne Herr Qui — es — cat in pa — ce denn
gewesen? — Hm! ein verzweifelt schwerer Name!

Thomas.

Hahaha! nun da seh' einer! Hahaha!

Alle Jäger lachen.

Erster Jäger.

Nun, was lacht ihr denn? — He, guter Thomas!
hat der selige Herr nicht so geheißen?

Thomas.

Nein doch, geheißen — gerade — so eigentlich
so geheißen hat er nicht, aber —

Erster Jäger.

Nun — aber? — Was soll denn sonst damit
gesagt seyn?

Thomas.

Wie du auch fragst! — Nun ja — sieh, ich
meine — verſteh' mich recht. — gieb wohl acht! —
— Kurz und gut, ich weiß die ganze Hiſtorie das
von auf den Nagel her zu erzählen, und kann auch
ein Liedlein auswendig, das der alte Schloßmönch
gemacht hat, und da ſchließt jeder Vers mit dem
Quiescat in pace.

Erſter Jäger.

Aber den Grund! den Grund! Wenn mich nur
erfahren ſollte, was das Ding eigentlich hieß.

Thomas.

Mach' mich nicht wild! Was kann dir nun
das helfen? — Ja, auf das Mönchlein wieder
zu kommen — ich hab' ihn noch als ſo ein Bube
gekannt — das war ein gar hochgelehrter Herr.
Aber ſo hochgelehrt er war, ſo tiefleerend war er
auch wieder.

Erſter Jäger.

Was ſoll nun das wieder heißen?

Thomas.

Wenn ich ihn hochgelehrt heiße, ſo mein' ich,
daß er — nun, was man ſo ſagt, hochgelehrt war;
wenn ich aber tiefleerend ſage, ſo mein' ich, daß
er alle Krüge und Fäſſer bis in die Tiefe leerte.
Verſtanden?

Erster Jäger.

Wenn du einen Funken Menschenliebe in deinem
Leibe haft, so gieb mir die Geschichte und das Lied
zum Beften!

Jägerpursch.

Thut's nicht, Vater! Ich bitt' Euch, thut's
nicht.

Thomas.

Hm!

Erster Jäger.

Willft du's nicht aus Erbarmung gegen mich,
so thu's wenigftens ehrenhalber gegen den jungen
Fremdling hier, der wenigftens eben so wißbegierig,
als ich, und ein Brudersfohn meines Bruders ift.

Zweiter Jäger.

Ja, auch ich würd' Euchs großen Dank wiffen!
Man geht ja in die Fremde, um von verftändigen
Männern das und jenes zu erfahren.

Thomas,
zum erften Jäger.

Er hat ein so ehrlich und manierlich Gesicht,
daß man seiner Nase die nahe Verwandtschaft mit
der deinigen gar nicht ansieht. — Nun, so hört
nur!

Erster Jäger.

Ich höre!

Thomas.

Seht, der Ritter hier — Gott verleih' ihm
eine fröhliche Urständ! — hieß Edmundus Adal=
bertus, und war der erste Graf zu Aklam. Sein
eheliches Gemahl hieß Hilda aus dem wohlbe=
kannten und hochberühmten Geschlechte — — nun!
mag ihr hochberühmtes und wohlbekanntes Geschlecht
geheißen haben, wie es wolle, wissen wir doch, wie
sie hieß! Dieser Edmundus Adalbertus und diese
Hilda nun hatten ein einziges junges Herrlein, und
dieser Edmundus Adalbertus hatte auch einen Bru=
der — aber nur so halb und halb, und den der
Vater hinterdrein ehrlich gesprochen hatte — ihr
versteht mich schon! Wenn unser eins seine schwache
Stunde hat, wirds ein Bankert, aber bei den Vor=
nehmen ein Naturkindchen.

Erster Jäger.

Blitz! was du nicht alles weißt!

Thomas.

Ohne Umschweife — Wie ich euch sage, dieser
Edmundus Adalbertus hatte so ein Stück Bruder,
auf dessen vermaledeiten Namen ich nicht gleich
kommen kann. Aber vermaledeit heiß' ich den Na=
men nicht, weil ich ihn jetzt nicht nennen will,
sondern weil der, welcher den Namen führte, ein

zu vermaledeiender Brüder war. Er hatte, wie der
alte Mönch mir erzählt hat, einen Fuchskopf, ein
paar graugrüne Augen und ein hervorstehendes Kinn —
zum ersten Jäger — gerade wie du! — und weil er gern
Vormund des jungen Herrleins worden wär, um dessen
Erbe an sich zu bringen, so lockte er den guten Edmun=
dus Adalbertus in den Wald, und erschlug ihn
unter dieser Eiche. Zum Andenken dieser Begeben=
heit nun ist dieser Stein gesetzt worden, und man
nennt ihn den Bruder= oder Blut = Stein, und
diese Bergschlucht die Mordschlucht bis auf
heutigen Tag.

Erster Jäger.

O das ist rar! Die Haut schaudert einem
ordentlich, lieber Thomas!

Thomas.

Zu der Zeit, als die abscheuliche That geschah,
fiel im Adelsaale das Bild des gottlosen Mörders
von freien Stücken herunter — und es heißt, daß
auch der letzte des Geschlechts durch einen Bastard
umkommen solle, wie der erste — und noch jetzt ist
ein blutiger Vorhang an der Wand, weil kein
Nagel dort haftet, und einem Mäurer, der sich
erfrechte, einen Döbel dort einschlagen zu wollen,
fuhr es — indem er das folgende gegen den ersten Jäger pan=
tomimisch nachahmt und ihm laut ins Ohr ruft — mit einer
schwarzen, eiskalten Faust in's Gesicht, und rief:
Schurke! — daß er für todt von der Leiter stürzte.

Erster Jäger, zurückprallend.

Habt Ihr mich doch! erschreckt, daß ich zittre,
wie ein Espenlaub! — Warlich, wenn ich nicht
wüßte, daß Ihrs gut mit mir meint, so — wüßt'
ich warlich nicht, was ich thun würde!

Thomas.

Du — mach' mir nicht bange! — Der gott=
lose Mordbruder streute nun das Gerücht aus, der
Graf sey hier vom Pferde gestürzt und vom Schlage
gerührt worden — hm! es war nun so ein Schlag!
Aber Hilda, die Gemahlin des Edmundus Adalber=
tus, war ein gar kluges und fast männliches Weibs=
bild, und beschloß den Meucheltod ihres Gemahls
zu rächen. Wie sie aber dieß angefangen hat, und
wie der Kainsbruder zu Zeiten mit bluttriefenden
Händen und feurigen Augen hier umgeht, das ist
eine gar seltsame und wunderbare Historie, und das
Liedlein des Schloßmönchs berichtet solche des
breitern.

Erster Jäger.

Ich beschwöre dich, Herzens Thomas! sing'
uns das Liedlein.

Musik mit Waldhörnern in der Ferne.

Thomas.

Ein andermal! — Blaßt, Bursche, blaßt!

Die Jäger eilen nach ihren Hörnern.

Erster Jäger.

Da steh' ich wieder!

Jägerpursch,
singt ihm ins Ohr.

Und was geschah?
Tirili, Tirila!
Die Jäger antworten mit den Hörnern.

Dritter Auftritt.

Die Vorigen. Edmunds Leibschütz.
Noch einige Jäger.

Leibschütz.

Was ruft ihr uns auf diese steile Anhöhe, wo
die Pferde nicht fußen können? Wir selbst sind wie
die Gemsböcke heraufgeklettert.

Thomas.

Es ist ein Zwanziger, Herr! den wir hier in
die Kammer getrieben und umstellt haben. Unser
gnädiger Graf wird mir's Dank wissen. —

Leibschütz.

Nun, wenn dem so ist —

indem er abgehen will, treten Edmund und Adelbert mit Gefolge im
Hintergrunde auf. Während die Jäger sie mit Jagdmusik bewill-
kommen, stattet der Leibschütz seinen Bericht ab.

Vierter Auftritt.

Vorige. Edmund. Adelbert.
Jagdgefolge.

Edmund,
nachdem die Musik sich geendigt, mit Adelbert hervorkommend, klopft Thomas auf die Achsel.

Brav, alter Waidmann, brav! — du bleibst doch
immer
Der treue Diener, forstgerechte Jäger.
Auch mag, seitdem ich nicht in dieß Geheg
Gekommen, mancher Hirsch ein höheres
Gehörn im Bache spiegeln —

zu Adelbert.

Komm, mein Bruder!
Erst laß uns rasten hier. Denn nicht, wie vormals,
Nicht mehr, wie in den Tagen rascher Jugend,
Kann ich die Höh' ersteigen, — und, besonders
Fühl' ich mich heute mehr, als je, ermüdet.
Hier ruht sich's lieblich — mit erneuten Kräften
Laß uns sodann zum frohen Waidwerk gehn!

Adelbert.

Gern, lieber Edmund! — Hat es doch nicht Eile!
So lieb die Jagd mir ist, doch ist's mir lieber,
Mit dir so trauliche Gespräche wechseln.
Ich muß dich lieben, könnt' ich dich auch hassen!

Hier, diese Schlucht ist, denk' ich recht, von Felsen
Rings eingeschlossen, wie das Thal des Todes —

er setzt sich nahe an idem steinernen Bilde auf eine Erhöhung des
Rasens. Das Gefolg und die Jäger ziehen sich in den Hintergrund.

Edmund,

will sich neben ihm niederlassen, und wird in diesem Augenblick das
Bild gewahr. Er stutzt und tritt einen Schritt zurück.

Wie, Ahnherr! seh'n wir heut' uns noch einmal?

setzt sich.

Adelbert.

Was sagtest du? — wärst du schon hier gewesen?

Edmund.

Er war bei mir! — Wohl magst du meiner
lächen;
Doch höre mich. — Mag auch der Muthigste
Dem Talisman des Traumes widerstehen?

Adelbert.

So sprich, mein Edmund! Vieles ließ sich sagen,
Von dem, was Träume oft prophetisch zeigen.

Edmund,

indem er um Adelbert den Arm schlingt.

Als gestern spät du mit dem fremden Fräulein
Am Bogenfenster lehntest, und mit ihr
Dich an der Bäuerinnen Tanz ergötztest,
Indeß, vom Mondlicht silbern überstrahlt,
Der junge Minstrel seine Harfe stimmte,
Da blickt' ich still umher — und Violette,

Das Heldenmädchen, schlief bei Beatricen.
Sie schien zwar sehr ermüdet, aber wollte,
Die Augen reibend, sich des Schlafs erwehren;
Doch endlich sank allmählich sanft ihr Köpfchen
Auf meiner Gattin Spitzenkragen nieder.

Adelbert.

Ach, sie ist lieb — nicht wahr, du liebst sie auch?

Edmund.

Wer wollte nicht die holde Tochter lieben? —
Mir prägte tief dieß Unschuldsbild sich ein;
Und folgte mir verklärt zu meinem Lager.
„Wär sie ein Knabe,“ — dacht' ich — „wär' sie
mein!
Wär sie auch Adelberts — und nur ein Sohn!
Wer wird nach uns der Aklam Namen tragen?
Wird über unsrer Gruft das Schild zerbrochen?
Sinkt unser alter Stamm mit uns ins Grab?“ —
So dacht' ich — und, nach einer kurzen Weile,
Sah ich — wie weiß ich's, wachend oder träu=
mend? —
Die Aklams alle, still vorüberziehen,
Wie sie im Ahnensaal geschildert stehn.
Erst Hilda mit gezucktem Schwerte — dann
Der Mörder mit dem blutgefärbten Dolche,
Die Augen gräßlich rollend — dann sie alle —
In langer Reihe gingen sie vorüber;
Nur Edmund Adelbert war nicht bei ihnen! —
„Wie ist's, daß mich der Erste feindlich meidet?“ —

Sprach ich, und ängstigte mich sinnend ab —
„Wie? zürnt er wohl, daß sein Geschlecht vergeht?" —
Doch bald umfing ein neues Traumbild mich.
Ich war in einer Wildniß; durch Gestripp
Drang ich dem Lichte nach; und kam hieher.
Die Zweige rauschten — wild Gevögel rufte —
Der Boden hauchte schweren Moderduft —

indem er starr nach dem Bilde blickt.

Und, als ich nach dem grauen Bilde sah,
Wandt' es die Augen — und von seinen Knieen
Hob langsam feierlich der Ahn' sich auf.
So wie er hier im Stein ist, stand er vor mir;
Sein Aug' schien farblos, aschenbleich sein Antlitz,
Die Waffen trugen der Verwesung Rost;
Doch regt' er sich und schien hervorzutreten.
„Was willst du, Aeltervater?" frägt' ich — Dreimal
Bewegt' er seine Rechte schaudervoll,
Wie vor der Bergschlucht warnend — und versank!
Mir drang es kalt zum Herzen — ich erwachte.

Adelbert.

Wie vor der Bergschlucht warnend. — Nun, was hindert,
Daß wir sie meiden? Spricht zu uns durch Träume
Und Ahnungen doch oft des Schutzgeists Rath!

Edmund.

Nein! niemand soll mich solcher Schwäche zeihen,
Als achte ich, wie Weiber, auf Gesichte
Und wähle ängstlich forschend Tag und Stunde.

Zwar — dir gesteh' ich's — schon seit einigen
Monden
Vernahm ich eine immer leise Stimme,
Bald sey für mich die Sanduhr ausgelaufen,
Ein Unfall drohe mir geheimnißvoll.
Nur gestern, da ich wieder dich umarmte,
Drang stille Heiterkeit in meine Seele —

Adelbert, heftig.

Du bist doch gut, mein Edmund! dir am Herzen
Möcht' ich die Welt, möcht' ich mich selbst ver=
gessen!

Edmund.

Laß uns jetzt reden, was ich wohl erwogen
In dieser Nacht verschwieg'ner Dunkelheit.
Viel drängt sich da zum Herzen; manches sieht
Man anders, als man sonst es wohl erblickte,
Und vieles hab' ich gestern still beachtet. —
Vergieb mir, Bruder! — schwer hab' ich gefehlt —
Jetzt seh' ich's ein — an dir und Beatricen,
Schwer an Idella! — Ihr wärt glücklicher,
Ihr alle wärt es, wär' ich nicht als Räuber
In deiner Liebe Heiligthum gebrochen —

Adelbert.

O still hievon, mein Bruder! O verklage
Dich selbst nicht — o! ich will davon nicht hören!

Edmund.

Laß mich jetzt reden, da mein Herz mir's heißt!

Du wirst — ich weiß es — Edmund überleben —
Zu laut im Busen ruft es mich von hinnen —
Und manches muß ich noch mit dir verhandeln!
Zuerst gelobe mir, daß, wenn ich scheide,
Du Beatricen nimmer willst verlassen. —
Sie war mir stets die Edelste der Weiber! —
Vergönne ihr, auf unserm Schloß zu leben
An deiner Seite, den sie liebt. Vergüte,
Was ich an Euch gesündigt, und bereue,
Entziehe ihr nicht deine Violette —
Sie liebt sie mehr noch, als die eigne Mutter —
Und stirbst du einst — und stirbt vor dir ein Dritter,
Der Ledigkeit gelobte, — ohne Söhne;
So soll dein Eidam, unsern Stamm verjüngend,
Den Namen Aklam bei dem seinen führen.

Adelbert.

Erheitre dich. Dein Traum hat dich umdüstert.
Tief schmerzt es mich, wie sterbend dich zu hören. —
Auch berg' ich nicht: mir dünket deine Rede
Gar wunderbar. Du denkest eines Dritten,
Der näher ständ, als meine Violette.
Erkläre mir das Unbegreifliche —

Edmund.

Mein Tod nur kann dir das Geheimniß öffnen;
Dann wirst in einem schwarzen, festen Schreine,
Mit goldnem Schloß und Angeln stark verwahrt,
Mit meinem Wappen siebenmal versiegelt,
Du Schriften finden, die das Räthsel lösen.

Adelbert.

Sprich deutlicher, mein Bruder! — ich beschwöre
Dich bei der Weihe dieser ernsten Stunde

Edmund.

Verlange nicht, was ich versagen muß!
Der Tod nur kann des Eides Fessel brechen,
Den ich dem Vater auf dem Sterbebette,
Dem Furcht erfüllten, tröstend abgelegt.
Du warest damals fern — und seine Seele,
Schon halb dem schönern Lande angehörend,
Vermochte sich nicht eher los zu winden.

Adelbert.

Ich ehre still des Sterbenden Geheimniß!

Edmund.

Doch nun, mein Adelbert, gelobe mir —
Gieb mir die Hand — gelobe, daß du alles,
Was ich verlangte, treulich willst erfüllen.
Gieb mir die Hand!

Adelbert reicht sie nach einiger Weigerung tief gerührt. Er drückt sie
an sein Herz und sie halten sich einen Augenblick fest umarmt. Dann
steht Edmund heiter auf.

Genug! Nun auf den Hirsch!

Adelbert.

Ich bitte dich, verschieb es bis auf morgen.
Sey nicht so achtungslos —

Edmund.

Wenn du mich liebst,

So sey nun heiter! — Laß uns fröhlich jagen,
Laß uns der Jugendjahre Traum erneun,
Wo oft allein wir durch die Wälder streiften;
Nur Thomas folg' uns heute —

er ziehet ihn in die Höhe. Da Adelbert aufsteht, entfällt ihm ein
Dolch, nach welchem er schnell greift, den Edmund aber aufhebt.

Ah, wie schön!

Adelbert.

Er ist ein theures Freundschafts-Angedenken
Und Türkenbeute. Kaum zwei volle Stunden
Vor seinem Tod' gab mir's ein Zeltgenoß.
Er focht dereinst auf der Malthefer Schiffen,
Und sank, zur Heimath kaum zurückgekehrt,
In einer Schlacht — er starb in meinem Arm.

Edmund,

sehr weich — seine Hand druckend.

Das möcht' ich auch!

Giebt ihm den Dolch zurück, und wendet sich schnell zu den Jägern.

Hell-auf, hell-auf, ihr Jäger!
Nur Thomas folgt uns! Doch ihr andern laßt
Am Eingang' hier die Hörner wacker schallen!

Man giebt ihnen Spieße und Armbrüste, und sie gehen Hand in
Hand in die Schlucht. Thomas folgt. Die übrigen bleiben am
Eingange und blasen an.

Fünfter Aufzug.

Ein Zimmer des Schloſſes, mit der Ausſicht in die
Gegend.

Beatrix. Violette. Zwei Mädchen Beatricens.

Beatrix

ſteht am Fenſter und hält Violetten, die auf dem Fenſterſtock ſteht.
Beatrix iſt ſehr unruhig und ſieht oftmals hinaus.

Violette,

hinausweiſend und Beatricen ſtreichelnd.

Mir ſo ein Füllchen, wie dort unten graſen!

Beatrix.

Ja, ja, mein Kind! — doch morgen — willſt du
nicht
Hinunter mit den Mädchen in den Garten?
Dort blühen gelbe Malven, blaue Aſter;
Es ſchauen rothe, goldgeſprengte Aepfel
Aus grünen Zweigen, wo der Finke ſchlägt —

Violette.

Laß mich doch hier, laß mich die Röſſchen ſehn!

Beatrix.

Sieh — die Caninchen, dort im Gartengraben!
Die Thierchen sind so kirr und glatt und weiß,
Und blinzeln freundlich mit den rothen Augen —

Violette,

springt, von der Gräfin gehalten, herunter.

Ja, die Caninchen — ja, die will ich seh'n!
läuft zu den Mädchen.

Beatrix,

zu den Mädchen.

Geht hin mit ihr, und sorgt, daß sie nicht falle.

Violette, umkehrend.

Ich falle nicht! — doch gieb mir Milch und Semmel,
Daß ich die Thierchen füttre. Bitte! bitte!

Beatrix.

Gern, gern, mein Kind! Nun geh' nur — gebt ihr
alles!

Die Mädchen mit Violetten ab.

Zweiter Auftritt.

Beatrix. Nachher ein andres ihrer
Mädchen.

Beatrix,
Violetten zärtlich nachblickend.

Da hüpft sie hin — so fröhlich — ahnet nicht,
Was sie vielleicht auf immer jetzt verloren.
Am Fenster.
O welche Angst! kein Bote kehrt zurück.
Schon naht der Abend. Auch die lieben Jäger,
Sie bleiben länger, als ich wohl gedacht;
Doch kommen sie, was soll ich ihnen sagen?
Wieder ans Fenster.
Noch immer kehrt kein Bote. Wer bringt Kunde,
Daß er sie fand? — Ich zittre, es zu hören,
Wie sie gefunden worden. — Wär' es möglich —
O wenn vielleicht im Uebermaaß des Schmerzes,
Des finstern Trübsinns, sie im tiefen Strome
Den Tod gesucht — o Gott! wie möcht' ich's tragen?
Wieder ans Fenster.
Noch seh' ich Niemand. — Ach, ein schwarz Ver=
hängniß
Scheint über dieses Hauses Einigkeit zu schweben.
Kaum ist der Zwietracht Fackel ausgelöscht,
So glimmen unterirdisch neue Flammen
In seiner Brust, und tiefer wird der Riß,
Der von Idella seine Neigung trennt,—

Theaterschr. I.   6

Und alles, was zum Guten ich will kehren,
Das wenden schadenfrohe, finstre Mächte
Zum Unheil.

Mädchen, eintretend.

Gnäd'ge Frau! der junge Minstrel
Wünscht Euch zu sprechen, — bringet von Idella —

Beatrix.

Geschwind! geschwind!

Mädchen ab.

O Gott! was werd' ich hören!

––––––

Dritter Auftritt.

Beatrix. Robert, ohne Kranz und Harfe.

Robert.

Man sagt mir, daß Ihr Boten ausgesandt!
Daß man Idella schon seit diesem Morgen
Vermisse —

Beatrix.

Robert! habt Ihr sie gefunden,
So grüß' ich Euch, wie einen Himmelsboten!
Ihr sahet sie — doch wohl? doch noch am Leben?

Robert.

Wie anders? — Langsam wallte ich am Bache,

Der nach dem Nonnenkloster sanft' sich schlängelt,
Da trat sie sinnend durch die falben Bäume.
Sie stand, als sie mich sah. Doch bald mit Lächeln
Kam schön, wie Heilige, sie auf mich zu.
„Ich kenne Euch" — so sprach sie, sanft melodisch —
„Ich kenn' Euch besser, als Ihr selber wißt.
„Ihr sprächt für mich! Ihr werdet mich ver=
            stehn! —
Ich gehe jetzt — denn einsam wandl' ich gerne —
Dort eine Freundin heimlich zu besuchen.
Leicht könnt' ich bis zum Abend dort verweilen,
Leicht könnten sie im Schlosse um mich sorgen;

zieht einen Brief hervor.

Bringt dies dahin, doch erst mit Sonnensinken;
Es liegt ein Pfand, das ich Euch sandte, bei!" —
Hier nehmet!

Beatrix.

Ist's an mich?

liest die Aufschrift.

            „An Adelbert,
Und Beatricen und den Grafen Edmund."

Indem sie den Brief öffnet, fällt etwas auf den Boden.

Was ist das?

Robert.

        Seht, ein Ring — ein doppelt Herz
Von glühenden Rubinen —

Beatrix.

                Ha! ihr Trauring!
Was schreibt sie? —

Sieht einige Augenblicke in den Brief.

Ach, das hätt' ich ahnen sollen!
Da sehet selber —

Giebt Roberten den Brief.

Robert, liest:

„Sorgt für Eure Tochter!
Den Ring der Treue darf nur Liebe tragen —
Wenn Ihr dieß les't, hab' ich Profeß gethan!" —
O kam es dahin — soll die süße Rose,
Der Liebling der Natur, des Gartens Zierde,
In lichtlos = ödem Raum verwelken —

Vierter Auftritt.

Vorige. Fabio.

Fabio, ängstlich.

Gräfin!
Ein Bote ist gekommen, welchen Thomas
Gesandt —

Beatrix.

Was ist? was habt Ihr —

Robert.

Redet! redet!

Fabio.

Der Graf! — noch weiß man selbst nicht — beide
Brüder,
Sie saßen lange an dem Brudersteine,
Dort an der Mordschlucht — sprachen ernst zu=
sammen —
Ein Dolch entfiel dem Ritter — beide gingen
Dann in die Schlucht, doch ohne das Gefolg.
Nach kurzer Zeit vernahm man ängstlich Rufen
Nach Hülfe —, ein Geschrei, — in seinem Blute
Schafft man den Grafen —

Robert.

Schrecklich! —

Beatrix,

die sich kaum noch aufrecht erhalten, sinkt mit einem Schrei nieder.

Gott des Himmels!

Fabio.

Ach! — mußt' ich das erleben? — Mord des
Bruders
An diesem edlen Grafen? ruht der Fluch
Des Kain auf des Stammes letzten Zweigen,
Wie auf den ersten? —

Robert,

nachdem er Beatricen auf einen Sessel gebracht, heftig zu Fabio.

Ueberlaßt mir Alles! —

Wo ist der Graf?

Fabio.

Sie folgen schon dem Boten.
Er röchelte nur noch — doch gab er Zeichen,
Daß nach dem Schloß er hinverlange — Zweige
Nahm man zur Trage=Bahre —.

Robert.

Sattelt Pferde!
Schweigt noch, ich bitt' euch! — steuert dem Ge=
rücht — —
Ihr weinet? — Eure Hand! — laßt uns die
Schwerter
Vertauschen — nehmet dieß — gut ist der Stahl,
Obwohl von mindrer Länge — nehmet! nehmt!
Groß ist der Augenblick — her mit dem Schwert! —
Bei diesem grauen Haar — beim ew'gen Richter!
Ich werd' ihn rächen — oder mit ihm sterben! —

Fabio, dem Robert sein Schwert gegen das seinige abgedrungen,
geht in dumpfer Betäubung ab.

Fünfter Auftritt.

Robert. Beatrix.

Robert,

steht einige Augenblicke in tiefem Nachsinnen. Dann wendet er sich
schnell um, und nähert sich der Gräfin.

Sie ist nicht schuldig! — Nein, ich glaub' es
nimmer.

So sanfte Mienen kann der Mord nicht heucheln;
So rein wär' nicht die Stirne — diese Züge
Sind ruhig, wie Jacynthens einst im Sarge!
Doch, was besticht mich? darf ich blindlings glauben?
Sie athmet stärker — Röthe kehrt zurück
Auf ihre Wangen —

Beatrix,
matt die Augen aufschlagend.

Habt Ihr auch gehört,
Was dieser Alte sagte — Sorgt, o sorget,
Daß wir zu Edmund —

Robert.

Er wird hergeschafft!
Erholt Euch nur — seyd ruhig — sagt mir offen —
In dieser ernsten, schrecklichen Minute:
Betheuert mir, daß Ihr nicht wußtet — schauet
Mir frei ins Aug' — und schwöret. —

Beatrix.

Ihr seyd furchtbar —
Was fragt Ihr?

Robert.

Schwöret mir, daß Euch verborgen,
Ob das Gelübd' der trauernden Idella
Ihr nicht durch lange Foltern abgedrungen;
Ob nicht des Ritters frühe Lieb' zu Euch
In ihm den schwarzen Vorsatz ausgebrütet —

Beatrix.

Jetzt erst versteh' ich Euch — o schändlich! schrecklich! —
Mich selbst glaubt Ihr mitschuldig des Verbrechens!
Geht! geht! — Ihr seyd ein Bösewicht! — fühlt
        nicht menschlich!

      Wendet sich weinend von ihm ab.

Robert.

Vergebt mir, Gräfin! — Wohl, ich will Euch
          glauben;
Doch wenn die Zukunft Euch verdammt, wenn Ihr
Nicht ganz Euch reinigt — wenn des Priesters
        Segen
Die blut'ge Rechte je in diese fügt;
Dann müsse auf der Hochzeitkammer Schwelle
Euch Edmunds bleicher Schatten drohend winken,
Und nimmer Ruh' in Eurer Seele wohnen! —
Lebt wohl — wir scheiden leicht auf ewig jetzt —
Die Rache ruft mich —

    indem er eine Seitenthur öffnet, zu den Dienerinnen.

        sorget für die Herrin!

               Robert ab.

   Beatrix, ihm nachrufend.

O hört mich, Robert! — Ew'ger, gieb mir Kräfte!
Ist jeder Blitz auf diese Brust gezückt?

               Ab.

Sechſter Auftritt.

Eine beſchränkte wüſte Gegend unweit des Schloſſes.

Adelbert, allein,

mit blaſſem Geſicht und zerſtreutem Haar.

Dort zieh'n ſie hin mit dem geliebten Todten,
Und jedes Auge ſchaut mich forſchend an;
Auf jedem Munde leſ' ich: Weh dem Mörder!
Und: Fluch dem Brudermörder! tönt's im Innern,
Und: Mörder! hallt die Felſenſtimme wieder —
O wehe mir! wohin ſoll ich entflieh'n?
Bald füllt nun laute Klage den Pallaſt —
Die Gattin wird von mir den Gatten fodern,
Wird ſchaudern vor der blutbefleckten Hand,
Und ſich verdammen, daß ſie mich geliebt,
Und mich verdammen! — ach, und keine Stimme
Wagt für den Mörder mitleidsvoll ein Wort;
Kein Geiſt brach noch des Unterreiches Schranke —
Starr iſt das Auge, das die That geſeh'n,
Erblaßt der Mund, der einzig ſprechen könnte —
Nur ſeine Wunden öffnen ihren Mund,
Und blut'ge Ströme zeihen mich des Mords —
Verſtoßen bin ich aus der Reinen Zahl,
Mein Nam' ein Fluch den künftigen Geſchlechtern!
So biſt du hin, mein Bruder? — biſt gefallen
Von Bruderhänden? ach, das edle Herz,
Das ſtets ſo treu, ſo warm für mich geſchlagen,
Verblutet ſich an meines Pfeiles Spitze;

Die Lippe, wo der süßen Rede Fülle
Stets wohnte, die so heiß den Mörder küßte,
So rührend noch Versöhnung von ihm flehte,
Ist nun erbleicht — die Rechte, die mich drückte,
Liegt starr und kalt — und nie seh' ich sein Auge,
In milden Thränen glänzend, wieder schimmern! —
O wehe mir! ist dieß das Gottesurtel,
Das der Gerechte in den Wolken lenkt?
Bestraft er den Gedanken, wie die That?
Vergönnt er es, umflammt von seinen Blitzen,
Womit er einst des Abgrunds Geister traf,
Daß sie aus der Verdammniß Kerker steigen,
Den heimlichsten Gedanken sich erlauern,
Das freche Wort, der Leidenschaft entschlüpft,
Dem Pfandbrief gleich, den keck der Magier
Mit seinem Blut bezeichnet, schnell entwenden,
Und teuflisch jauchzend zur Vollendung bringen?

Setzt sich auf einen Feldstein.

Ha! furchtbar ist doch diese öde Gegend!
Nur Dornen scheinen hier zu wuchern — nur
Die gift'ge Natter schleicht durch Bilsenkraut;
Kein glücklich Wesen athmet hier — kein Ton,
Kein froher Ruf belebt die bange Stille!

Rasch aufstehend.

Wie? rauscht es nicht dort in den Zweigen? naht
Nicht droh'nden Schritts ein Cherub mit dem Schwert?
Ha! keine Paradiese blüh'n um mich! —

Siebenter Auftritt.

Adelbert. Robert.

Robert.

Wo ist der Graf? wo ist der Leichenzug?
Den Todten such' ich erst — und dann den Mörder!

Adelbert.

Was willst du, Jüngling? darfst du dich erkühnen,
Mich — mich zu fragen, wie einst Adam Kain?

Robert.

Ihr sprecht den Namen der Verdammniß aus!
Wo ist dein Bruder Abel, blut'ger Kain?

Adelbert.

Verwegner! flieh, und dank es dem Verhängniß,
Daß ich dich nicht wie einen Wurm vernichte!

Robert.

Vernichten, ja! — erwürgen — meuchlings morden,
Wer zweifelt dran, daß Ihr die Kunst versteht?
Der Greise Jammer und der Mütter Fluch,
Der Weiber Klagen preisen Euch als Meister!

Adelbert.

Noch einmal, frecher Knabe! wag' es nicht,
Den gramumgebnen Löwen aufzureizen!

Robert.

Den gramumgebnen Löwen? ha! den Tiger,
Der in der Höhle sich des Raubes freut!
Ermordet sinkt zur Gruft der Erstgeborne —
Und sie, die sanfte, fühlende Idella,
Ward in des Klosters offnes Grab gestoßen.
Auf! auf zur Huldigung! — und dann zum Altar
Mit ihr, der schönen Wittib! —

Adelbert.

                    Junger Thor!
Was redest du von Kloster und Idella?

Robert.

Des Heuchlers! ha! Euch ist wohl unbekannt,
Daß sie im härnen Kleid der Nonnen trauert?
Ihr wißt wohl nicht, daß sie den Schleier nahm,
Damit ein Dolch des Bruders Weib Euch werbe?

Adelbert, erschüttert.

Entsetzlich! — ha, so mehren sich die Zeugen,
Die mich der Schuld verklagen —

Robert.

                  Wehe Euch,
Wenn jene Zeugen einst der Richter hört!

Adelbert.

Es zeuget Einer schon am Richterstuhle, „

Der von der Schuld mich los und ledig spricht,
Wenn Alles mich verwirft —

Robert.

Ihr häuft die Schuld!
Doch g'nug des Wortgekämpfes — nehmt das
Schwert!

Adelbert.

Bist du von Sinnen, Harfner?

Robert.

Feiger, zieht!

Adelbert.

Ein Wort noch, kühner Jüngling! — denn ich
ehre
In dir den Muth und deine Dankbarkeit.
Ich bin nicht schuldig —

Robert.

Ha! der frechen Feigheit!
Seyd Ihr nicht schuldig, wohl! so kommt mit mir
Und legt die Hand auf seine Todeswunde.
Wenn dann des warmen, rothen Blutes Strom
Euch nicht verklagt, so will ich —

Adelbert.

Nimmer! nimmer!
Ich seh' ihn nimmer wieder! — Diese Rechte,
Sie hat den Pfeil vom Bogen abgedrückt —

Robert.

Es ist genug! Vergieb, Vollendeter!
Daß ich noch zaudre. — Feiger, zieh' den Degen;
Ich morde sonst, wie du, den Unbewehrten!
Versuche deine Klinge, die du rühmtest —

Adelbert.

Zum letztenmal! — entfliehe, kühner Fremdling! —
Wer bist du denn? was willst du, Harwichs
Sohn?
Wer gab dir Recht zu fragen und zu richten?
Bist du zum Rächer unsers Bluts erkoren?
Bist du mir gleich? bist du sein Sohn, sein Bruder,
Du, dessen Hauch des Vaters Alter schmähte?
Was willst du, Harfner! sag', was willst du hier?
Dort, dort geh' hin — geh' nach dem Trauerschloß,
Zum Leichenfest den Chorgesang zu dichten —

Robert,
auf ihn eindringend.

Zieh, Schändlicher!

Adelbert, zieht.

So sey's denn!

Robert.

Heil'ger Schatten!
Umschwebe mich! umgebt mich, Rachegeister!

Sie fechten, Robert mit Muth, Adelbert immer weichend und sich
blos vertheidigend. Nach einiger Zeit sinkt Adelbert.

Adelbert.

Es ist genug! — die Blutschuld ist getilgt —
Mir winkt, die Ruhe — des Versöhnten Geist!
Ich dank' Euch, Minstrel! blutig ist die Hand,
Doch rein und ohne Schuld mein brechend Herz!

Er stirbt.

Robert,
zu ihm niederstürzend.

Doch ohne Schuld dein Herz? — Erwach', er=
wache!
Verweile noch; du furchtbar Scheidender!
Im Tod' ist Wahrheit — ach, er hört mich nicht,
Er ist verschieden — „Ohne Schuld mein Herz?"
O wehe! wehe! wie aus hellem Himmel
Ein Donner Gottes, trifft mich seine Rede!
O wehe mir! o Fluch der raschen That!

Wirft sein Schwert über den Leichnam und eilt verzweifelnd ab.

Achter Auftritt.,

Der Ahnensaal, wie im ersten Aufzuge. Edmund liegt auf einem Ruhebett. Ein Arzt und einige Gehulfen desselben stehen noch bei ihm, und haben eben einen Teppich uber ihn gebreitet. Beatrix steht in einiger Entfernung auf einen Stuhl gestützt, und blickt angstvoll nach dem Arzte; neben ihr Violette. Fabio und Thomas zu den Füßen des Ruhebetts. Verschiedene Diener und Jäger mit gesenkten Häuptern. Im Hintergrunde und in der Vorhalle sammeln sich gegen das Ende die Vasallen und Unterthanen des Grafen Edmunds.

Edmund. Beatrix. Violette. Der Arzt. Thomas. Fabio. Diener.

Violette,

der Grafin Hand streichelnd, leise:

O weine nicht! — oft weinte meine Mutter;
Dann zürnte ihr mein Vater —

Beatrix.

Arme Kleine!

Arzt,

wendet sich von Edmund, und seine Gehülfen treten auf die Seite. Der Arzt geht langsam zu Beatricen, die ihn durch Blicke zu fragen scheint. Der Arzt senkt traurig den Blick. Endlich halblaut zu Beatricen.

Hier ist nicht Hülfe möglich. Selbst ein Wunder
Kann ihn nicht retten. Geht, er will Euch sprechen.
Säumt nicht — es sammelt kämpfend die Natur
Die letzte Kraft — gezählt sind seine Pulse!

Führt Beatricen an das Ruhebett und zieht sich in den Hintergrund.
Beatrix kniet nieder, neben ihr Violette.

Edmund,

deſſen Haupt auf ſeinen Wink von einigen Dienern unterſtützt wird.

Komm, Theure! bleib nun bei mir —

Beatrix.

O mein Edmund!

Edmund.

Sag'; ſandteſt du nach Adelbert und Robert?
Ich kann nicht ſterben, bis ich ſie geſehn.
O ſende doch noch einmal, liebe Freundin!

Beatrix winkt einem Diener, welcher abgeht.

Edmund.

Auch hätt' ich gern, o gern, noch mit Idella
Ein Abſchiedswort geredet; denn die Worte
Der Sterbenden ſind heilig für die Guten.

Beatrix, zögernd.

Sie wurde ſchon an dieſes Morgens Frühe
Im Schloß vermißt — im Kloſter Iſidorens —
So ſchreibt ſie — hat ſie ſich dem Herrn verlobt.

Edmund.

Idella Nonne? — o dort oben richtet
Und waltet einer — bald werd' ich ihn ſeh'n
Im ew'gen Licht —

Diener, zurückkehrend.

Der Minſtrel iſt gekommen!

Neunter Auftritt.

Die Vorigen. Robert.

Robert,
in furchtbarer Beklemmung.

So seh' ich Euch, mein theurer Herr und Schützer!
Küßt seine Hand.

Edmund.

Wir müssen Abschied nehmen, Sohn und Bruder!
Sahst du nicht Adelbert?

Robert, ängstlich dringend.

Ich sah ihn nicht! —
O Vater, bei dem heil'gen, theuern Nämen,
Deß Ihr mich sterbend würdigt, bei dem Richter,
Dem ewig Wahren, dem Ihr bald nun naht!
Laßt mich aus Eurem eignen Munde hören,
Wer Euch die blut'ge Todeswunde schlug?

Edmund.

Mich traf des Bruders Pfeil — doch ohne Willen!
Wir hatten eifrig schon den Hirsch gejagt,
Ihn zwischen Felsen und Gebüsch getrieben,
Da theilten wir, ihn sicherer zu treffen,
Uns auf die Seiten — als ich ihn erblickte,
Vergaß ich jede Vorsicht — ohne Zeichen
Drang ich durch niedres Dickicht — und mein Bruder,
Der auf dem Felsen harrte, sah das Rauschen

Der Zweige — und die Senne klang — der Pfeil
Traf sicher, und ich sank! Er warf verzweifelnd
Sich von der Höhe — Todesschatten hüllten
Mich nächtlich ein —

Robert.

O du in deinen Himmeln!
So ist es wahr! nur seine Hand ist schuldig,
Sein Wille nicht — so klagt sein Blut mich an!

Edmund.

Was ist dir, Robert?

Beatrix.

Gott! was ist geschehn?

Robert.

Er ist dahin! um Euern Mord zu rächen,
Hab' ich auf mich des Mordes Schuld geladen —

Beatrix.

Ach Adelbert!

Edmund.

O wunderbares Schicksal!
O du verhüllte Macht in deinem Dunkel!
So ist die That geschehn, die blutige,
Der Fluch erfüllt, der dem Geschlechte drohte,
Daß heimlicher, verbotner Liebe Sohn
Den letzten, wie den ersten, sollte tödten!

Robert.

Besinnt Euch, Edmund! — wollt Ihr mich ver=
nichten?,
Welch gräßliches Fantom steigt auf vor Euch?

Edmund.

Du bist mein Bruder. — bist nicht Harwichs
Sohn,
Ob schon erzeugt mit Berta, seinem Weibe!
In sie, die üppig blühende, entbrannte
Graf Richmond noch im Herbste seines Lebens.
Du bist mein Bruder, bist des Bruders Mörder —
Im Schrein von Ebenholze sind die Schriften —
Du bist der Erbe dieser Güter! Also
Hat unser Vater sterbend es verordnet.
Dieß düstere Geheimniß aufzuhellen
Ward ich erhalten — jetzt — des Todes Pforten,
Sie rauschen auf — ich sinke — denket meiner!

Er stirbt. Lange tiefe Stille. Robert steht starr und wie ohne
Leben.

Beatrix,
zu Robert, sehr sanft.

Ich fluch' Euch nicht, Euch fließen diese Zähren;
Ich grüß' Euch Bruder, grüß' Euch Graf von
Aklam!

Auf, ihr Getreuen! ehrt der Todten Willen
Und, huldigt eurem künftigen Gebieter. —

Die Versammelten nähern sich und bilden einen Halbkreis.

Robert.

Nein! fern sey dieser Lohn von blut'gem Haupte,
So fern, als schwarzer Vorsatz von der That! —

Mit Wehmuth.

Ich lebte ruhig in der Träume Land,
Mir schien ein Strahl aus fernen Paradiesen —
Doch kaum daß mich die Wirklichkeit umwand,
Mußt' ich des Bruders schuldlos Blut vergießen;
Mein Kampf war gut; doch Blut färbt diese
Hand,
In öder Waldschlucht will ich dafür büßen;
Wie ich gekommen, zieh' ich arm von hinnen,
Um, fern von Menschen, Ruhe zu gewinnen.

Wie könnte mich noch ird'scher Glanz bethören?
Was mir beschieden dieser blasse Mund —

Er nähert sich Edmunds Leiche.

Ich fasse diese Hand, in sie zu schwören;
Ihr, Edmunds Treue! thut es zeugend kund! —
Soll Beatricens Vorsorg' angehören;

Bis —

er hebt Violetten auf und legt sie Beatricen sanft in die Arme.

zu der rechten Erbin Ehebund;
Dann soll der Name Aklam neu erstehen —

Beatricens Hand an seine Stirn drückend,

Lebt glücklich — bis wir d o r t uns wiedersehen!

*Schnell ab. Alle stehen noch in tiefer Betaubung und der Vorhang
fällt.*

II.

Vergeltung.

Schauspiel in fünf Aufzügen.

1799.

Personen.

Aemilius von Klarenfels, Präsident.

Franciscus Graf von Alward, mit dem Titel
        als geheimer Rath.

Josephi, Secretair desselben.

Kosalsky, ein alter Husar in des Grafen Diensten.

Bertram, Kammerdiener des Grafen.

Frau Bertram, dessen Frau.

Wittwe Dubois.

Antonie.

Armen=Advocat Berger.

Advocat Wall.

Xaver.

Hofrath von Braun.

Hofrath Brinkmann.

Ein Regierungs=Secretair.

Ein Adjudant.

Zwei Officiere von der Garde.

Ein Haus=Secretair des Präsidenten.

Christoph, Gärtnerbursche } beim Advocat Berger.
Johann, Schreiber

Ein Knabe.

Bediente des Präsidenten.

      Die Scene ist in einer Residenz.

Erster Aufzug.

Erster Auftritt.

Zimmer des Grafen mit einem Cabinet.

Graf Alward in Morgenkleidern und Kosalsky reisefertig, in Husaren-Piqueche, treten aus dem Cabinet.

Alward. Du weißt nun genug, Alter! Für die Ausführung laß' ich dich sorgen.

Kosalsky. Wohl, Herr Graf!

Alward giebt ihm eine Börse. Das Reisegeld nicht zu vergessen!

Kosalsky. Danke unterthänig. — werd's quitt machen! ab.

Alward schellt zweimal, dann ins Cabinet.

Zweiter Auftritt.

Bertram. Hernach Frau Bertram.

Bertram bringt Caffee und Kohlen, geht herum, sieht an die Uhr, horcht am Cabinet. Erst fünf Uhr vorüber und schon alles lebendig! Das war wieder einmal eine saubre Nacht. Donnerwetter am Himmel und, wie ich meine, Donnerwetter im Hause.

Frau Bertram an der Eingangsthür. Ist der Herr noch nicht auf? hereintretend. Meine Comteß hat die ganze Nacht Licht gesehen und läßt sich erkundigen, wie der Herr Vater geschlafen?

Bertram, nur halblaut. Wird wenig gewesen seyn! Pro primo, das erschreckliche Gewitter — und Du weißt ja, wie Se. Excellenz dann sind — pro secundo, die gestrige Staffette.

Frau Bertram. Nun, Männchen! die gestrige Staffette?

Bertram. Mag wohl wenig Erfreuliches gebracht haben! Er erhielt den Brief bei der Tafel und ward leichenblaß. Kaum hatt' er ihn überlesen, so stürzte er hitzig einige Gläser hinein. Da ich beim Auskleiden den Brief aus der Tasche zog, riß er ihn hastig aus meinen Händen. Der Himmel that sich eben fürchterlich auf und es folgte

ein schrecklicher Donnerschlag." Er taumelte rückwärts hier in den Sessel und murmelte etwas vor
sich hin.

— Frau Bertram. Ei, ei, was muß das
geben?

— Bertram. "Der Herr geheime Rath schien
nicht daran zu denken," daß ich noch im Zimmer
war. Er fing an zu lesen, die Schweißtropfen
traten ihm vor die Stirn —

— Frau Bertram. Konntest Du denn gar
nichts wegkriegen?

— Bertram. Nicht ein Wort! *sich verbessernd.*
Was denkst Du von mir? Das würde sich schicken!
— Er starrte lange in das Papier, sein Gesicht
verzog sich in ein wundersames Lächeln — ich sage
Dir, er sah ordentlich furchtbar aus! Auf ein
kleines Geräusch, das ich machte, fuhr er auf und
schrie: „Was willst du noch hier?". Dann sagte
er gelaßner: „du kannst gehen, Spitzbube!" —
wie Se. Excellenz nun manchmal mit mir spaßen!

Frau Bertram. Ja, ja, Herr Bertram!
wir kennen den Spaß. Also: „du kannst gehen,
Spitzbube!" sagte er und? —

Bertram. Nun, ich mußte noch Burgunder
holen und Kosalsky rufen. Der alte Fuchskopf! —
Da sieh, die Flasche ist leer und die Lichter sind

heruntergebraunt. Kosalsky hat noch vor Tages=
anbruch Postpferde bestellt; eben ist er fort.

Frau Bertram. Das klingt ja ganz son=
derbar. Weißt Du denn gar nicht, was dahin=
ter steckt?

Bertram. So viel ist gewiß, daß — —

Frau Bertram. Nun, was denn, Männ=
chen? was ist denn gewiß?

Bertram. Daß es eine sehr wichtige,
sehr geheimnißvolle Sache betrifft, eine Sache,
die — —

Frau Bertram. Eine Sache, die? —
So laß Dir doch nicht jedes Wort abbetteln!

Bertram. Eine Sache, die — — auf
keinen Fall für Weiber gehört und womit ich daher
Dein weibliches Gewissen nicht belästigen will!

Frau Bertram. „So viel ist gewiß, daß"
— — „Eine Sache, die" — — „eine Sache,
die" — — Herr Bertram leider nicht weiß! —
Auf Wiedersehn, Herr Ehegemal! ab.

Bertram nimmt Tabak. Daß dich der Geier
über das Weib!

Dritter Auftritt.

Bertram. Joseph (eintretend.)

Bertram. Ganz gehorsamster Diener, mein Herr Secretarius!

Josephi. Guten Morgen, Bertram!

Bertram. Sie werden sich ein wenig verpatientiren müssen. Se. Excellenz beschäftigen sich noch in ihrem Cabinet!

Josephi. Er hat mich verlangt. Kosalsky hat mich wecken lassen.

Bertram. So? so? — Ich will es wohl glauben, werthester Herr Secretarius! Vermuthlich giebts pressante Geschäfte. Der gestrige Expresse — zuckt bedeutungsvoll die Achseln.

Josephi. Ei, mein Gott! wie das? Ich will nicht fürchten —

Bertram. Im Vertrauen gesagt, mein Herr Secretarius! der Herr Geheimerath

Vierter Auftritt.

Vorige. — Alward, Schriften in der Hand, tritt schnell aus dem Cabinet.

Bertram erschrickt — schenkt schnell eine Taffe ein, und präsentirt sie dem Grafen.

Alward. Guten Morgen, Josephi — Er kann gehen, Bertram! Ich bin für Niemand zu Hause.

Bertram ab.

Alward. Nun, lieber Josephi! hier ist fürs erste die Vorstellung wegen der Fröhn- und Jagd- Beschwerden zurück. Sorgen Sie dafür, daß ich sie baldigst zur Unterschrift erhalte. Sie ist Ihnen meisterlich gelungen. — Ihre Talente entwickeln sich täglich mehr. Ein Kopf, wie der Ihrige, ist nicht fürs Alltägliche geschaffen.

Josephi. Ihre Gnade beschämt mich. Die von Ew. Excellenz mir ertheilte Anweisung, das Gutachten des Herrn Oberforstmeisters und die eid- lichen Zeugnisse, welche Sie zu erlangen gewußt haben, müssen das Beste bei der Sache thun.

Alward. Sie haben das alles in einen un- vergleichlichen Zusammenhang gebracht. Ist nicht der Widerspruch meiner Unterthanen als der gefähr-

lichste Aufruhr geschildert? — Das heißt von den
Zeitläuften Gebrauch machen! Das heißt sich auf
die Constellation verstehen und dem Herzoge gerade
ans Herz greifen! Mag doch nun der romantische
Bauern = Anwald, unser neuer Präsident, seine
Kräfte gegen uns versuchen!

Josephi, bedenklich. Dieser ist freilich der
einzige, der —

Alward. Er bringt nicht durch, ich gebe
Ihnen mein Wort! Auch muß er sich hüten, von
dieser Seite seinen Gegnern Blöße zu geben.
Der alte, adelstolze Minister, — ha! es kann nicht
fehlen, die Widerspänstigen werden zur Ruhe ver=
wiesen und haben bei erster Gelegenheit ein Com=
mando im Dorfe. Kurz und gut, ich halte die
Sache für abgethan. Geht einigemal stillschweigend auf und ab.

Josephi. Haben der Herr Geheimerath
noch sonst etwas zu befehlen?

Alward. O ja, Josephi! noch mancherlei.
Doch vor allen Dingen möcht' ich über eine gewisse,
Sie angehende Nachricht Ihre Rechtfertigung hören.

Josephi, stutzend, doch bald mit Festigkeit: Sollte
ich —. Befehlen Ew. Excellenz! Ich bin meiner
unerschütterlichen Treue zu gewiß, um mehr, als
irgend ein Mißverständniß, zu befürchten.

Alward. Auch mir ist dieß wahrscheinlich;

sonst würd' ich Ihnen schwerlich eine Vertheidigung
zugestehen. — Wir wollen ohne Maske mit einander zu Werke gehen! Wer die Welt kennt, der
sieht auch einen feineren oder gröberen Eigennutz
als die Triebfeder aller menschlichen Handlungen
an. Sie bedürfen meines Ansehens für die Zukunft; ich bedarf jetzt Ihres Kopfes. Wechselseiti-
ges Bedürfniß hat unser Band geknüpft, und so
ist es das festeste, das unter helldenkenden Köpfen
statt findet. Um aber von diesem Verhältnisse vollen
Gebrauch machen zu können, darf kein Verdacht
sich zwischen uns drängen. Also, Josephi! kurz
heraus! Sie haben seit einiger Zeit heimliche
Gänge: Dieß kann mir nicht gleichgültig seyn.

Josephi, mit schneller Besinnung und einem feinen
Lächeln: — Nur seit einiger Zeit? — Hätt' ich doch
nie gedacht, daß die Geheimnisse des Cabinets auf
die Schleichwege der Galanterie eifersüchtig werden
sollten!

Alward. Erklären Sie Sich deutlicher!

Josephi. Ich gestehe Ihnen, daß ich schon
seit einigen Jahren einer bejahrten Emigrantin,
Namens Dubois, in der Vorstadt ein Quartier
gemiethet habe. Bei ihr wohnt — ihre schöne
Nichte.

Alward. Ich gratulire, Herr Secretair!

Des freundſchaftlichen Rathes, daß das Herz nie
über den Verſtand ſiege, werden Sie wohl nicht
bedürfen.

Joſephi. (mit kaltem Lächeln) Herz! —

Alward. Sehr wahr! — Ihre Miene legt
ein Geſtändniß ab, das der zärtlichen Franzöſin
wenig erbaulich ſeyn würde.

Joſephi. Für dieſe iſt es auch nicht. Wir
ſprechen von Liebe und handeln fürs Bedürfniß.

Alward. Es iſt mir lieb, Sie auch hier
weniger ſchwach zu finden, als ich manchmal fürchtete.
Warlich, ich kann Ihnen mich ganz anvertrauen!

Joſephi. Nie ſollen Sie dieſes ehrenvollen
Zutrauens mich unwerth finden!

Alward. So hören Sie denn, Joſephi!
und erwägen Sie alles genau. Ich bedarf jetzt
Ihres Rathes, Ihrer Hülfe! (öffnet die Flügelthüren, um
ſich zu überzeugen, daß niemand horche; und zieht ſich ſodann mit
Joſephi noch mehr in den Vorgrund.)

Joſephi. Sie machen mich ſtolz, Herr
Graf! — Doch wozu dieſe beſondre Vorſicht?

Alward. Es iſt keine Kleinigkeit, junger
Mann! was Sie jetzt erfahren ſollen. Es iſt ein
Familiengeheimniß, mit dem ich Ihnen mein Ver-
mögen, meine Ehre, mein ganzes Anſehn in die
Hände liefere. Sie haben mich bis jetzt für den

rechtmäßigen. Herrn zweier Graffschaften gehalten; ich bins nicht; — 'es lebt noch ein älterer Bruder!

Josephi hält sich krampfhaft an einen Stuhl. Er lebt? — ist das gewiß? — — er lebt noch?

Alward. Nicht wahr, Josephi! es ist Raserei, daß er noch lebt? er sollte längst. — — Aber hören Sie mich aus. — Mein Vater und seine erste Gemahlin waren im vorletzten Kriege unter dem Gefolge des damals regierenden Herrn. Die Gräfin wurde auf der Reise krank, mußte zurückbleiben und kam in einem Dorfe mit einem Sohne nieder, nach dessen Geburt sie verstarb.

Josephi. Und das Kind?

Alward. Ward von einem alten Kammerdiener meines Vaters nebst einigen Goldrollen und dem Petschafte der Gräfin einem bejahrten katholischen Geistlichen übergeben. — Die Geschichte jenes unglücklichen Krieges ist Ihnen bekannt. Der Herzog floh aus einer Provinz in die andere; feindliche Truppen folgten ihm auf dem Fuße nach und verwüsteten seine entblößten Ländereien. Mein Vater konnte bei der allgemeinen Verwirrung keine Nachrichten von seinem Sohne einziehen; der Aufenthalt des Paters war nicht auszuforschen; endlich starb auch der alte Kammerdiener, nachdem er auf Befehl meines Vaters noch auf dem Todesbette alles, was er von der Sache

wußte, gerichtlich ausgesagt hatte. Nach geschlossenem
Frieden heirathete mein Vater meine Mutter, die er
jedoch nie so zärtlich liebte, als seine erste Gemahlin;
sein Vermögen vergrößerte sich durch verschiedne Un=
ternehmungen auf Tonnen Goldes. Ich war der
einzige Sprößling seiner zweiten Ehe. Da ich er=
wachsen war, fühlte auch ich seinen Haß; er glaubte
seinem Erstgebohrnen auf der Spur zu seyn; der Rath
Erler und Kosalsky wurden in jene Gegenden abgeschickt.
Aber ehe sie zurückkamen, starb mein Vater schnell an
einem Schlagflusse, da er eben auf jeden Fall sein
Testament niederlegen wollte.

   J o s e p h i. Sonderbare Fügung!

   A l w a r d, ohne aufsehen zu können. Schicksal! —
Ich war nun unumschränkter Herr zweier Grafschaften.
Meine Mutter, die mich in meiner Kindheit abgöttisch
liebte, fiel in eine langsame Auszehrung. Jetzt fühlte
sie manchmal einen geheimen Widerwillen gegen mich,
ich weiß nicht, warum? hatte oft Anfälle von Gewis=
sensbissen, ich weiß nicht, worüber? Ein bigotter
Beichtvater trieb sie noch mehr in die Enge und führte
einen gewissen Advocat Berger bei ihr ein, mit dem
sie sich mehreremale insgeheim besprach.

   J o s e p h i, aufmerksam. Den Advocat Berger?

   A l w a r d. Er ist Armen = Advocat. Man hält
ihn für ein Wunder von Rechtschaffenheit. Er ist ein

alter Hageſtolz; und nächſt ſeinen Acten beſteht ſein höchſtes Gut in Nelken und Aurikeln.

Joſephi, leicht. Ich erinnere mich, von dieſer Karrikatur gehört zu haben.

Alward. Daß ichs kurz mache, nach dem Tode meiner Mutter trat, wahrſcheinlich auf ihre Veran-ſtaltung, ein junger Mann auf, der als erſtgebohrner Graf Alward in Gemäßheit gewiſſer Familien = Ver-träge die Abtretung der beiden Herrſchaften verlangte; ich ſollte, mit einem nicht unbeträchtlichen Jahrgelde zufrieden ſeyn. Advocat Berger war ſein rechtlicher Beiſtand und ſtürmte Himmel und Hölle. Daß auch ich alle Minen ſpringen ließ, wobei mir meine enge Verbindung mit dem vorigen Präſidenten und mehrern Großen trefflich zu ſtatten kam, können Sie denken. Doch alles abſichtlichen Verſchleifs, aller Maſchinerieen ungeachtet, beruhte endlich der Ausgang der Sache auf einem von — dem Prätendenten zu leiſtenden Er-füllungseide, als derſelbe — plötzlich verſchwand!

Joſephi feurig. Bravo!

Alward. Jetzt fanden ſich einige Zeugen, die den Verſchwundenen als einen betrügeriſchen Abenteu-rer darſtellten. Schon vorher hatten wir ſeinem An-wald, um ihn bei dem Publicum verdächtig zu machen, ſchnell hinter einander zwei beträchtliche Gerichts-haltereien aus den Händen gewunden. Als aber dieß alles nichts fruchtete; — sondern jener in allen öffentlichen Blättern mit kaltem Spott, jedes fühlende Herz um Auskunft über den sogenannten Graf Al= ward beschwor, bracht' ich endlich einen Todten= schein bei, nach welchem mein Stiefbruder bereits in den frühern Jahren an dem Orte seines ersten Aufenthalts verstorben war. So blieb die fatale Sache fast zwanzig Jahr liegen und es wuchs Gras darüber. --

Josephi. Sey sie doch auf ewig in die tiefste Vergessenheit begraben!

Alward. Josephi! ich fürchte, ich fürchte — Ahnen Sie, was die gestrige Staffette brachte?

Josephi. Wie könnt' ich? — Doch wohl auf keinen Fall Nachrichten, die mit diesem Geheimniß in Verbindung stehen?

Alward. Doch, doch, Josephi! Dieser Todt= geglaubte, der seit neunzehn Jahren als ein Wahn= sinniger auf dem Löwenstein in Verwahrung saß, ist vor acht Tagen entsprungen. Man hoffte anfänglich, seiner wieder habhaft zu werden; allein vier ganzer Tage war alles Nachspüren vergeblich. Diese Schrek= kenspost brachte die Staffette.

Josephi. Gott im Himmel! — ists mög= lich? —

Alward. Es ist wahr, — es ist fürchterlich

wahr! — Nun, Josephi! sagen Sie nichts? sagen
Sie kein Wort? —

Josephi. Lassen Sie mich nur überlegen —
In der That, es hat mich ein wenig erschüttert
überrascht, wollt' ich sagen! — Die Sache ist aller:
dings — doch! sollt' ich meinen —

Alward. Was? was denn, Josephi? Be:
denken Sie doch, dieser Todte, auf deſſen Eid der
Besitz meines Vermögens beruht —

Josephi, kalt: Muß wieder hinab in sein
Grab!

Alward. Kosalsky ist bereits abgereist, ihn
auszuforschen. Aber wenn es mißlingen sollte, wenn
der Advocat Berger —

Josephi. Wäre mit dieſem nichts anzu:
fangen? —

Alward. Nichts, in der Welt nichts!

Josephi. Nun denn, wenn auch alle List,
alle Kunstgriffe vergeblich seyn sollten — Herr Ge:
heimerath! muß ich Ihnen die Waffen nennen,
welche Ihnen zu Gebote stehen? —

Alward. Und welche? —

Josephi. Außer den Lockungen des Goldes
die Schrecken der Gewalt —

Alward. Dieser Donner ist meinen Hän:
den entwunden — Sie bedenken nicht, daß der

jetzige Präsident, dieser moderne Don Quixott der
Justiz —

um Josephi. Ha! ein Blitz durch die Finsterniß! — Ja, Sie haben Recht, Herr Graf! das
— das ändert die Sache. Nun fange ich selbst
an —

Alward. Meine Gefahr, mein Verderben zu
ahnen? — Nicht wahr, Josephi?

Josephi. Das nicht, Herr Graf! aber —

Alward. Nein, nein, Josephi! Noch stehe
ich fest und trotze der Gefahr. Es ist nichts verloren, so lange wir noch Besinnung und Muth
haben! — Glauben Sie ja nicht, Josephi! daß
ich schon zu fürchten anfange. Meine Maaßregeln
sind ergriffen, mein Plan ist entworfen — Ihnen
und dem Kosalsky sind die wichtigsten Rollen zu-
getheilt.

Josephi. Vortrefflich! Endlich einmal ein
Geschäft von Bedeutung!

Alward. Kosalsky mag die Außenwerke ver-
theidigen; Sie sorgen für die innere Ruhe. Ihnen
übergebe ich den Advocat Berger.

Josephi. Was soll ich mit diesem? Sagten
Sie nicht vorhin? —

Alward. Mit ihm selbst ist durchaus nichts
anzufangen, aber unmöglich wird bei allen seinen

Hausgenoſſen der nämliche Fall ſeyn. Suchen Sie
Sich mit dieſen bekannt zu machen; beſolden Sie
Spione, die ſein Haus bewachen, ſuchen Sie mit
guter Manier Sich ihm ſelbſt zu nähern — Doch wozu
dieß? ich rede ja mit Joſephi! — Nur das noch —
für jeden Fremden, der ſich dort blicken läßt, müſſen
Sie mir ſtehen; für jede Gefahr, die von dorther
drohet, mache ich Sie verantwortlich. Koſten bräu-
chen Sie nicht zu ſcheuen — das verſteht ſich!

Joſephi. Herr Graf! Ihr Vertrauen und die
Größe der Gefahr ſetzt mich in eine Art von Begei-
ſterung. Gut denn! ich nehme es über mich, dieſen
Cerberus zu bändigen, und ſollt' ich die Zwiebeln von
ganz Harlem in Requiſition ſetzen!

Alward. Sie kommen in Laune. So gefallen
Sie mir, Joſephi! klopft ihm lächelnd auf die Achſel. Nicht
wahr, wir haben nichts zu fürchten? ins Cabinet ab.

Joſephi allein. — Triumphire nur; Böſe-
wicht! — — Das Gewitter thürmt furchtbar ſich auf.
Mich oder dich wird es zerſchmettern! ab.

Fünfter Auftritt.

Ein kleines Lusthaus in der Vorstadt, mit einer Thür zu einem Cabinet. In den Fenstern Gewächse. An den Seiten ein Pianoforte, Schreibetisch, Actenregale u. f. w. Durch die geöffnete Mittelthür erblickt man zu beiden Seiten Nelkenstellagen und Gartenbeete.

Armen=Advocat Berger, im Schlafrock und grünen Sonnenhute, eine lange Pfeife und ein Gartenmesser in der Hand, kommt den Gang herauf, und bleibt vor den Stellagen stehen. Ein wahrer Paradiesesmorgen! Welch ein erquik= kender Regen diese Nacht — und nicht das mindeste beschädigt! Wie das alles lebendig und grün ist nach dem lieben Gewitter! alles so erfrischt und aromatisch! — — O du prächtiger Nelkenflor du! Ach, ihr herrlichen Blumen, was erleb' ich für Freude an euch! nimmt einige Blumennäpfe herunter und betrach= tet die Blumen durchs Glas. Dieser Doge von Ve= nedig — ei! ei! das ist eine Prachtblume vom ersten Range. Ha! und der Nelson — so voll und doch nicht platzend! — Diese Belle Gabriele mit dem Brüßler Blatt — welche herrliche Zeich= nung! — und die schöne aschgraue Bizarde mit den Incarnatstreifen — illuminatiö rara! raris= sima! — — Nun, dir sey Dank, Wunderbarer! der du uns Sonnenschein giebest und Regen, und

die Farben aufträgst auf die zarten Blätter, wie
kein Mahler sie mischen kann —. Dank von unsern
Lippen und Dank durch unsre Thaten! einen Blick gen
Himmel, einen auf die Keltenstütz dann schnell zum Schreibettsch. Er
sezt die Brille auf, wirft einige Stuck Acten auf die Seite und nimmt
eins vor sich. Komm her, du armes unglückliches
Schlachtopfer der Verführung und des Vorurtheils!
— — auch für dich ließ Gott die Sonne aufge=
hen, aber statt durch träufelnde Zweige fällt sie dir
durch das eiserne Gitter eines dumpfigen Kerkers.
Er blättert, liest eifrig, schlägt Zeichen ein, u. s. w.

Sechster Auftritt.

Berger. Advocat Wall, in Stiefeln und Sporen,
Schriften unterm Arm, kommt den Gang herauf.

Wall, eintretend. Guten Morgen, Herr Berger!
Berger, ohne zu hören, vor sich. „Wegen der an
ihrem leiblichen Kinde begangenen und eingestande=
nen Mordthat“ — „mit dem Schwerde vom Leben
zum Tode“ — „der Körper aufs Rad“ — freilich!
freilich! die That spricht zu laut — das Gesetz
findet keinen Ausweg — die Beispiele sind zu häufig
— arme Creatur!

Wall, vor sich. Ach, schon wieder bei der tra=

gischen Geschichte! — *legt die Hand auf Bergers Schulter.*
Guten Morgen, lieber Herr Berger! . . . . .*)

Berger fährt zusammen — dann: Ei sieh da, lieber
Wall! Bald hätten Sie mich erschreckt.

Wall. Gewiß wieder die Liebethaler Kinds-
mörderin-Acten! —

Berger. Die Sache geht mit mir zu Bette
und steht mit mir auf. Ich sehe keine Rettung. —
Doch es lebt ja ein Präsident Klarenfels — ein
milder Regent — und ein Gott im Himmel! —
Auf den Abend mehr davon, guter Wall! Vier
Augen sehen schärfer, als zwei, zumal wenn es
zwei alte, abgestumpfte Augen sind — und in cri-
minalibus gleiche ich noch immer dem furchtsamen
Anfänger. Besinnen Sie Sich noch; lieber Wall!
wie der dreizehnjährige Hirtenjunge wegen Feueran-
legens — — das ist nun gerade wieder eine solche
Geschichte!

Wall. Beruhigen Sie Sich doch; lieber
Freund! Ein Mann in Ihren Jahren, der schon
so viel Gutes gewirkt hat — wahrhaftig, Sie
sollten mehr an Sich selbst denken! Jetzt. Sagen
Sie mir doch, hat der Schlagregen in dieser Nacht
keinen Schaden gethan?

Berger. Ach! — — — nein! nein! Es ist ein
gnädiger, fruchtbarer Regen gewesen.

Wall. Und die Nachbars = Katze hat auch
keinen Streifzug gewagt?

Berger, ihn ansehend, dann ihm gutmüthig die Hand
bietend. Wall! — Sie wollen mich abbringen von
den traurigen Gedanken. Es ist wahr, die Katze
hat mir schon großen Schaden angerichtet, aber —
sehr ernst. ob eine seltene Nelke geknickt oder ob ein
Menschenleben vernichtet wird; — da ist denn auch
ein gewaltiger Unterschied —

Wall giebt ihm einige Bogen. Hier ist die Duplik
in dem Reichenbacher Processe. — Erhalte ich auf
heute noch besondere Instruction?

Berger. Sie wissen, worauf es ankommt.
Pflegen Sie mit Gegentheilen alles Ernstes die
Güte; nur durch sie wird beiden Partheien gehol=
fen. Die Zinsen lassen Sie fallen, aber mehr nicht
— es sind Waisen! — Vale, lieber Wall!

Wall. Auf den Abend bringe ich Ihnen
Nachricht, wenn mich mein Polake nicht abwirft.

Berger. Dafür wird gebeten seyn!

Wall ab.

Berger zündet seine Pfeife wieder an und fährt fort zu
arbeiten.

Siebenter Auftritt.

Berger. Wall. Xaver, in abgetragener unscheinbarer Kleidung.

Wall führt Xaver herein. Hier ist ein Mann, der Sie sprechen will. will wieder fort.

Berger, sich umsehend, schrickt zusammen. Xaver! Geist oder Mensch? — Xaver! um Gotteswillen! — Wall! Sie können nicht reisen! — Xaver! armer längst verschollener Unglücklicher! sind Sie's, oder trügen mich meine alten Augen?

Xaver. Ich bin es, einziger Freund, der mir übrig blieb! bin der Xaver, um deſſentwillen Ihnen die Gerichtshaltereien entriſſen wurden, um deſſentwillen Sie immer noch Advocat ſind. —

Berger. Ruhig, alter Freund! ich bin nicht Hungers gestorben.

Xaver. — um deſſentwillen Sie verfolgt und gedrückt wurden —

Berger. Doch, Gott sey Dank, nie unterdrückt!

Xaver. — bin Xaver, der lebendig Begrabene, der Vergeſſene —

Berger. Nicht von mir vergessen, Armer! nicht von mir! holt einen Nelkenstock, der im Fenster steht. Sehen Sie, lieber Xaver! An dem Tage, da Sie verschwanden, kam ein Sämling zur Blüthe. Die Sorte war neu. Ich taufte sie Graf Xaver — zum traurigen Andenken! Das ist noch ein Senker davon.

Xaver drückt ihm wehmüthig die Hand.

Wall. Also ich reise nicht, Herr Berger?

Berger. Nein, Wall! Sie müssen hier bleiben. Man kann nicht wissen — Gehen Sie zu einem Ihrer Freunde und lassen Sie durch ihn den Termin abwarten. Eilen Sie, besorgen Sie alles bestens und kommen Sie baldigst wieder.

Wall ab.

Berger. Und nun, lieber Xaver! geschwind, wo kommen Sie her? in welchem Winkel der Erde haben Sie gesteckt?

Xaver. Gönnen Sie mir einige Erholung. Sie werden entsetzliche Dinge hören. Aber — bin ich auch sicher bei Ihnen? Lebt mein grausamer Verfolger noch und können Sie mich gegen ihn schützen?

Berger. Er lebt noch; aber fassen Sie

Muth! „Der vorige Präsident ist gestorben, Alwards
Macht ist größtentheils dahin! — Ha! nun wollen
wir dem Räuber zu Leibe!“ Ich danke Gott, daß
ich Sie wieder habe.

Xaver. Wer weiß, auf wie lange?

Berger. Ruhig, nur ruhig, Freund!
Wir halten vor der Hand Ihre Gegenwart ge=
heim. Hat Sie schon jemand hier in der Gegend
gesehen?

Xaver. Gestrige Nacht habe ich im Gast=
hofe zu Sommerfeld in einer Scheuer geschla=
fen; diese Nacht bracht' ich draußen im Walde
zu —

Berger. Großer Gott! bei dem entsetzlichen
Regenguß!

Xaver. Ach! hätt' ich nie schlimmere Nächte
gehabt! — Diesen Morgen schlich ich um die
Außenwerke; ein junger Mann, der einzige Mensch,
welcher mir begegnete, zeigte mir auf Befragen
Ihre Gartenthür. Es ist schon so lange her, seit
ich das letztemal bei Ihnen war —

Berger. Wer das gewesen seyn muß! Ich
wollte, es wär' nicht geschehen! Doch es wird
ja nicht gleich — Nun, auf jeden Fall lieber Xa=
ver! sollte jemand kommen, so verbergen Sie Sich
hier in meinem Cabinet und verriegeln Sie im

Nothfalle die Thür. „Ich will für Ihre Erquickung sorgen. ab.

Xaver. ihm nachsehend: Sagt' ichs nicht: Nur bei ihm find'st du Hülfe und Trost. ab. Und ist er todt, Armer! so leg' dich auf seinen Grabhügel und stirb! ins Cabinet ab.

Zweiter Aufzug.

Erster Auftritt.

Zimmer bei der Wittwe Dubois.

Wittwe Dubois an dem einen Fenster mit Nätherei beschäftigt. Antonie, ganz weiß und einfach, doch mit einem
gewissen Kunstgeschmack, gekleidet, sitzt an dem andern, und hat ein
Glas mit besondern schönen Blumen neben sich, welche sie nach dem
Leben zeichnet. Hinter ihr, seitwärts auf einem weißbedeckten Tischchen, ein kleiner Orangeriebaum und eine geflickte Brieftasche,
beides durch ein darüber gelehntes Gemälde verdeckt. Es wird gepocht.

Hernach ein Knabe.

Antonie, steht auf. Doch nicht, schon Josephi?
— Herein!

Ein Knabe, mit einem Bücherkorbe. Meine
Meisterin schickt hier die Bücher. Es sind zwei
Thaler zwanzig Groschen dafür.

Antonie. Nun das ist schön, Kleiner! ich
glaubte schon, sie würde nicht Wort halten.

Knabe. Je, du lieber Gott, das hat keine
Noth. Kunden, die zum Leder vorschießen, finde

man nicht alle Tage. Die Meistersfrau hat vier
Kinder und ich bin das fünfte, das sie aus Erbar=
men zu sich genommen hat. Da hälts oft recht
schwer — Sie glauben das nicht so.

Antonie. Zwei Thaler zwanzig Groschen?

Knabe. Ja, liebe Mamsell! Wenn Sie
nichts abbrechen, bekomme ich noch zwanzig Groschen.

Dubois. Ich finde das theuer, Antonie!

Knabe. Sagen Sie das nicht, gute Madam!
Sehen Sie doch nur die schönen englischen Bände
und die Titel von Saffian!

Antonie. Hier ist das Geld — und da auch
noch etwas für dich!

Knabe. Ach Sie gute, liebe Mamsell! —
dafür kaufe ich der kleinen kranken Jette eine Sem=
mel. froh ab.

Antonie, blättert ein wenig und legt die Bücher zu dem
Uebrigen hinter das Bild.

Dubois. Sie sollten haushälterischer seyn,
Antonie! Haben Sie darum Nächte lang am Räh=
men gesessen? — Pappbände hätten es auch ver=
richtet, wie ich meine!

Antonie. Es ist nicht Ihr Ernst, Dubois!
Sie kennen ja die Buchbinderswittwe — sie ist eine
so gute, fleißige Frau.

Dubois. Still! — Herr Josephi kommt schnell durch die Allee.

Antonie. Herrlich! herrlich! es ist alles bereit.

Zweiter Auftritt.

Vorige. Josephi.

Josephi hastig und zerstreut. Wie geht Dir's, liebe Antonie? Guten Morgen, Dubois! wirft sich in einen Stuhl.

Dubois. Willkommen, Herr Josephi!

Antonie. Und unsre wärmsten Wünsche zu dem heutigen herrlichen Morgen! setzt das Gemälde von dem Tischchen. Nimm vorlieb, lieber Bruder!

Josephi. Was soll das, gute Schwester?

Antonie. Die Feier Deines drei und zwanzigsten Geburtstages —

Josephi. Heute? eben heute?

Antonie. Nicht anders, lieber Joseph!

Josephi, ohne die Geschenke anzusehen. Tausend Dank für diese liebevolle Ueberraschung, meine gute Antonie! — Ist's doch, als wär' es Bestimmung, daß eben heute —

*** *** **Antonie,** ihn betrachtend und etwas wehmüthig. Es ist Dein Liebling Ossian · und — · ich hoffte, es sollte Dir einige Freude machen! · · *** · · *** *

Josephi. Vergieb, liebevolles, zärtliches Mädchen! Es ist nicht Undank, nicht Gleichgültigkeit — o! es schwebt ein Gedanke vor meiner Seele, der alles andre verdrängt und mich unfähig macht — *** *** *** *** *** *** *** ***

Antonie. Was hast Du, Joseph! Du sprichst so sonderbar, Du scheinst so zerstreut — auch bist Du blässer, als gewöhnlich. *** *** ***

*** **Josephi.** Mir ist wohl, liebe Schwester! Sey außer Sorgen — *** *** *** ***

Antonie. Joseph! sieh' mir ins Gesicht. Du bist nicht aufrichtig. Was ist Dir begegnet? Sollte —

Dubois entfernt sich, ohne daß es Beide gewahr werden, aus dem Zimmer.

*** **Josephi.** Sey nicht ängstlich ohne Noth! Es steht alles gut, sehr gut, besser, als wir es hoffen konnten.

Antonie. Also Du hast keinen Verdruß gehabt mit dem Grafen? es ist nichts entdeckt?

*** **Josephi.** Er hat es erfahren, daß ich Dich besuche.

Antonie. Großer Gott! — nun, und? —

Joseph i. Vergieb, liebe, zartfühlende
Seele! ich wußte seinem Argwohn nicht anders,
als durch Deine Erniedrigung zu entgehen. Aber
Antonie. Ich verstehe Dich. Aber mag es
doch seyn! Der Verdacht eines Bösewichts kann
mich nicht entehren — unserm schönen Entwurfe sey
auch dies Opfer willig dargebracht!

Joseph i. Ich kannte Dich, edles Mädchen!
An Herzen, wie das Deinige, nagt kein niedriger
Argwohn. Auch bin ich durch diesen Kunstgriff in
dem Vertrauen des Grafen sehr befestigt worden
und habe Geständnisse erhalten —

Antonie. Nun, und Du zauderst, mir alles
mitzutheilen?

Joseph i. Ich bin zum Ritter von ihm
geschlagen im Dienste der Schurkerei, und habe den
Schlüssel zu seinen verborgensten Geheimnissen.

Antonie. Ich weiß nicht, soll ich uns Glück
dazu wünschen, oder nicht? Joseph! bedenkst Du
auch immer, auf welchem gefährlichen Posten Du
stehest? Ich zittre oft, wenn ich alle Gefahren
überlege. Joseph! wenn Du zu schwach wärst für
die Rolle, welche Du übernahmst, wenn Du wank-
test in Deinen Grundsätzen, wenn Gewohnheit und
Macht des Beispiels die angenommene Maske mit
der Zeit in Deine wirkliche Gestalt verwandelte —

—»lieber Bruder!» Du haft keine Mutter, vergieb
Deiner ältern, um Dich beforgten Schwefter mütterliche Bitten, mütterliche Warnungen — wenn
das wär', wenn Du nicht unbefleckt wieder heraus-
treten könnteft aus dem furchtbaren Zauberkreife der
Cabale und des Lafters.— fo gieb ihn auf den
fchönen, fchwärmerifchen Plan und laß uns ent-
fliehen, ehe Du unterliegeft.

»Jofephi.» Ihn aufgeben? jetzt ihn aufgeben?
Nimmer, nimmermehr! — Schwefter! theure Antonie! mag die ganze Welt mich verkennen, verkenne
Du mich nicht! Ich habe dem Grafen gedient, fo
viel ich mußte, um unfern Entwurf auszuführen;
ich habe ihm meinen Kopf geliehen zu Dingen,
die fonft an meiner Statt ein andrer ins Werk ge-
fetzt hätte; aber ich habe manche Thräne getrocknet
im Stillen, habe manches erfahren, was die Räuber am Throne gleich einem unverfehenen Donner erfchüttern foll — und mein Herz ift rein und
fchuldlos geblieben, nie habe ich Deiner unwürdig
gehandelt — das fchwöre ich Dir in diefer fchönen,
feierlichen Stunde! — Antonie! mache Dich gefaßt,
etwas unerwartetes zu hören. Unfre Stunde, die
große, entfcheidende, längft erfehnte Stunde fchlägt
vielleicht bald! »

Antonie. O, sprich, sprich, guter Bruder! was ist geschehen?

Josephi. Der Graf selbst hat mir das ganze Geheimniß seiner Bosheit enthüllt und — freue Dich, Antonie! freue Dich! — die lieblichste Hoffnung unsers bisherigen Lebens ist Gewißheit. Unser Vater lebt, und ist vor acht Tagen aus seinem Kerker entkommen.

Antonie. Er lebt! fliegt Josephi in den Arm. O mein Bruder! wie groß wirst Du in meinen Augen, wenn ich Dich als seinen Retter betrachte. — Ach, wo mag er herumirren, der edle, unglückliche Mann.

Josephi. Ich muß Dir noch mehr sagen, Antonie! Der Graf hat mir seinen Plan entdeckt, unsern Vater wieder in das Gefängniß zu liefern; durch den Grafen selbst kenne ich den Redlichen, mit welchem ich zum Verderben des Bösewichts mich verbinden muß, und — liebe Antonie! ich kann mich eines Gedankens nicht erwehren, so unwahrscheinlich er auch ist —

Antonie. Entdecke ihn mir, lieber Josephi! es ist natürlich, daß Deine Seele jetzt außerordentlich thätig ist und die Phantasie ihre lieblichsten Bilder Dir als Wirklichkeit vormahlt —

Josephi. Der Graf hat mir selbst gestanden,

daß er den unbestechlichen Eifer des Advocat Bergers, des ehemaligen Sachwalters unsers Vaters, verbunden mit der Gerechtigkeit des Präsidenten, außerordentlich fürchte. Er hat mir aufgetragen, diesen Berger und alle seine Umgebungen aufs schärffste zu beobachten. Diesen Morgen, als ich den Grafen verlassen hatte, lief ich ins freie Feld, um mir alles zu überdenken und mich zu erholen. Da erblickte ich unter einer großen Eiche einen Mann, der in die Morgensonne blickte und mit gefalteten Händen betete. Er fuhr zusammen, als er mich gewahr ward. Dann fragte er mich angelegentlich, doch schüchtern, ob Advocat Berger noch lebe? — Antonie! es war ein Mann in abgetragener Kleidung, mit verbleichtem Haar, mit so rührenden Gesichtszügen —

Antonie. Du warst ganz von diesem Gedanken erfüllt, wie konnt' es anders kommen, als daß der erste Dir auffallende Unbekannte — doch vielleicht kann ich Dich von Deinem Irrthume sogleich überzeugen. Hier, lieber Bruder! ein Theil Deines Angebindes; für Dich gewiß am willkommensten! Es ist ein Kunstversuch, wozu Kindesliebe mich begeisterte, eine Erinnerung aus meinen frühesten Jahren — o da haften alle

Eindrücke so fest! — Sieh, lieber Bruder! hat unterdessen das Taschenbuch geöffnet. Es fällt ein Gemälde heraus.

Josephi ergreift es schnell, betrachtet es mit starren Blicken und sinkt auf einen Stuhl. Allmächtiger Gott! das ist er!

Antonie seine Hand fassend. Bruder! Bruder! um Gottes willen!

Josephi sich erholend, die Augen immer noch starr auf dem Gemälde. Er ists! er selbst, Antonie! springt auf, und stürzt ab.

Antonie ihm nachrufend. Joseph! kommt schnell wieder herein, wirft einen Tafftmantel über, und ab.

Dritter Auftritt.

Lusthaus des Advocat Bergers, wie im ersten Aufzuge.

Berger in Hauskleidern, Xaver, in einem bessern Ueberrock, und Wall sitzen an einem Tisch und frühstücken.

Berger. Und sie hatten nicht den mindesten Verdacht gegen den Italiener?

Xaver. Bis auf den letzten Augenblick traute ich dem Verräther. Er führte mich immer tiefer in den Grund, zeigte mir mit der Begeistrung des

Landschaftmahlers, mit der freundschaftlichsten Wärme immer schönere Aussichten. Schon gieng die Sonne hinter dem Tannengebirge unter und ich erinnerte an die Heimkehr. Aber nun sollt' ich erst noch die Beleuchtung bei Mondlicht bewundern, und er wußte nach seiner Versicherung einen näheren Fußsteig. Hingerissen von der Lebhaftigkeit seines Entzückens und gerührt von den Ergießungen seiner Freund= schaft fiel ich ihm eben um den Hals und dankte ihm für einen der schönsten Abende meines Lebens, als vier Männer aus dem Gebüsch sprangen, mich banden nnd in einen Wagen warfen. Die Reise ging anfänglich mit größter Schnelligkeit, dann etwas gemächlicher. Ich bemerkte durch eine Oeff= nung des Wagens, daß ich mit Bewaffneten um= geben war. Nach mehren Tagereisen kamen wir in dem Zuchthause zu Löwenstein an, wo ich als ein Wahnsinniger, der sich einbilde, regierender Graf zu seyn, abgeliefert wurde. Neunzehn Jahre läng saß ich dort, von aller menschlichen Gesellschaft entfernt, und war oft nahe daran, das wirklich zu werden, wofür man mich ausgab.

Wall. Bei Gott! diese Geschichte ist ein Gewebe der schändlichsten Verrätherei und Bosheit.

Berger. Vergessen Sie jetzt, lieber Xaver!

diese schreckliche Vergangenheit und leben Sie für eine glücklichere Zukunft!

Xaver. Ach, eine einzige Erinnerung kann ich nicht unterdrücken;—werden meine Kinder noch leben? welches Schicksal mag sie betroffen haben?

Berger. Unzähligemal habe ich es bereut, daß ich mich bei Ihnen nicht näher nach dem Aufenthalt derselben erkundigt hatte.

Xaver. Und ich — o wie oft machte ich im Kerker mir Vorwürfe, daß ich der edlen Freundin, welcher ich meine Kinder übergab, nicht die wahre Ursache meiner Reise entdeckte. Aber konnt' ich, ohne thöricht zu scheinen, es wohl wagen, von meinen glänzenden Hoffnungen zu sprechen, und konnt' ich wohl fürchten — nimmer wieder zu kehren?

Berger. Theilen Sie mir bei besserer Muße bestimmtere Nachrichten von Ihren Angehörigen mit. Ich schaffe sie Ihnen, und wären sie im Mittelpuncte der Erde verborgen! Ihr einziges Augenmerk jetzt sey die Erhaltung Ihrer Gesundheit.

Xaver. Ich fühle mich sehr erquickt, lieber Berger! Das ist der erste Wein, der nach neunzehn Jahren über meine Zunge kömmt.

Berger. Deshalb sollen Sie dem Advocat Berger ein Stückfaß dafür zahlen, wenn wir auf

die Gesundheit des Grafen Xaver von Alward
trinken!

Wall. Und seinem Amanuensis ein halbes!

Berger. Jetzt noch eins, lieben Freunde!
dann, mit Gott, muthig ans Werk! — Unser
Präsident soll leben!

Wall, anstoßend. Soll leben, hoch!

Xaver. Wer ist das, alter Freund? — Ich
liebe die Präsidenten nicht.

Berger. Angestoßen, angestoßen, Graf
Xaver! wenn wir Freunde bleiben sollen. Jener
große Verbrecher, den sie kannten, ist vor den Richterstuhl getreten, welchen der höchste Gewalthaber auf
dem Throne so gut, als der arme Sünder vom Raben-
stein für das forum competens anerkennen muß;
Klarenfels ist vom Herzoge selbst an dessen Stelle
berufen worden. Das ist ein Mann, lieber Xaver!
vor dem ich alter Mann schon von weitem den Hut
ziehe, obgleich mein kahler Schädel die Kälte nicht
vertragen will und der Präsident gegen mich fast ein
Jüngling ist — Stoßen Sie an, Freund Xaver!
Präsident Klarenfels, der Freund des Rechts, der
Beschützer der Unschuld!

Xaver stößt an und trinkt. Gottes Segen über
ihn, da der bloße Gedanke an ihn meinen Berger in
solches Feuer setzt.

Berger. Er lebe! lebe und wirke noch lange, wenn mein Garten verwaist ist und nur Feldblumen um meinen Hügel blühen. — das Glas erhebend und mit Feuer.

„Süßen Schlaf im Leichentuch!

Brüder! einen sanften Spruch

Aus des Todtenrichters Munde!"

Sie stoßen an und trinken. Dann ergreift Berger ihre Hände. Freunde! wenn ihr einst, beim frohen Mahle diesen Vers singt, dann reicht einander die Hände, wie ich sie Euch jetzt reiche, und der Name Berger schwebe auf Euern Lippen! — Dieß sey die Todtenmesse für den alten Advocaten!

Vierter Auftritt.

Vorige. Christoph.

Christoph zu Berger. Es ist ein junger Herr da, welcher Sie sprechen will.

Berger. Hast Du nicht nach seinem Namen gefragt?

Christoph. Ich kenne ihn ja. Er trägt immer so einen blauen Rock.

Berger. Aber wie heißt er denn?

Christoph. Ja, wie er eigentlich heißt, weiß ich nicht.

Berger. Das ist einfältig, mein Sohn!

Christoph. Je nun, ich dachte — Herr Berger! ein Spitzbube ist er wahrhaftig nicht. Er fährt immer in einer schönen Kutsche. Der Kutscher hat auch bald so einen blauen Rock, aber viel schöner, und dient bei dem Grafen Al — Alb — Albert. Richtig, so heißt er.

Berger, etwas erschreckend. Was? sollte der Graf schon? — Geschwind, mein Sohn! führe den Herrn in das gelbe Zimmer.

Christoph. Er weiß schon, daß Sie hier sind, und steht draußen an der Stellage Nummer Eins.

Berger. Verwünscht!

Xaver, ängstlich zu Berger. Was fürchten Sie denn?

Berger. Nichts, nichts! — Xaver! geschwind in das Cabinet. — Wall, bleiben Sie hier!

Xaver, in das Cabinet ab.

Berger. Laß ihn kommen!

Christoph ab.

Fünfter Auftritt.

Berger. Wall. Josephi, der, indem Christoph abgeht, schon hereintritt.

Josephi. Verzeihen Sie, Herr Advocat! daß ich fast mit Gewalt mich bei Ihnen einführe. Mein Anliegen ist dringend —

Berger, ihm einen Stuhl anbietend. Sie kommen wie ich vermuthe, vom — mit wem habe ich die Ehre?

Josephi. Secretair Josephi beim Grafen Alward.

Berger. So, so? — Was verschafft mir das Vergnügen Ihres Besuchs?

Josephi. Eine Angelegenheit, die unter vier Augen —

Berger, auf Wall deutend. Dieß ist mein Freund und Gehülfe, Advocat Wall. Ich sollte nicht meinen, daß der Herr Geheimerath und ich —

Josephi. Ich komme in meinen eignen Geschäften.

Berger. So? — zu Wall, der sich bereits entfernt halblaut. Bleiben Sie in der Nähe!

Wall ab.

Berger. Nun, Herr Secretair! wir sind ohne Zeugen.

Josephi. Herr Berger! die Umstände erlauben mir nicht, unser Gespräch einzuleiten. Es ist diesen Morgen ein bejahrter Mann zu Ihnen gekommen, dessen Aufenthalt ich wissen muß.

Berger. In der That?

Josephi. Ich verstehe diese Kälte. Herr Berger! Sie verkennen mich — ich bitte, ich beschwöre Sie — bei Gott! ich muß diesen Mann sprechen!

Berger. Verzeihen der Herr Secretair! die Art, wie Sie Sich auszudrücken belieben, erinnert an jenen Bettler, der mit vorgehaltner Pistole um ein Almosen bat. Ich bin nicht gewohnt, auf diese Manier in meinem Hause mit mir sprechen zu lassen. Sagen Sie mir fein höflich und gemach, was Sie zu mir bringt und welches Recht Sie zu den gethanen Nachforschungen zu haben vermeinen.

Josephi. Lieber Herr Advocat, die Sache ist von so besonderer Art und so wichtig für mich — werden Sie leugnen, daß diesen Morgen ein fremder Mann in ärmlicher Kleidung Sie besucht hat?

Berger. Und wenn ich es leugnete? —

Josephi. So würde ich Ihnen sagen, daß ich selbst ihn zu Ihnen gewiesen habe.

Berger. So? Ihr Vertrauen ist viel Ehre
für mich. — Aber, wenn auch — ich sehe nicht ein,
wozu das führet? Was geht Sie der Mann an?

Josephi. Was er mich angeht? — O sehr
viel! beim großen Gott, sehr viel!

Berger. Nun, gesetzt auch! Es kommen des
Tages viel Leute zu mir. Wie kann ich wissen wen
Sie meynen?

Josephi schnell. Wollen Sie ihn sehen?

Berger, aufstehend und sich etwas näher zur Seitenthür
ziehend. In der That, Sie sprechen Räthsel. Sie
sind doch wohl kein Schröpfer oder Cagliostro?

Josephi zeigt ihm das Porträt.

Berger. Nun bei Gott! das ist Zauberei
oder ein vollendetes Bubenstück! So gefährlich
scheinet Euch dieser Mann, daß —

Josephi. Also Sie kennen ihn doch? er ist
doch zu Ihnen gekommen? Sie leugnen doch nicht,
daß er wieder hier ist?

Berger. Nun, ja denn, er ist hier. Aber
zurück, Mensch! — bei Gott! ihr kriegt ihn nicht
wieder in eure Tigerklauen. Herr Wall! Herr Wall!

Wall tritt ein.

Berger. Ich bin ein alter Mann, aber beim
Richter dort oben! der edle, gemarterte Unglückliche

foll die Kränkung nicht haben, einen von Eurer
Schurkenrotte zu erblicken —

Joseph i. Hören Sie mich doch nur an —

Berger. Zurück, Mensch! von dieser Thür —

Joseph i. Also hier ist er? hier? Nur
diese Thür trennt mich von ihm? — O mein Gott!
— lassen Sie mich zu ihm — ich bin Joseph Alward
— er ist mein Vater!

Berger. Ein Bösewicht bist Du, Unver=
schämter! Zurück!

Wall. Zwingen Sie uns nicht, Gewalt mit
Gewalt zu vertreiben!

Joseph i. O lassen Sie mich! lassen Sie
mich! — Vater! Vater Xaver! Ihr Sohn ists, der
Sie ruft — Ihr Joseph — der Sohn Ihrer
Antonie!

Sechster Auftritt.

Vorige. Xaver öffnet die Thür. Zuletzt **Antonie.**

Xaver. Gott! was ist das?

Josephi umfaßt seine Knie. Mein Vater!

Xaver. Du? Josephi—?

Antonie, tritt schnell herein und fliegt mit emporgestreckten Armen auf sie zu. Joseph! — Vater!

Xaver. Allgütiger, —! sinkt Bergern und Walln ohnmächtig in die Arme.

Dritter Aufzug.

Antonie.

Erster Auftritt.

Scene, wie vorhin. Die Gardinen sind halb herunter-
gelassen.

Xaver in ruhender Stellung auf dem Sopha.

Antonie am Pianoforte.

Antonie sieht sich von Zeit zu Zeit sorgsam um, fällt
aus einer raschen Melodie in eine sanftere, endigt decrescendo und
tritt Xaver leise näher.

Xaver, auffollckend. Warum hörst du auf, liebe
Antonie?

Antonie. Ich glaubte, Sie schlummerten
wieder.

Xaver. Dein Spiel hat die süßesten und
wehmüthigsten Erinnerungen meines Lebens in mir
erweckt — ich glaubte Deine Mutter wieder zu hören,
wenn sie, während ich an der Staffelei arbeitete, an
der Harfe saß und mein niederes Stübchen zum Himmel umschuf. — O es war ein edles, vortreffliches
Weib! Sie gieng frühe von meiner Seite — Ihr

ganzes irdisches Leben war, die reinste Harmonie —
unter Harmonie gieng sie in ein besseres über. —
— Antonie. Wie, mein Vater?

Xaver. Die Heftigkeit des Fiebers hatte sie
sehr geschwächt, doch gab der Arzt die Hoffnung nicht
auf. Eines Nachmittags, da ihre zärtlichste Freundin sie besuchte, drang sie in mich, einige Stunden
der frischen Luft zu genießen. Mit gepreßtem Herzen überließ ich sie der Pflege der Freundschaft — ich
streckte im Walde die Hände weinend zu Gott empor.
— „Ich kann nicht Abschied nehmen von ihm!“
hatte die Sanfte ihrer Freundin gesagt. — „er soll
meinen Abschied nicht sehen!“

Antonie. Jener Augenblick schwebt dunkel
vor meinem Gedächtnisse. Unsre edle Pflegmutter
führte uns an das Krankenbett. Die Mutter küßte
uns unzähligemal und legte uns ihrer Freundin in
die Arme.

Xaver. Da ich heimkehrte, lächelte die geliebte
Kranke mich an und stellte sich wohl. Es ward dunkel — es war eine mondhelle Nacht. Sie wollte kein
Licht, ich mußte ein Fenster öffnen. Dann winkte
sie nach der Harfe; ich mußte ihr eine Lieblingsmelodie vorspielen. — „Wiedersehen, Guter!“ rief sie
schwach, als ich aufhören wollte. Ich fing das Lied
an. — ein Windhauch strich durch die Harfe, es

sprang eine der höchsten Saiten. Sie blieb still.
Ich trat dem Bett näher — der freundliche Schutz-
geist meines Lebens hatte sich der Hülle entwunden. —
Antonie. Nichts mehr von diesen träurigen
Stunden, Vater! Sie werden zu sehr erschüttert und
bedürfen jetzt Ruhe.

Xaver. Du hast Recht Antonie! ich muß
noch leben, leben für Euch! Aber wie ist's Euch
gegangen, meine Kinder! da Ihr verwaist waret?
lebt sie noch! die edelste der Freundinnen, die Euch
mit Mutterliebe erzog? und wie kommt ihr hieher?

Antonie. Sie starb, als ich achtzehn Jahr
alt war. Da sie in mir Talent zu der väterlichen
Kunst zu entdecken glaubte, ließ sie mir von den
besten Lehrmeistern Unterricht geben. Mein Bruder
wurde in ein Seminar gebracht. Nach dem Tode
unsrer Pflegemutter lebten wir einige Zeit von dem
Vermächtnisse derselben und von dem, was ich durch
Mahlen und weibliche Arbeiten verdiente. Unsre
edle Versorgerin hatte, ich weiß nicht, auf welche
Art, einige Spuren von Ihrem geheimnißvollen Verschwinden, mein Vater! und von unsrer nahen Verwandtschaft mit dem Grafen Alward entdeckt; mein
Bruder, dessen Phantasie durch Lesung des Plutarchs
und andrer Schriftsteller der Vorwelt erwärmt und
veredelt war, faßte den Entschluß, seinen Vater

wie Theseus den Aegeus, wär' es auch am Ende der
Welt, aufzusuchen.

Xaver. Braver Sohn!

Antonie. Um ihn von einer allzuraschen
Ausführung abzuhalten, rieth ich ihm an, seine
Kenntnisse noch zu vervollkommnen und dann erst
hier Erkundigung einzuziehen. Wir machten alles
zu Gelde, nannten uns Darwal und wählten
Leipzig zu unserm Aufenthalt, wo ich auch für meine
Kunst Ausbildung und Unterstützung hoffte.

Xaver. Wurde diese Hoffnung erfüllt?

Antonie. Ich hätte mich vorzüglich auf
Miniatur-und Blumenmahlerei gelegt; wir fanden
Zutritt zu den edelsten Familien, mein Bruder trieb
mit großem Eifer die Wissenschaften und verdiente
nebenbei etwas vom Unterricht in der Musik. Als
er ausstudirt hatte, brannte er vor Eifer, etwas von
Ihnen zu entdecken. Ich wünschte, ihn hieher zu
begleiten, allein er fürchtete, durch meine Gegenwart
gehemmt zu werden. Ich konnt' ihm nicht Unrecht
geben und blieb vor der Hand mit traurigem Herzen
in Leipzig zurück. ——

Xaver. Du stockst, meine Antonie? Du
wendest Dich weg? Du scheinst Dich jenes Orts mit
Schmerzen zu erinnern?

Antonie. Warum soll ichs Ihnen verbergen,

mein« Vater? Ich wurde während meines dortigen
Aufenthalts mit einem edlen jungen Manne bekannt;
Wir waren für einander geschaffen — ach! und auch
nicht! Wir überließen uns eine Zeit lang dem schön=
sten Traume; kein Mensch wußte etwas von unserer
gegenseitigen Zuneigung; selbst meinem Bruder schrieb
ich nie davon. Endlich, als wir erwachten, da sahen
wir ein, daß wir uns trennen mußten, sollte er den
Pfad gehen, den Geburt und Talent ihm eröffnete.
Er hatte eine große männliche Seele. Wir schieden
von einander auf ewig; sein Name soll nie wieder
über meine Lippen kommen.

Xaver. So recht, mein gutes Kind!

Antonie. Mein Bruder war anfänglich nicht
glücklich in seinem Vorhaben: Er ernährte sich einige
Zeit kümmerlich, glaubte immer einer Entdeckung
nahe zu seyn und sah sich immer getäuscht: Endlich
schrieb er mir, daß es ihm gelungen sey, beim Gra=
fen Alward als Secretair unterzukommen und daß
ich —

Zweiter Auftritt.

Vorige. Berger, ein Licht und Papiere in der Hand.

Berger. Nun, wie gehts, lieber Freund Xaver?

Xaver. O welche Wonne hat die Vorsicht mir vorbehalten! Aber wo ist mein Sohn? warum eilt er nicht auch in meine Arme? hab' ich ihn doch kaum an mein Herz gedrückt!

Berger. Alles zu seiner Zeit. Erst den Sieg erkämpft und dann das te deum gesungen! Wahrlich, lieber, alter Freund! das ist ein wackrer, feuriger, schlauer junger Mann! Alle meine Picotten und Bizarden, alle meine Tulpen und Aurikeln wollt' ich um einen solchen Sohn geben — Antonien und für eine solche Tochter mich noch selbst mit in den Kauf!

Xaver. Ist schon etwas geschehen, lieber Berger?

Berger. Alles in voller Arbeit — ein Memorial bey dem Präsidenten — die ganze Disposition gemacht! Es muß ein schneller, entscheidender Schlag geschehen, ehe die Bosheit es ahnen kann. Für die Einleitung laß' ich jetzt meinen Wall und Ihren Josephus sorgen. Sie sind bey dem edel-

ften Herzen klug, wie die Kinder diefer Welt, und
werden dem liftigen Böfewicht Gleiches mit Gleichem
vergelten.

    X a v e r. Was haben Sie vor, Freund?

    B e r g e r. Hoffentlich hat Ihre Hand Feftig-
keit genug, ein kurzes Billet zu fchreiben.

    X a v e r. Geben Sie mir Feder und Tinte.

    A n t o n i e. Wenn Sie erlauben, lieber Herr
Berger! werde ich mich indeffen unter Ihren Zöglin-
gen ein wenig umfehen.

    B e r g e r. Ja, liebes Kind! machen Sie mir
die Freude. Sie werden viel Rares finden, gewiß
viel Rares! hohlt ein längliches Buch herju: Da haben Sie
auch meinen Catalog — fuchen Sie Sich eine von
dem jungen Anwuchfe aus — es ift eine Gottes-
blume darunter, weiß und — wirklich dunkel-
blau! Welche Ihnen am meiften gefällt, die foll
von nun an bis auf ewige Zeiten: die edle An-
tonia heißen!

Dritter Auftritt.

Xaver. Berger.

Berger, der Schreibmaterialien gebracht hat. Nun,
schreiben Sie, lieber Xaver!

Xaver. Dictiren Sie mir, was ich schreiben soll.

Berger, dictirend. „Lieber Freund! ich bin
meinen Peinigern entwischt. Ich bin hier in El-
bingen, zwei Meilen von dem Löwenstein, bey einem
gutherzigen Bauer versteckt. Er heißt Gottfried
Schmidt. Senden Sie mir etwas Geld und schreiben Sie mir, was ich nun anfangen soll. Bis ich
Nachricht von Ihnen erhalte, bin ich hier sicher.
Die Adresse machen Sie an meinen Wirth.“

Xaver. — „machen Sie an meinen Wirth.“
Nun ?

Berger. Ihren Namen, wie gewöhnlich.

Xaver, nachdem er unterschrieben. An wen ist der
Brief?

Berger, der den Brief gebrochen. „An Herrn
Armenadvocat Heinrich Wolfram Berger.“

Xaver schreibt. — Ich bin fertig.

Berger siegelt mit einer kleinen Münze. So! — Nun
noch das Postzeichen drauf! macht ein Zeichen mit Röthel

Xaver. Wozu dient dieß?

Berger. Das fragen Sie mich jetzt noch
nicht. Nur so viel sey Ihnen genug: Es ist Lock-
speise, um einen großen Raubgeier zu fangen! —
Wollen Sie nicht auch ein wenig in den Garten?
Es ist ein heiterer Nachmittag.

Beide ab.

Vierter Auftritt.

Zimmer beim Grafen Alward.

Alward angekleidet. Bertram. Nachher Josephi.

Alward aus dem Cabinet, geht einigemal unruhig auf
und ab, sieht zum Fenster hinaus, schellt.

Bertram tritt ein.

Alward. Ist Josephi noch nicht da?

Bertram. Eben trat er in das Haus.

Alward. Er soll sogleich zu mir kommen!

Bertram. Sehr wohl, Excellenz!

Josephi, bis fast zu Ende des Aufzugs mit gewaltsam
unterdrückter Ungeduld und Haftigkeit, tritt schnell ein.

Bertram. Ah! — mit einer Pantomime gegen ihn ab.

Alward. Nun, Herr Secretair! was bringen Sie?

Josephi. Vortreffliche Nachrichten! Es glückt über alles Erwarten! —

Alward. So zuversichtlich? Haben Sie schon eine Spur?

Josephi. Spur und Spürhund, wie wir sie nur wünschen können!

Alward. So erzählen Sie —! *Josephi wischt sich die Stirn.* Setzen Sie Sich doch, lieber Josephi! Sie sind gewaltig erhitzt.

Josephi. Wenn Sie erlauben —— *setzt sich, steht aber sehr bald wieder auf.* Mein erster Gang, um vor allen Dingen das Terrain zu recognosciren, war in zwei Caffeegärten, wo sich bey guter Zeit verdorbne Schreiber, bankeruttirte Collecteurs, großmüthige Spieler — kurz eine Sorte Menschen versammelt, von denen man über Alles die genauesten Nachrichten haben kann.

Alward. Oft sehr brauchbare Leute!

Josephi. Am ersten Orte horchte ich hier und da, aber vergeblich; am zweiten war ich glücklicher. Ich setzte mich zu einem Agenten, der, wenns glücklich geht, bei den Liebhabern seiner Frau und Töchter ein Trinkgeld verdient, im Nothfall aber bei den Advocaten bettelt.

Alward. Gut berechnet! Wie man sagt, ist Berges Haus eine permanente Bettlerherberge.

Joseph i. Ich ließ ihm gelegentlich meine
Börse und diesen Ring in die Augen spielen —

Alward. Es ist gut, daß Sie mich erinnern. Hier ist einer, der Ihnen schon längst bestimmt war — zieht einen Ring vom Finger und überreicht
ihn Joseph i.

Joseph i, wie beleidigt. Sie wollen mich bezahlen, Herr Geheimderath!   mich zu d i

Alward zeigt ihm die Innschrift des Ringes. Es ist
nicht der Werth dieser Brillanten —

Joseph i. Ich danke unterthänig! steckt den
Ring an den Finger. Ich bat den Ehrenmann einem jungen Menschen, der ein weitläuftiger Anverwandter
von mir sey, die vacante Schreiberstelle beim Advocat Berger zu verschaffen. Er wollte von dieser Va-
canz nichts wissen, aber ich erfuhr bei dieser Gelegenheit, daß ein gewisser Wall dort Amanuensis sey.

Alward. Kennen Sie diesen Wall?

Joseph i. Der Name war mir bekannt.
Mit einem Wall war ich auf der Akademie gewesen.
Ich suchte den Herrn Agenten mit guter Manier los
zu werden und schlich zu Bergern ins Haus. Glücklicherweise war der Herr Principal eben mit Senker-
ablegen beschäftigt, ich fand Wallen allein. Ich hatte
nicht geirrt; ich wußte in kurzem Walls ganzen Lebens-
lauf. Zweimal relegiet, und einmal den Soldaten

entlaufen, hat er sich durch sein rohes Wesen, wel=
ches Berger für ehrliche Gradheit annimmt, so ein=
zuschmeicheln gewußt, daß er seine rechte Hand ist.
Ich wußte genug und invitirte Walln zu Simonetti,
um die alte Brüderschaft zu erneuren.

Alward. Sie sollten ein Buch über den Um=
gang mit Menschen schreiben, Josephi!

Josephi. Wenn Ew. Excellenz die Revision
übernähmen, —! Daß Wall es nicht ausschlug, daß
ich ihn sondirte und endlich mit unsrer Absicht, so
weit nöthig, bekannt machte, können Ew. Excellenz
leicht denken. Das übrige werden Sie von ihm
selbst hören.

Alward. Er ist also hier?

Josephi. Ohne Zweifel. Er versprach mir,
in wenig Minuten nachzukommen, und will durch=
aus mit Ihnen selbst unterhandeln, wahrscheinlich,
um sein Geheimniß für den höchsten Preiß loszu=
schlagen.

Alward. Geschwind bringen Sie ihn her!

Josephi ab.

Fünfter Auftritt.

Alward. Zuletzt Bertram.

Alward. Der Himmel selbst segnet meine Pläne — würde ein Einfältiger sagen! — Dieser Josephi, fast gleichgültig gegen Gold und Weiber, wagte allenfalls den Galgen, um von mir für einen Original = Kopf gehalten zu werden! schellt.

Bertram tritt ein.

Alward. Es wird Niemand gemeldet. Er wartet draußen am Eingange der Galerie.

Bertram ab.

Sechster Auftritt.

Alward. Josephi. Wall in renommistischer Kleidung und mit renommistischem Anstande.

Wall. Unterthäniger Knecht, Ihr' Excellenz! Was befehlen Sie? —

Alward. Ich freue mich., Sie kennen zu lernen. Lassen Sie Sich nieder.

Wall setzt sich. Unterthäniger Knecht!

Alward. Von der Hauptsache sind Sie wahrscheinlich schon unterrichtet?

Wall. Zu Befehl!

Alward. Wie mir Josephi sagt, können Sie Auskunft geben über den Aufenthalt meines angeblichen Bruders.

Wall wie vor sich. Angeblichen!

Alward als hört' er es nicht. Können Sie das in der That?

Wall zieht eine Brieftasche heraus und dreht sie in den Händen herum. Ja, Ihr' Excellenz!

Alward. Und wie kommen Sie dazu?

Wall. Durch einen eigenhändigen Brief Ihres angeblichen Herrn Bruders, den mein Principal mit der gestrigen Abendpost erhielt.

Alward. Und der ist in ihren Händen?

Wall. Ich bin sein geheimer Cabinetsrath und präsentire alle Briefe.

Alward. Hat er ihn schon gelesen?

Wall. Diesen Morgen.

Alward. Und beantwortet?

Wall. So weit sind wir eigentlich noch nicht, Ihr' Excellenz! Doch es mag sein; des guten Handels wegen — zur Zeit noch nicht!

Alward. Und wird er ihn nicht vermissen?

Wall. Er schläft alle Nachmittage in seinem

Gartenhause. – Dann trinkt er erst gemächlich den Caffee.

Josephi. Aber wenn er in die Expedition käm', ehe wir hier zu Stande sind —?

Wall. Keine Sorge, Herr Bruder! der Herr Principal wird volle Arbeit finden. Ich habe auf Conto seines Erbfeindes, des alten Mufftis, ein Dutzend der seltensten Nelken dethronisirt. Ehe die wieder eingesetzt, angebunden und angegossen werden, kommt der Abend heran.

Alward. Ist aber auch in diesem Briefe der Aufenthalt meines — Bruders bestimmt angegeben?

Wall. Auf Ehre! es kann in der Welt nichts bestimmteres seyn.

Alward. Sind Sie geneigt, diesen Brief mich lesen zu lassen?

Wall. Das kommt nicht auf mich an, Ihr' Excellenz!

Alward. Auf wen sonst?

Wall. Auf Sie, Herr Graf! Dieser Brief fällt ins Gewicht.

Alward. Wer kann das wissen! Ueberlassen Sie Ihre Belohnung meiner Erkenntlichkeit. Je nachdem die Nachrichten sind; je nachdem —

Josephi. Das dächt' ich auch. Se. Excellenz bezahlen cavaliermäßig.

Wall. Dein Wort in Ehren, Herr Bruder! und allen Respect vor den Herren Cavaliers, aber — auf diese Art kann ich nicht dienen! *steckt die Brieftasche ein.*

Josepht. Du riskirst ja nichts; wir brauchen Dich weiter.

Wall. Das wär' etwas, doch nicht alles. Bei mir geht alles Zug vor Zug!

Alward. Sie sind ein Mann von Ordnung, wie ich sehe. — Wie hoch halten Sie den Brief?

Wall *nimmt die Brieftasche wieder heraus, und wiegt sie auf der Hand.* Er wiegt netto hundert Louisdor!

Alward. Hundert Louisdor? — Hundert Ducaten wollen Sie sagen!

Wall. Hier gilt kein Handel! Seyn Sie zufrieden, Herr Graf! daß ich nicht mehr fordre! Hundert Louisdor habe ich gesagt, und da darf kein Aß fehlen! So viel wiegt er für mich; was er für Sie wiegt, werden Sie am besten wissen. Einige Grafschaften mit Pertinenzien — Reputation und Freyheit noch nebenbei — auf Ehre! das muß eine Last seyn.

Alward. Ueberlegen Sie doch nur, Herr Advocat! hundert Louisdor —

Wall *steckt den Brief kaltblütig ein.* Wie Ew. Excellenz meinen!

Alward *zieht Josephl auf die Seite.* Sie reden heimlich mit einander. Josephi zuckt die Achseln und schüttelt mit dem Kopfe. — Ich hole die hundert Louisdor!

Wall. Noch eine Bedingung, Herr Graf!

Alward. Sie werden unverschämt, Herr Advocat! Was wollen Sie?

Wall. Sachte, Ihr' Excellenz! — Den Brief erhalte ich spätstens in zwanzig Minuten im Original zurück.

Alward verdrüßlich. Das versteht sich.

Wall. Wohl gesprochen! Aber was erhalt' ich für ein Unterpfand?

Alward. Welche Bedenklichkeiten! Was soll ich mit dem Papier, wenn ich seinen Inhalt weiß? Zudem fodert ja mein eignes Interesse —

Wall. Basta! ich gehe gern sicher. Es könnte Ihnen einfallen, wieder abzuhandeln; Sie wissen, daß ich fort muß, wenn der Brief nicht wieder an Ort und Stelle kommt —

Alward. Auf Cavaliersparole!

Wall zuckt die Achseln. Ich gehe gern sicher!

Josephi winkt ihm. Sey doch nicht sonderbar: Ich sage gut für Se. Excellenz!

Wall. Deine Hand, Herr Bruder! sie schlagen ein. Es mag drum seyn!

Alward. abgehend vor sich. Das ist ein Ausgelernter!

Siebenter Auftritt.

Josephi. Wall.

Wall. Nun, Herr Josephi! sind Sie zufrieden? Spiele ich meine Rolle gut?

Josephi. Hüten Sie Sich vor Uebertreibungen. Es war mir einigemal bange —

Wall. Seyn Sie unbesorgt. Ich war auf der Universität Mitglied eines Privattheaters und verstehe das Wesen ein wenig. Kleine Züge und Nebenumstände, die oft nicht ins Ganze einzugreifen scheinen, erhöhen die Wahrscheinlichkeit.

Josephi. Sie haben nicht Unrecht. Doch können Sie mir nicht verdenken, daß ich die Schlußscene herbeiwünsche.

Wall. Ich habe die beste Hoffnung. Wir rücken immer näher zum Ziele; er läuft uns geradezu in die Falle.

Achter Auftritt.

Vorige. Alward aus dem Cabinet.

Alward. Hier, Herr Wall! sind hundert Louisdor.

Wall, besieht die Siegel des Paquets. Nehm's unge=zählt! wiegt das Paquet und den Brief auf beiden flachen Handen. Eins so schwer, wie das andre — auf ein Haar! Hier, Ihr' Excellenz! ist der Brief. Vivat Fran=ciscus, regierender Graf Alward!

Alward, den Brief durchlesend. Es ist seine Hand! Herrlich! herrlich! — Lieber Josephi! was bin ich Ihnen nicht schuldig! Da lesen Sie nur! giebt ihm den Brief.

Josephi. Soll ich den Brief copiren?

Alward. Nur die Namen —

Josephi schreibt einige Zeilen.

Alward, geht nachdenkend auf und ab.

Josephi giebt ihm Brief und Extract. Hier, Herr Graf!

Alward. Hinlänglich so — Hier, Herr Ad=vocat! giebt den Brief zurück.

Wall packt gemächlich zusammen.

Alward. Nun wär' es doch wohl das beste, wenn der Brief bald an Ort und Stelle käm'!

Wall. Ei freylich — ich will auch gar nicht
länger beschwerlich fallen.

Alward. Wir sprechen uns weiter.

Wall. Das mein' ich auch.

Alward. Sobald Advocat Berger antwortet,
oder sich sonst etwas von Belang in dieser Sache ereig‐
net — meine Casse ist noch lange nicht erschöpft!

Wall. Verstehe! Zug vor Zug, Ihr Excellenz!
Verlassen Sie Sich auf mich! — Adieu, Herr
Bruder! Nichts vor ungut, Ihr' Excellenz! ab.

Neunter Auftritt.

Alward. Josephi.

Alward. — Josephi! wissen Sie jemand, auf
den Sie Sich verlassen können, wie auf Sich Selbst?

Wall. Nein, Herr Graf! Ich traue keinem
Menschen.

Alward. So müssen Sie selbst dem Kosalsky
nach.

Josephi. Das habe ich vermuthet.

Alward. Lassen Sie Sich das beste Pferd
satteln. Auf der nächsten Station nehmen Sie Cou‐
rierpferde. Ich konnte dem Kosalsky keine bestimmte

Anweisung geben. Wer weiß, wie lange er in der
Irre herumschweift, indessen der Vogel entwischt.
Die Reise-Route, welche ich ihm vorgeschrieben habe,
sollen Sie erhalten.

. Josephi, lauernd. Kosalsky ist störrisch, ein-
gebildet auf längere Erfahrung, stolz auf Ihr älteres
Vertrauen. Wird er mir gehorchen?

Alward. Sie erhalten deshalb meine Befehle
an ihn.

Josephi. Auf den Fall, daß ich ihn ver-
fehlte —?

Alward. Das fürchte ich nicht. Kosalsky
ist nicht mehr so rasch, als ehemals. Wir werden
ihn zur Ruhe setzen müssen. Indessen, sollte es auch
geschehen, das thut nichts. Reisen Sie nur auf der
angegebenen Route, gerade nach dem Löwenstein.
Der Commandant steht in meinem Solde. Auch an
diesen erhalten Sie einige Zeilen. Er wird Ihnen
einige Soldaten oder andere sichere Leute geben, im
Fall Sie das nöthig hätten.

Josephi. Ich habe im Sinn, mich gegen den
Xaver als einen Abgesandten Bergers auszugeben.

Alward. Ein guter Einfall! Daß unterdessen
von diesem kein Brief in die Queere kommt, dafür
wird sich sorgen lassen.

Josephi. Wall ist brauchbarer, als man

denken sollte. Gewiß läßt er sich keine Gelegenheit entgehen, seine Louisdore zu recrutiren.

Alward. Darauf wette ich selbst. — Der jetzige Zuchthausverwalter auf dem Löwenstein weiß so viel von der Sache, als ich nöthig hielt. Er ist durch meine Verwendung an die Stelle seines Vaters gekommen, und ich habe der Sicherheit wegen gleich anfänglich ausgemacht, daß ich, wenn ich jemand abschicke, diesem jederzeit eine Quittung mitgeben will. Kosalsky hat eine, Sie sollen auch eine erhalten.

Josephi. Und wenn ich Ihres Bruders habhaft werde —?

Alward. So wird er als entsprungener Wahnsinniger wieder eingesperrt.

Josephi. Das kann nicht fehlen.

Alward. Sobald etwas vorfällt, geben Sie mir eiligst Nachricht. Machen Sie Sich reisefertig. In einer halben Stunde holen Sie Briefe, Wechsel und Geld. Auf Ihre Belohnung lassen Sie mich denken, wenn Sie wiederkommen. Sie sind längst reif für eine höhere Sphäre, und Ihr Freund weiß, was er Ihnen schuldig ist. *Drückt ihm mit vieler Huld die Hand und geht freundlich lächelnd ins Cabinet.*

Josephi. Er giebt sich ganz in meine Hand. Fast könnt' ich ihn bedauern — *besieht die Inschrift des Ringes.* „Reconnoissance?“ Ha! die Dankbarkeit eines Bösewichts ist ein Sündensold! *schnell ab.*

Vierter Aufzug.

Erster Auftritt.

Arbeitszimmer des Präsidenten mit Bücherschränken, Gyps-Abgüssen und Kupferstichen. In der Mitte ein offner Schreibetisch mit vielen Papieren; an der Seite ein Bureau.

Präsident im Ueberrock. Nachher ein **Kammerdiener** und **Berger.**

Präsident steht am Fenster und hält einen Bogen Papier gegen das Licht. — Falsch! falsch beim ewigen Gott! — O nun habe ich genug; wenigstens genug zur strengsten Untersuchung! Deine Sache ist gerecht, ehrlicher Armenadvocat! Wer das konnte, konnte auch mehr! legt den Bogen auf den Schreibetisch und blättert in einem Memorial. Es muß dir schnell geholfen werden, armer Verfolgter! schneller, als dein mächtiger Gegner seine Pläne ordnet! — — Aber wie den langsamen Rechtsgang vermeiden? wie das Gebäude der Bosheit plötzlich erschüttern? — — Ja! nur so ist es möglich! Ich muß den Feuereifer des Herzogs gegen den Unterdrücker entflammen, wenn die Unschuld triumphiren

foll! — Zwar gefahrvoll ist der Schritt — — aber
— die Pflicht ruft — kann ich überlegen?
— ! Kammerdiener *eintretend.* Advocat Berger
wünscht aufzuwarten.

Präsident. Wird vorgelassen!

Kammerdiener *läßt ihn eintreten und ab.*

Berger. Verzeihen der Herr Präsident, daß
ich noch so spät beunruhige. —

Präsident. Ich habe sehr auf Sie gewartet.
Warum haben Sie mich nicht von der Tafel heraus-
rufen lassen? Ich sollte böse, deshalb auf Sie seyn.

Berger. Ew. Excellenz nie ruhende Wirk-
samkeit ist mir bekannt, und für die gute Sache würde
ich im Fall der Noth mich zu Sr. Durchlaucht geheiligten Person hindurchdrängen. Allein — so viel es
nöthig war, konnt' ich Ew. Excellenz mein Anliegen
schriftlich vortragen, und meine persönliche Gegenwart zwar heute an andern Orten nützlicher und
nöthiger.

Präsident. *lächelnd.* Das will ich glauben,
Herr Berger. Wenigstens haben Sie hier *auf das
Memorial deutend.* viel über sich genommen — und so
sind Sie entschuldigt. Ich bin, ich leugne es nicht, durch
manche unangenehme Erfahrung belehrt, kein Freund
Ihrer Collegen! aber meine Pflicht heischt es, daß
ich sie zu jeder Zeit höre. Bei Ihnen, lieber Berger!

bedürfte es dieser Pflicht nicht — das merken Sie für
die Zukunft. — — — — — — —

Berger. Zu viel Güte, Ihre Excellenz! —
Haben Sie geruhet, meine Vorstellung in Erwägung
zu ziehen?

Präsident. Das können Sie denken. —
Treten Sie doch näher, Hr. Armenadvocat! Betrachten Sie diesen Todtenschein. —

Berger. Ew. Excellenz haben also schon die
Gnade gehabt, sich die Acten vorlegen zu lassen?

Präsident. Hier ist schleunige Hülfe nöthig.
Ich bin, um Aufsehen zu vermeiden, selbst ins
Archiv gefahren.

Berger. O mein Herr Präsident! warum
muß ich erst als ein Graukopf einen Klarenfels als
obersten Gerechtigkeitspfleger erblicken!

Präsident, gerührt. — Sie nehmen viel Antheil an der Sache Ihres Clienten. — Nun, betrachten Sie doch diesen Todtenschein!

Berger. Ich weiß, was Ew. Excellenz damit
sagen wollen! Dieser, von der Orts-Obrigkeit be-
kräftigte Todtenschein spricht zwar dem Anscheine nach
gegen uns, allein die Umstände — —

Präsident. Sagen Sie mir doch, unter
welchem Dato ist der Todtenschein ausgestellt?

Berger, lesend. „Den 7. November 1782.„

Präsident. Betrachten Sie doch das hintere Blatt gegen das Licht!

Berger setzt verwundert die Brille auf und thut es.

Präsident. Bemerken Sie vorzüglich das Papierzeichen!

Berger fängt an zu zittern und liest: „1783." O mein Gott!

Präsident. Was sagen Sie dazu?

Berger. O mein Herr Präsident! ich weiß nicht, soll ich mich freuen oder schämen? Zwar dürft' ich zu meiner Entschuldigung anführen, daß ich schon in meiner Jugend meine Augen durch das viele Nachtsitzen verdorben habe, daß ich vor neunzehn Jahren noch nicht so viel Erfahrung in den Künsten der Bösen hatte, daß auch der erstgebohrne Graf Alward damals schon abhanden kommen war, — aber dieß alles kann mich nicht rechtfertigen. Ich wußte ja, mit wem ich zu thun hatte —

Präsident. Beruhigen Sie Sich, Herr Berger! War Ihr Client damahls nicht ausfindig zu machen, so hätt' es ihm ja doch nichts geholfen. Zu dieser Entdeckung ist gerade jetzt der glücklichste Zeitpunct.

Berger. Ich erkenne den Finger der Vorsehung. Hier, mein Herr Präsident! bringe ich einige unwidersprechliche Beweismittel, zu deren Anschaffung ich mich anheischig gemacht habe. Mit

Präsident. Schon? Geschwind geben Sie her!

Berger überreicht eine Quittung, ingleichen einen offnen und einen versiegelten Brief.

Präsident schlägt die Quittung aus einander und liest.

„Sechzig Thaler von Michaelis 1799 bis Ostern 1800 zu Unterhaltung des wahnsinnigen Malers Xaver sind von Sr. Excellenz, dem Herrn Geheimderath von Alward dato richtig bezahlt. Löwenstein, den 6. Mai 1800. Ludovici, Zuchthausverwalter.“ So? — Diese Briefe —? *liest die Aufschrift des unversiegelten Briefs:* „An Aloys Kosalsky.“

Berger. Einem alten Husaren in des Grafen Dienst, der bereits diesen Morgen abgereist ist, um den Gefangenen wieder aufzuhaschen und an die Behörde zurück zu liefern.

Präsident liest. „Xaver ist entdeckt. Joseph wird Dir das weitere sagen. Du hast selbigem in allem zu gehorchen. Graf Alward.“ — Immer besser! *den versiegelten Brief nehmend.* Dieser da? *liest die Adresse* „Sr. Hochwohlgebl. dem Herrn Major von Ladomir, Commandanten zu Löwenstein.“ Er ist versiegelt —

Berger. Ich bürge dafür, daß er, von der Hand der Gerechtigkeit geöffnet, eine vollgültige Urkunde für uns abgeben wird!

Präsident. Aber, — wie kommen Sie zu
diesen Briefen?

Berger. Durch die Verschlagenheit des jün=
gern Grafen Alward, der drei Jahr lang bey seinem
Onkel als Secretair diente, und durch die Beyhülfe
meines Amanuensis.

Präsident. Wissen Sie auch, daß dieser
Zusammenhang der Umstände — wenigstens sehr zwei=
deutig scheint? — Wenn Sie mein Zutrauen mißbrauch=
ten, wenn Sie mich zu etwas verleiteten, was sich
nicht aufs das strengste verantworten ließ — Graf
Alward ist ein Mann von sehr mächtigem Einflusse!

Berger. Herr Präsident! ich bin zwei und
siebzig und werde bald vor die allerhöchste Instanz
treten. Ich gebe Ihnen meinen alten Kopf zum
Pfande, daß die Gerechtigkeit unserer Sache auf das
genaueste zu erweisen stehet; ich, mein Amanuensis
und der bisherige Secretair des Grafen liefern uns
bis zu Austrag der Sache freiwillig in Arrest, sobald
Sie es befehlen.

Präsident ergreift ihn mit Rührung bei der Hand.
Berger! ich traue diesen Silberhaaren; ich traue
diesem ehrwürdigen, redlichen Gesicht! — Aber
vor allen Dingen müssen Sie mir alle Verhältnisse
genauer aus einander setzen, damit ich meine Maas=
regeln darnach nehmen kann.

Berger. Gewiß werden Dieselben diese Geschichte nicht ohne Rührung anhören. — Indessen,
wenn der Herr Präsident etwa für nöthig hielt, daß
der sogenannte Secretair mit diesem Billet dem
Kosalsky nachreiste —

Präsident. Wozu das? — Sagen Sie mir
Ihre Gedanken!

Berger. Um ihn baldigst und gewiß wieder
hieher zu bringen. Seine Aussage —

Präsident. Aber —

Berger. Man könnte sie ohne Maasgebung
beide bey der Zurückkunft in Arrest nehmen lassen,
wozu Josephi sich erbietet.

Präsident. Dieß kann ich noch nicht wagen
— Doch Sie haben Recht, wenn Kosalsky freiwillig wieder zurückkommt —

Berger. Das wird er ohne Zweifel, sobald
er das Billet des Grafen gelesen hat.

Präsident. Auf jeden Fall — eine Ursache
der Arretierung würde sich finden lassen.

Berger. Dafür wird Josephi sorgen.

Präsident. Vielleicht, daß auch indessen —

Berger. Ew. Excellenz genehmigen also —

Präsident. Ich ignorire es vor der Hand.

Berger hat das Billet an Kosalsky genommen und will
sich entfernen. Mit gnädiger Erlaubniß —

Präsident. Wo wollen Sie hin?

Berger. Nur einen Augenblick ins Vorzimmer. Mein Amanuensis wartet auf Nachricht. Joseph ist reisefertig.

Präsident. So eilen Sie! Alsdann bitte ich um Erklärung dessen, was mir noch dunkel ist.

Berger mit einer Verbeugung ab.

Präsident verschließt die Acten und Documente.

Berger tritt wieder ein.

Präsident. Herr Advocat! können Sie die Abendluft vertragen?

Berger. O ja, Ihre Excellenz! die freie Natur ist mein Element.

Präsident. So werde ich Ihnen bey dieser Gelegenheit meinen Garten zeigen.

Berger. O wenn Ew. Excellenz die Gnade haben wollen —

Präsident. Kommen Sie, lieber Berger!

Beide ab.

Zweiter Auftritt.

Sonnenuntergang. Garten des Advocat Bergers. An der Seite eine Rasenbank. Etwas tiefer eine Laube und im Hintergrunde die äußere Ansicht des Lusthauses.

Xaver und Antonie sitzen auf der Rasenbank.

Josephi, in Reisekleidern vor ihnen, und sich oftmals ungeduldig umsehend.

Xaver. Seht ihr, wie schön die Sonne dort untergeht, meine Kinder! Dieß Schauspiel genoß ich seit langer Zeit nicht in seiner ganzen Reinheit und mit hoffendem Herzen. Noch vor wenig Tagen umgaben mich die kalten Mauern meines Kerkers, jetzt lieg' ich in den Armen meiner Kinder. O meine gute Antonie! o mein edler, feuriger Joseph — Du, wenn der dort oben uns segnet, mein Retter!

Josephi. Sie sind ungerecht, mein Vater, wenn Sie mich, mich allein mit diesem schönen Namen belegen. Auf Ihre Antonie diesen Segen!

Antonie, sanft vorwerfend. Auf mich? — Joseph —!

Josephi. Sie war es, die meinen schwär=merischen Jünglings=Entwürfen Richtung und Ord=nung gab, die mich leitete auf dem schlüpfrigen Pfade, den ich gehen mußte, die mich ernährte, die mir

Muth einflößte, wenn ich zagte, die mich warnte, wenn ich strauchelte, die mich mir selbst erhielt, in dem gefährlichen Kampfe —

Antonie. Du übertreibst, Joseph!

Joseph i. Nein, Antonie! — Hier im Angesichte dessen, der seine Sonne dort in glühenden Wolken dahinscheiden läßt, hier unter den Augen eines wiedergeschenkten Vaters, gebe ich Dir das Zeugniß — Du warst mir Vater und Freund! Geliebte und Mutter! Du warst mir Alles!

Antonie. Willst Du, daß ich gehen soll, Schwärmer?

Xaver, sie beide umarmend. Friede über Euch, meine edlen Kinder! und Gottes schönster Segen noch dann, wenn mein geschlossenes Auge schon längst an Eurer Eintracht sich nicht mehr weiden kann!

Joseph i. Bester Vater!

Antonie. O nichts davon in dieser herrlichen Stunde!

Xaver. Warum nicht, meine Tochter? O wie oft flehte ich den Tod zu meiner Rettung an — und — noch ist ja mein Schicksal nicht entschieden!

Joseph i. Verlassen Sie Sich auf unsre gerechte Sache und auf unsern edlen Präsidenten.

Xaver. Wird er sich meiner gegen einen so

überlegnen Feind annehmen, wird er mich gegen ihn schützen?

Antonie. *feurig.* O beym allmächtigen Gott! das wird er. Ich bürge für ihn! *stiller.* Alle Welt nennt ihn ja den Beschützer der Unschuld!

Dritter Auftritt.

Vorige. Wall in gewöhnlicher Kleidung.

Wall *schnell eintretend und das Billet an Kosalsky in der Hand, welches er Josephi einhandigt.* Es ist alles richtig. Aufgesessen, Herr Josephi!

Josephi *hastig.* Leben Sie wohl, mein Vater! Adieu, beste Antonie! *greift nach dem Hute.*

Xaver. Wohin, Joseph? wohin so schnell?

Wall. Ihrem Verfolger nach! Lassen Sie ihn!

Antonie. Mir ist so bange — Joseph! sey vorsichtig.

Josephi. Es gilt einer glücklichen Zukunft! *ab.*

Xaver. Mein Sohn!

Antonie. Bruder! } *zugleich.*

Wall. Glückliche Reise!

Xaver und Antonie mit ausgebreiteten Armen Josephi nach. Wall auf einer andern Seite ab.

Vierter Auftritt.

Christoph mit einer Gießkanne.

Das weiß der Himmel! Die Sonne ist schon ganz
hinter den Kirchthurm gefallen — und hier ist noch
alles dürr, wie in der Wüste Sela! Wenn ich nur
wüßte, was ich nun machte! Gieße ich, so wird er
sagen: „Mein Sohn! wer hat dir geheißen zu gießen?
Sieh nur einmal, hier siehts ja aus, wie nach der
Sündfluth!" — und gieß' ich nicht, so wird er sagen:
„Mein Sohn! muß man dir alles heißen? warum
hast du die Blumen nicht angegossen? Sie hängen
ja die Köpfe, wie die armen Sünder!" — Ja wer
mir da einen guten Rath gäb'! — Halt, ich besinne
mich! Vorigen Walpurgistag, da der alte, achtzig-
jährige Gärtner, der die große Baumschule hat, da
war — und der Herr so eine herzliche Freude hatte,
ihm die neuen Lutker Aurikel zeigen zu können —
und ihn Abends nach Hause fahren ließ — da mußte
ich auch dem Werke allein vorstehen. Damals war
mir das eine Wasserfaß ausgelaufen; da goß ich jeden
Stock nur ein ganz wenig. Da klopfte mich der Herr
auf die Achsel, als wär' ich seines Gleichen, und
sagte: „Mein Sohn! du hast deine Sache gescheid

gemacht! — Richtig! so will ichs wieder machen! —
Ach, unser einer ist auch nicht auf den Kopf gefallen!
fängt an, im Hintergrunde zu begießen.

Fünfter Auftritt.

Xaver und Antonie kommen zurück.

Xaver. Kaum habe ich ihn wieder in meinen
Armen gehabt, und schon wird er mir wieder entrissen!

Antonie. Er hofft ja, morgen wieder da zu
seyn.

Xaver. Vielleicht wollte er uns nur damit
beruhigen, und dann — wie trügerisch sind alle irdische
Hoffnungen? Ich hoffte einst auch, Euch bald an
mein Herz zu drücken, und glücklich zu machen; und
jene schrecklichen Mäuern waren schon vorbereitet für
ihren unglücklichen Bewohner!

Antonie. Joseph ist schlau und entschlossen,
mein Vater!

Xaver. Er hat es mit Bösewichtern zu thun!
Wenn ich ihn nie wiedersäh —

Antonie. Das wird der Allgütige nicht
wollen —

Sechster Auftritt.

Vorige. Wall. Johann. Christoph.

Wall, in kurzem Westchen, trägt mit Johann einen gedeckten Tisch in die Laube. Johann bringt Stühle u. s. w. So, Johann! Hierher den Tisch! So die Stühle! — Die kalte Schale gebracht! Der Wein bleibt noch im Keller! zu Xaver und Antonien. Man muß sich in alles zu schicken wissen, wenn man in einer Junggesellen-Wirthschaft Heber und Leger ist. Noch vor wenig Stunden legte ich Eisen für einen listigen Fuchs, und jetzt lege ich, in Vollmacht und Gewalt meines Herrn und Meisters, für seine lieben Gäste Servietten. zu Johann. Wie sieht das Glas aus, Johann! Immer alle noch einmal gespühlt! — zu Xaver und Antonien. Nun munter, munter, mein geehrter Herr und meine schöne Dame! Unsere Arbeit ist für heute gethan. Wir haben uns brav gehalten, das können Sie glauben! Nun wollen wir alle Grillen vertrinken und versingen.

Antonie. Kaum sollte man's glauben, daß Ihre Schutzheilige sich so gut mit den Göttern des Scherzes und der Laune vertrüg!

Wall. Die heilige Themis ist ein Mädchen —

Antonie. Aber sie hat ein so ernstes, finstres Gesicht!

Wall. Das war sonst so — zum Theil auch wohl noch jetzt; aber, wer es nur recht versteht, weiß ihr schon manchmal ein Lächeln abzugewinnen.

Antonie, aufhorchend. Es hält ein Wagen an der Gartenthür.

Wall, zu Xaver und Antonien. Treten Sie doch unterdessen hinter die Hecke, bis man weiß, wer es ist.

Siebenter Auftritt.

Vorige. Berger, welcher, indem jene sich verbergen wollen, sichtbar wird.

Berger ruft schon von weitem. Guten Abend, Kinder! Ich bringe gute Botschaft. — näher kommend und den gedeckten Tisch gewahr werdend. So, lieber Wall! das haben Sie recht gemacht.

Wall. Waren Sie es denn, der gefahren kam?

Berger. Freilich, freilich! Der Herr Präsident that es nicht anders. Ich stieg an der Gartenthür aus, um Aufsehen zu vermeiden.

Wall. Das ist ein herrliches Zeichen!

Xaver. Und wie steht es um unsre Sache?

Berger. Vortrefflich!

Wall. Was haben Sie für Resolution? Wird bald etwas geschehen?

Johann hat unterdessen Bergern eine grünseidne Mütze gebracht. Berger giebt ihm seinen Hut.

Christoph geht immer geschäftig auf und ab, klappert mit der Gießkanne und sucht sich Bergern bemerkbar zu machen.

Berger. Laßt mich nur zu Athem kommen! zu Wall. Ihre hundert Louisdor sind behörig abgeliefert. Der Präsident läßt Ihnen seine Zufriedenheit bezeigen. zu den übrigen. Weiter kann ich vor der Hand nichts Bestimmtes sagen. Morgen nach neun Uhr soll ich den Präsidenten ins Conferenzzimmer rufen lassen. Was er vorhat, kann ich nur von fern ahnen. Nur so viel ist gewiß, daß wir, wenn sein Plan ausführbar wird, morgen sämmtlich seine Gäste sind.

Wall. Wir alle?

Antonie. Beim Präsident Klarenfels?

Berger. Ja, mein liebes Kind! beim Präsident Klarenfels! — Graf Xaver, Sie, Josephi, ich und auf Wall deutend. mein rechter Arm da sind vorläufig eingeladen.

Antonie vor sich. O mein Gott! mich bringen Sie nicht hin!

Wall. Herr Berger! die Erdbeerkaltschale wird warm —

Berger. Sie haben Recht, Herr Haushofmeister! Wir wollen auch gleich. — wenn nur erst meine armen Blumen —

Christoph ist ihm nach und nach so auf den Leib getreten, daß Berger, wenn er sich umkehrt, an ihn anstoßen muß.

Berger. Nun, nun! — sehr freundlich. Wie, mein Sohn! Du hast schon gegossen?

Christoph. Ja, Herr Berger! jeden Stock ein klein wenig, aber genug. — Sehen Sie nur einmal!

Berger, nachdem er nachgesehen hat, klopft ihn auf die Achsel. Mein Sohn! dasmal hast Du Deine Sache gescheid gemacht. — Nun wird es schmecken!

Christoph, vor sich. „Mein Sohn! dasmal hast Du Deine Sache gescheid gemacht!" hehehe! geht selbstgefällig ab. Während sie sich um den Tisch setzen, fällt der Vorhang.

Fünfter Aufzug.

Erster Auftritt.

Visiten-Saal beim Präsidenten, mit vier Seitenthüren. An einer Seite ein kleiner Tisch, worauf zusammengebundene Papiere und ein verschloßnes Portefeuille. Noch einige Tische, wie sie in der Folge erforderlich sind.

Präsident, schwarz gekleidet, blos ein gesticktes Ordenskreuz auf der Brust. Haussecretair desselben. Nachher ein Adjutant.

Haussecretair, eintretend. Der Herr Adjutant!

Präsident. Nur hieher!

Haussecretair läßt ihn vor, dann ab.

Adjutant. Mein General sendet diesen mit Bleistift geschriebenen Zettel. Der heute früh arretirte Husar hat einem Tambour einen Ducaten gegeben, um dies Papier zum Herrn Geheimerath Alward zu bringen. Der Tambour hat beides dem wachthabenden Officier überliefert. übergiebt den Zettel und einen Ducaten.

Präsident. Ich lasse dem Herrn General nebst meinem Empfehl den verbindlichsten Dank sagen, und bitte Sie, dem ehrlichen Tambour diese zwey Ducaten in meinem Namen zuzustellen. *giebt ihm zwey Ducaten.*

Adjutant. Er that nur seine Schuldigkeit. Indeß ist er des Geschenks nicht unwürdig. — Soll der Arrestant an die Civil = Obrigkeit ausgeliefert werden?

Präsident. Erst diesen Abend. Bis dahin bitte ich, ihn auf der Wache fest, doch leidlich, verwahren zu lassen. Hat der Herr Platzmajor die Güte gehabt, wegen der erbetnen Wachen Ordre zu geben?

Adjutant. Es sind zwei Mann an die Treppen und zwei inwendig vor das Gartenthor postirt. Die übrigen zwei Mann nebst Gefreitem sind bereit.

Präsident. Sie sind erst etwa in drei Viertelstunden nöthig. Den Ort, wo? findet der Herr Platzmajor in diesem versiegelten Zettel.

Adjutant. Ich werde alles besorgen. *ab.*

Präsident *liest den erhaltenen Zettel vor sich, dann:* Gut! sehr gut! Das Verbrechen wird an sich selbst zum Verräther — *verschließt den Zettel in das Portefeuille, sieht an die Uhr und klingelt.*

Zweiter Auftritt.

Präsident. Ein Bedienter. Dann **Wall.**

Präsident. Ist Advocat Wall hier?

Bedienter. Ja, Ew. Excellenz!

Präsident. Ich will ihn sprechen.

Bedienter geht durch eine Seitenthür.

Wall tritt durch selbige ein.

Präsident. Sie sind pünctlich, das freut mich. Ist die Urkunde aufgesetzt?

Wall. Hier, Herr Präsident! giebt ihm eine Schrift.

Präsident sieht sie einige Augenblicke durch und legt sie zu den übrigen Acten. Herr Advocat Berger wird Sie unterrichtet haben, was zu thun ist.

Wall. Vollkommen.

Präsident. Hier sind die hundert Louisdor.

Wall. Wohl, Ihre Excellenz!

Präsident. Ist die übrige erbetene Gesellschaft schon da?

Wall. Graf Xaver, Joseph und Berger sind hier im grünen Zimmer.

Präsident. Entschuldigen Sie mich einstweilen, daß ich sie nicht selbst empfangen habe. Aber wo ist die junge Gräfin?

Wall. Ich kann mir ihr Betragen nicht erklä=
ren. Es·kostete·viel·größte·Ueberredung, sie zu An=
nahme,der Einladung zu bewegen. Heute Nachmit=
tag schickte sie wieder zum Advocat Berger, es sei ihr
nicht möglich. Auf eine schriftliche Vorstellung dessel=
ben hatte sie sich endlich angekleidet, allein, da wir
sie abholen wollten, ließ sie mich hinaufrufen und ver=
sicherte, sie könne nicht mitfahren.

Präsident. Das ist sonderbar! Sollte
Schüchternheit oder irgend eine weibliche Laune —

Wall. Dieß liegt durchaus nicht in ihrem
Charakter!

Präsident. Nun, so ist mirs unbegreiflich!
Gleichwohl — ohne sie wär' meine Absicht nicht ganz
zu erfüllen. Ich habe gestern so viel Vortreffliches
von der Gräfin gehört, daß ich mir das Vergnügen
nicht versagen kann, diese ganz edle Familie beisam=
men zu sehen: — Bitten Sie Josephi in meinem.
Namen, daß er sogleich meinen Wagen nimmt und
nochmahls zu ihr fährt. Er soll ihr sagen, ihre
Gegenwart sei durchaus nothwendig, das Glück
ihres Vaters hänge davon ab.

Wall. Wohl, Ihr' Excellenz!

Präsident. Noch eins, Herr Advocat! —
Sie haben brav und gut gehandelt bei dieser Sache,
aber öfter möchte dieser Weg bedenklich werden. Wenn

ich jemals erfahren sollte, daß Ihr Verstand schätz-
barer wär', als Ihr Herz — ich würde doppelt streng
gegen Sie verfahren!

Wall. Herr Präsident —

Präsident. Nehmen Sie dieß für den Rath
eines Freundes. Ich schätze Sie — geben Sie mir
nie Gelegenheit zu bereuen, dieß Ihnen gesagt zu
haben.

Wall. Bei Gott, Ihr? Excellenz! ich werde
immer an diesen Augenblick denken.

Dritter Auftritt.

Präsident. Wall. Der Haussecretair.
Nachher zwei Gardeofficiere.

Haussecretair tritt ein und giebt dem Präsidenten
einen Wink.

Präsident zu Wall. Jetzt auf Ihren Posten,
und vergessen Sie meinen Auftrag nicht!

Wall durch die Seitenthür, wodurch er gekommen, zu
wieder ab.

Präsident zum Haussecretair. Wer ists?

Haussecretair. Die Herren Gardeofficiere.

Präsident. Ich erwarte sie.

Haussecretair läßt sie herein.

Präsident ihnen entgegen. Meine Herren, ich bin Ihnen sehr verbunden, daß Sie meine Einladung haben statt finden lassen. Zwar wird es vorher noch ein kleines Geschäft für Sie geben, das Sie aus Gefälligkeit gegen mich —

Ein Officier. Wir stehen zu Befehl, Ew. Excellenz!

Präsident. Wir werden einen vornehmen Gefangenen hier haben. Ich wünsche ihn mit möglichster Schonung zu behandeln, und ersuche Sie daher, ihn in meinem Wagen nach Hause zu begleiten. Dort wird er bei seiner Zurückkunft bereits einen Regierungssecretair und behörige Wache finden, und Sie, meine Herren! erwarte ich beim Souper.

Haussecretair tritt wieder ein und sagt dem Präsidenten etwas ins Ohr.

Präsident, nachdem er ihm eben so geantwortet, zu den Officieren. Wollen sie unterdessen meine neuen Kupferstiche in Augenschein nehmen — auch ein Schachspiel finden Sie angerichtet. öffnet eine Seitenthür.

Die Officiere, vom Präsidenten bis an die Thür begleitet, hinein.

Vierter Auftritt.

Präsident. Hofrath von Braun. Hofrath Brinkmann und ein Regierungssecretair
werden eingelassen.

Präsident. Willkommen, meine Herren! *zu den Hofrathen.* Sie werden die Acten und meinen Auszug gelesen haben.

Hofrath von Braun. Ja, Herr Präsident!

Präsident. Daß ich zu allem, was ich etwa thun werde, autorisirt bin, zeigt Ihnen dieser eigenhändige höchste Befehl. *überreicht ihnen eine Schrift.*

Die Hofräthe *lesen sie und geben Sie dann zurück.*

Präsident *giebt dem Regierungs-Secretair einen halbgebrochnen Bogen.* Hier sind einige aufgesetzte Fragen. Sie bemerken jedesmal den Hauptinhalt der Antwort mit wenigen Worten.

Regierungssecretair. Zu Befehl, Ew. Excellenz!

Präsident. Haben Sie die Güte, Sich unterdessen in diesem Cabinet zu unterhalten. Ich werde dießmal mehr Ihres Zeugnisses, zu meiner Rechtfertigung, als Ihres collegialischen Beistandes bedürfen.

Die Hofräthe *mit dem Regierungssecretair in ein drittes Cabinet ab.*

Fünfter Auftritt.

Präsident. Der Haussecretair. Hernach Geheimderath Alward.

Präsident. Immer näher rückt der entschei=
dende Augenblick. — Muthig! muthig! es gilt der
Entlarvung des Verbrechers und der Rettung des
Unterdrückten!

Haussecretair schnell herein. Der Herr Ge=
heimderath! durch eine Seitenthür ab.

Alward, prächtig gekleidet und mit einem Ordensband,
wird hereingelassen. Ihre gütige Einladung, mein Herr
Präsident! hat mich sehr angenehm überrascht.

Präsident. Sie erfreuen mich —

Alward. Es hat mich lange geschmerzt, daß
gewisse Verhältnisse, vielleicht irgend ein Mißver=
ständniß —

Präsident. Aufrichtig gesprochen, Herr
Geheimderath! meine Geschäfte haben mir bis jetzt
nicht gestattet, sehr gesellig zu werden —

Alward. Der Herr Präsident erwarten heute
allem Anscheine nach große Gesellschaft. Giebt ein
besondres frohes Ereigniß die Veranlassung? — Ich
habe sogar Wachen an den Treppen bemerkt. —

Präsident, leicht. Blos des Feuerwerks wegen,

womit ich meine Gäste diesen Abend zu unterhalten
gedenke. Es giebt da manchmal ein unangenehmes
Gedränge —.

Alward. Freilich, der Pöbel darf sich zu
viel herausnehmen! — — Ich bitte nur um
Verzeihung, wenn ich vielleicht zu früh —

Präsident. Der Herr Geheimderath sind
keinesweges der erste; die Gesellschaft hat sich in
verschiednen Zimmern zerstreut — zeigt auf die offnen
Cabinets, wo die Officiere und Hofräthe sind.

Alward. Ah so —

Präsident. Auch erwarte ich bald noch
mehr Gesellschaft und hoffe, Sie damit recht sehr
zu überraschen.

Alward. Sehr verbunden, mein Herr Präsident!

Präsident. Lassen Sie uns die wenigen
Augenblicke, die wir für uns haben, benutzen. Ich
wünsche wegen einer gewissen Angelegenheit —
sie setzen sich.

Alward. Befehlen Sie ganz über mich.
Man hat mir gesagt, daß der Herr Präsident zu
einer neuen Einrichtung des Eisenhammers auf dem
Guthe Wangenheim ein Capital suchen. Könnte
ich damit dienen?

Der Haussecretair läßt sich ganz im Hinter-

grunde sehen.„ Der Präsident giebt ihm einen Wink, worauf er ab=
geht. „Ich seh' es an, als wär' es geschehen. „Es
wurden mir über mein Erwarten Offerten gethan —

Alward. O. wer könnte da Bedenken tra=
gen — ?

Präsident, leicht und Alward fixirend. Erst ge=
stern ließ sich zu Negociirung dieses Capitals der
Advocat Wall mir empfehlen —

Alward, etwas verbluft. Wall? — Da wollte
ich Ew. Excellenz doch nicht rathen —

Präsident. Kennen Sie ihn?

Alward. Ach ja, ein wenig.

Präsident. Nun, wie gesagt, die Sache
ist schon in Ordnung.

Alward, sich erholend. Schade! Fast sollte
ich mich beschweren, daß der Herr Präsident nicht
zuerst bei mir anfragten.

Präsident. Ich danke für Ihr gütiges
Anerbieten.

Alward. Voller, reiner Ernst! Sie dür=
fen mir nur einen Wink geben —

Sechster Auftritt.

Vorige. Ein Bedienter. Hernach Wall.

Bedienter sagt dem Präsidenten etwas heimlich.

Präsident, laut. Sonderbar! — Laß' er ihn kommen. Nur gleich hieher! — Mein Herr Geheimderath! Sie werden von jemand aufgesucht —

Alward. Erlauben Sie einen Augenblick. —

Präsident. Bleiben Sie. — Ich habe ihn hieher rufen lassen, da wir durch einen sonderbaren Zufall eben von ihm sprachen.

Alward sieht den Präsidenten fragend an.

Präsident. Es ist der Advocat Wall, der Amanuensis beim Advocat Berger!

Alward, bestürzt und schnell. O da muß ich bitten — ich werde doch nicht die Unhöflichkeit begehen —

Präsident, mit vieler Artigkeit ihn aufhaltend. Sehen Sie, da ist er schon!

Alward schnell auf Wall zu — halblaut: Was giebts? was wollen Sie? sind Sie von Sinnen?

Wall zum Präsidenten. Verzeihen Ew. Excellenz meine Kühnheit. Ich bitte um die gnädige Erlaubniß, dem Herrn Geheimderath um mehrer

Sicherheit willen in Ihrer Gegenwart diese hundert Stück Louisd'or zurückgeben zu dürfen, die ich gestern von ihm für Entdeckung des Aufenthalts seines Bruders, des Herrn Grafen Xaver von Alward, erhalten habe.

Alward. Was wollen Sie, Unverschämter? Sie haben den Verstand verloren!

Wall. Eben so wenig, als der sogenannte Wahnsinnige, für dessen Unterhalt auf dem Löwenstein der Herr Geheimderath seit neunzehn Jahren menschenfreundlich sorgten.

Präsident. Was ist das, Herr Graf?

Alward. Herr Präsident! Sie werden mich in Ihrem Hause nicht beleidigen lassen. Schützen Sie mich gegen diesen tollkühnen Verläumder!

Wall. Besinnen Sie Sich nur, Herr Geheimderath! Ich brachte Ihnen gestern eine gewisse Nachricht, wofür ich diese Rolle Louisd'or erhielt. Ein ehrlicher Mann nimmt nichts umsonst. Diese Nachricht war falsch. Hier ist Ihr Geld!

Alward. Falsch? — Er ist rasend, Herr Präsident! Rufen Sie die Wache.

Präsident. Er spricht doch übrigens ganz vernünftig. Lassen Sie ihn doch! Vielleicht erklärt sich das Räthsel.

Wall. Sie können Sich darauf verlassen,

Herr Geheimberath! Graf Xaver ist nicht in Et
bingen; er ist hier!

Alward. Was soll das heißen? —

Wall *eröffnet die Seitenthür.*

Siebenter Auftritt.

Vorige. Xaver, *in anständiger, doch sehr einfacher Klei
dung, und* Berger *treten aus dem Cabinet. Zuletzt die Hof
räthe und der Regierungssecretair aus
dem ihrigen.*

Alward, *zurückprallend.* Ha! —

Präsident. Herr Graf! was sagen Sie
nun?

Alward, *trotzig.* Ich durchschaue Ihren Plan,
Herr Präsident! ich verstehe nun diese unerwartete
Einladung. Man glaubte mich in eine Falle zu
locken. Diese alten Betrüger — aber, mein Herr
Präsident! Sie sind nicht berechtigt, ein Verhör
über mich zu halten. Ich erkenne diesen Ort für
kein Gericht und Sie nicht für meinen Richter!
will ab.

Präsident, *fest.* Belieben Sie hier zu blei
ben, Herr Graf! Die Wachen stehen nicht umsonst

auf den Treppen. Auf das Cabinet deutend, worin die Officiere sich befinden. Diese Herren wollen auf mein Bitten die Güte haben, Sie, wenn wir hier in Ordnung sind, nach Ihrem Palais zu begleiten.

A l w a r d, etwas erschrocken — dann: Wie, Herr
Präsident! Sie wagen es, Gewalt gegen mich zu
brauchen? Wissen Sie, wer ich bin? Ich berufe
mich auf den Herzog!

Präsident zu dem Cabinet, wo die Hofräthe sind.
Treten Sie näher, meine Herren!

Die Hofräthe mit dem **R e g i e r u n g s s e c r e-
t a i r** aus dem Cabinet.

Präsident. Diese Herren, mein Herr Graf,
werden Ihnen sagen, daß der Herzog von diesem
ganzen Vorfalle genau unterrichtet ist.

Hofrath von Braun. Der Herr Präsident hat ungemessenen Auftrag von Sr. Durchlaucht.

Hofrath Brinkmann. Wir haben den
höchsteigenhändigen Befehl gesehen.

Präsident. Es kommt nunmehr auf Sie
an, ob Sie eine öffentliche Beschämung vermeiden
wollen oder nicht. Diese würde nothwendig die
Folge seyn, wenn Sie es aufs Aeußerste ankommen
ließen.

Alward. Ich brauche die Untersuchung nicht
zu scheuen!

Präsident. Das wird sich zeigen! Für
jetzt gebe ich Ihnen noch zu überlegen, daß Se.
Durchlaucht, wenn Ihre Aussage der Wahrheit ge-
mäß befunden wird und Sie Sich entschließen, das
gethane Unrecht zu vergüten, sich vielleicht in Rück-
sicht Ihres Herrn Vaters bewogen finden dürfte,
die Criminal-Untersuchung zu unterdrücken und Ihre
Strafe in gefängliche Haft auf unbestimmte Zeit zu
verwandeln.

Alward. Ich stütze mich auf die Gerechtigkeit meiner Sache und auf meine Unschuld. Fragen Sie, Herr Präsident!

Präsident. Setzen wir uns! scheut. Bediente
und der Haussecretair treten zu verschiednen Seiten herein. Es wird
ein Tisch mit Stuhlen zurecht gesetzt. Der Präsident setzt sich an die
Tafel oben an. Der Haussecretair legt die Acten und das Portefeuille an dessen Platz. Ihm zur Linken setzen sich die Hofräthe und
der Regierungssecretair. Zur Rechten, aber von dem Tische entfernt, werden für Alward und Xaver, Berger und Wall Stuhle gesetzt. Die erstern Beiden lassen sich auf einen Wink des Präsidenten
nieder. Der Präsident bietet Bergern und Walln pantomimisch glei-
chergestalt Stühle an. Sie nehmen es aber nicht an, sondern treten
seitwärts an Xavers Stuhl. Wenn Alward antwortet, so zeichnet
der Regierungssecretair, je nachdem die Sache einen Hauptumstand
betrifft, einige Worte auf. Der Haussecretair und die Bedienten
haben sich völlig entfernt.

Präsident. Sie werden Sich erinnern,

Herr Graf! daß Sie vor ungefähr zwanzig Jahren von einem gewissen Xaver Alward, welcher der
erstgebohrne Sohn Ihres Vaters zu seyn behaup-
tete, in Anspruch genommen worden sind.

   Alward. O ja!

   Präsident. Haben Sie einen ältern Bruder gehabt?

   Alward. Das leugne ich nicht.

   Präsident. Erkennen Sie diesen Mann
für denselben?

   Alward. Nein! nimmermehr!

   Präsident. Erkennen Sie ihn für denje-
nigen, welcher den Proceß mit Ihnen anfing?

   Alward. — Nein!

   Berger. Glücklicherweise befindet sich ein
ganz unverdächtiger Zeuge allhier. Der Herr Hofrath Brinkmann werden sich hoffentlich der Person
entsinnen.

   Hofrath Brinkmann. — Ich muß zur
Steuer der Wahrheit bekennen, daß ich diesen
Herrn Xaver Alward gekannt habe. Wenn ich die
Spuren des Alters abrechne, so sind es die näm-
lichen Gesichtszüge.

   Alward. — Ich will diesen Umstand weder
bejahen, noch verneinen. Es kann möglich seyn!

Präsident. Was ist aus Ihrem ältern
Bruder worden?

Alward. Er ist in seinen frühern Jahren
mit Tode abgegangen. Der Todtenschein ist bei
den vormals ergangenen Acten.

Präsident. Hier sind die Acten. Erkennen Sie diesen Todtenschein für den von Ihnen zu
den Acten gegebenen? *legt ihm selbigen vor.*

Alward. Ja, das ist er. Wider seine
Gültigkeit läßt sich nichts einwenden.

Präsident. Er ist angeblich am 7. November 1782 ausgestellt. Im Papierzeichen steht die
Jahrzahl 1783. *zu den Hofräthen, welchen er den Schein
überreicht.* Ist das gegründet, meine Herren?

Hofrath von Braun, *nachdem er ihn betrachtet.*
Das ist nicht zu läugnen!

Hofrath Brinkmann, *eben so.* Das leh-
ret der Augenschein! *giebt ihn dem Präsidenten zurück.*

Präsident. Folglich müßte das Attestat ein
Jahr älter seyn, als das dazu gebrauchte Papier!

Alward *beißt die Lippen.* Wenn sich das so
befindet, so bin ich außer Schuld daran. Ich habe
den Todtenschein jederzeit für ächt gehalten. Mein
damaliger Sachwalter, der verstorbene Rath Erler,
hat ihn mir verschafft.

Präsident. Ist Ihnen bekannt, was aus Ihrem ehemaligen Gegner worden ist?

Alward. Nein! Er ist verschwunden. Es hieß damals, er sey Schulden und verschiedner Betrügereien halber nach Amerika gegangen.

Präsident zu Xaver. Was können Sie hierauf antworten?

Xaver. Es soll mir nicht einfallen, Herr Geheimderath! Sie an die Pflichten der Sohnes- und Bruderliebe zu erinnern; nicht einfallen, Sie auf Ihr Gewissen zu fragen; ob Sie, wenn Sie in diesem Augenblick vor den Richterstuhl des Allwissenden treten sollten, die Ueberzeugung ableugnen würden, daß ich Ihr älterer Bruder sey. Ich weiß, dieß alles wäre bei Ihnen vergeblich. Also zur Sache! — Ich wurde damals, eben da der Proceß durch meinen Eid entschieden werden sollte, bei einbrechender Nacht im Wallenbacher Grunde überfallen und unter Anführung eines gewissen Kosalsky nach dem Löwenstein gebracht, wo ich neunzehn Jahre gefangen gesessen habe.

Präsident zu Alward. Haben Sie Antheil an dieser Gewaltthätigkeit gehabt?

Alward. Nicht den mindesten. Der Umstand, daß mein alter redlicher Diener Kosalsky

dabei gewesen seyn soll, ist, wie wahrscheinlich alles
Uebrige, boshafte Erdichtung.

Präsident. Ihr Herr Gegner hat gewisse
Beweismittel beygebracht, welche viel gegen Sie
darzuthun scheinen.

Alward. Das Familien = Petschaft ist meinem Vater vor vielen Jahren gestohlen worden;
wegen der übrigen Urkunden ist das Nöthige in
den Acten gesagt.

Präsident. Es sind neuere vorhanden.

Alward, stutzend. Das ist unmöglich!

Präsident, Papiere aus dem Portefeuille nehmend.
Kennen Sie diese Quittung des Zuchthausverwal-
ters auf dem Löwenstein? Legt sie ihm vor.

Alward geräth außer Fassung; dann wieder fest:
Diese? — Nein!

Präsident zeigt ihm das Billet an Kosalsky, doch so
gebrochen, daß man nur die Unterschrift sehen kann. Erkennen
Sie dieß für ihre Unterschrift?

Alward. — Es scheint meine Hand!

Präsident schlägt das Blatt auf. Bekennen Sie
Sich auch zu dieser Instruction für Kosalsky?
legt sie ihm vor.

Alward, nachdem er lange gelesen. Nein! hier-
von weiß ich nichts!

Der Präsident *zeigt ihm den Brief an den Festungs-Commandanten.* Erkennen Sie dieß für ihr Petschaft?

Alward. Ja — oder es ist sehr täuschend nachgeahmt!

Präsident. Erbrechen Sie diesen Brief!

Alward. Dazu halte ich mich nicht für verbunden. Erbrechen Sie ihn, wenn Sie es wagen!

Präsident *erbricht ihn.* Im Namen Sr. Durchlaucht! *zum ersten Hofrath, dem er den Brief einhändigt.* Lesen Sie!

Hofrath von Braun. „Mein Herr Commandant! Sie erhalten diesen Brief durch meinen Secretair Josephi. Er ist zuverläßig: Unterstützen Sie ihn mit Mannschaft und mit allem, was sonst erforderlich ist, damit der unverzeihliche Fehler gut gemacht und Xaver wieder eingesperrt wird. Brauchen Sie etwas bei den schlechten Zeiten, so hat Josephi gemeßne Ordre. Franciscus Graf von Alward." *giebt den Brief dem Präsidenten zurück.*

Präsident *zu Alward.* Erkennen Sie dieß für Ihre Hand?

Alward. Nein! Man hat meine Unterschrift und mein Wappen gemißbraucht.

Präsident *winkt Wall zu sich.* *Dann halblaut zu ihm:* Sehen Sie nach, ob Josephi zurück ist. Ich lasse ihn bitten, sogleich herzukommen. Ich werde Sie rufen lassen.

Wall ab.

Präsident, zu Alward. Ihr bisheriger Secretair hat ausgesagt, daß er, diese Quittung, und Briefe gestern aus Ihren Händen erhalten.

Alward wird immer verwirrter. Das — ist nicht wahr!

Achter Auftritt.

Vorige. Josephi, schnell eintretend.

Alward erblaßt.

Präsident zu Josephi. Sind Ihnen diese Briefe gestern Nachmittag von dem Herrn Geheimderath Alward eingehändigt worden?

Josephi. Es verhält sich so.

Alward sucht ihn durch Blicke zu bedeuten. Josephi! — wie können Sie so unvorsichtig seyn, das zu behaupten? Sie haben Briefe von mir erhalten; aber, ob es diese sind — ?

Josephi, dem sie vorgelegt werden. Sie sind es. Die Wahrheit zwingt mich, dieß zu sagen. zu Alward,

dem er feinen Ring zurückgiebt. Ich mache keinen An=
spruch auf Ihre Erkenntlichkeit.

Alward, halb wuthend. Elender — Ich räume
ein, daß dieser Xaver auf meine Veranstaltung im
Zuchthaufe zu Löwenstein unterhalten worden ist.
Ich suchte mich feiner zu entledigen, da ich von
der Gerechtigkeit meiner Sache überzeugt war.
Bin ich deßhalb strafbar, so sey es! Aber dieser
Josephi kann nicht gegen mich zeugen. Er rieth
mir an, diesen Xaver ermorden zu lassen, er reiste
in meinem Auftrage, um die That zu vollführen
— er ist mein Mitschuldiger!

Präsident. Das ist er nicht — er ist der
Sohn dieses Xavers. Auch ihre Nichte werden
Sie bald kennen lernen!

Alward, ganz außer sich. Verdammte Brut! —
Schlange, die ich in meinem Busen erzog! P=

Präsident. Räumen Sie ein, daß dieser
Josephi diese Briefe von Ihnen erhielt?

Alward. Nein! Sein Zeugniß kann mich
nicht graviren. Er gehört mit zum Complott!

Präsident. Sie geben aber zu, diesen
Xaver durch Ihre Leute in Verwahrung geliefert
zu haben?

Alward. Ich habe diesen Vagabonden auf=
heben lassen und ihn auf meine Kosten aus Mit=

lefb runterhalten: Aber mein Bruder: ist er nicht! Das besagen die Acten und das Zeugniß des Kosalsky in denselben. Ich verlange die Entscheidung jenes Processes im Gange Rechtens. ———

Präsident: Sie berufen Sich also auf Kosalsky's Zeugniß?

Alward. Ja!

Präsident legt ihm einen Zettel vor. Erkennen Sie das für Kosalsky's Hand?

Alward. Ich kenne sie nicht: Ich habe nie mit meinen Domestiken in Briefwechsel gestanden.

Präsident, zum zweiten Hofrath. Lesen Sie! giebt ihm den Zettel.

Hofrath Brinkmann. „Josephi hat mich in Grimmstein getroffen. Nach genauer Aussage des Hausknechts im Gasthofe zu Sommerfeld ist die bewußte Person schon hier in der Gegend, wohl gar in der Stadt. Man hat uns unterm Thor arretirt, weil Josephi mit dem Unterofficier, der nach Pässen fragte, einen Streit anfieng. Josephi ist weggebracht. Ich sitze noch auf der Hauptwache." giebt den Zettel dem Präsidenten zurück.

Alward. Der Zettel ist ohne Unterschrift! Ich berufe mich auf Kosalsky's Aussage!

Präsident. Ist das Ihre ernstliche Meinung?

Alward. Allerdings!

! — Präsident. — Wenn Sie Sich sicher glauben,
so schreiben Sie an ihn. —

— Alward, nach einiger Besinnung. Ich erbiete
mich dazu. — Dictiren Sie, was Sie wollen!

Josephi setzt ein Seitentischchen vor ihn hin.

Regierungssecretair bringt Papier, Feder und
Tinte.

Josephi tritt während des Schreibens dicht an Alwards
Stuhl und giebt genau Achtung.

Präsident dictirt. „Es ist Alles entdeckt.
Ich habe Alles gestanden, von dem schnellen Tode
meines Vaters an —"

— Alward stutzt, zittert, hält inne.

Präsident. „— von dem schnellen
Tode meines Vaters an —"

Alward mit starren Augen und ohne Accent. „—
meines Vaters an —"

Präsident. „— bis zu der letzten, Dir
gegebenen Ordre. Thue ein Gleiches. Nur ein
offenherziges Bekenntniß kann uns retten."

Alward, mit der größten Frechheit. — „kann uns
retten! Franciskus, Graf von Alward."— Hier ist
der Zettel. überreicht ihn dem Präsidenten.

Präsident, alle interessirte Personen verwundernd
ansehend. Entweder der höchste Grad der Verzweiflung oder —

Alward. Das Bewußtseyn meiner Unschuld!

iJoſephi. Noch einen Augenblick Geduld!
Sie haben das Handzeichen vergeſſen, Herr Graf!
ohne welches Ihre Vertrauten befehligt ſind Ihre
Befehle für Maßke zu halten! — Haben Sie die
Gnade, Herr Präſident! jene Unterſchriften mit dieſer
hier zu vergleichen.

Präſident, nachdem er dieß gethan. Setzen Sie
noch das Handzeichen hinzu!

Alward in Wuth ausbrechend. Iſt denn die ganze
Hölle gegen mich losgelaſſen? — Ich bekenne alles,
Herr Präſident! ich geſtehe, daß dieſer Xaver mein
älterer Bruder iſt und — nehme zu der Gnade des
Herzogs meine Zuflucht.

Präſident. Um auf dieſe zu hoffen, müſſen
Sie erſt den Raub erſetzen.

Alward, völlig abgeſtimmt. Auf welche Art?
Machen Sie mit mir, was Sie wollen! Ich bin zu
allem bereit.

Präſident zu Xaver. Herr Graf Xaver von
Alward! iſt es Ihr ernſter Wille, was mir Herr
Advocat Berger in Ihrem Namen verſichert hat, daß
Sie die Ihnen nach dem Recht der Erſtgeburt
zukommenden Herrſchaften nicht ſelbſt verlangen,
ſondern daß Ihr Sohn gegen die ſeiner Schweſter
hier ausgeſetzten Revenüen den Beſitz derſelben
erhalten ſoll?

Xaver. Ja, ich will bei meinen Kindern mein Leben zubringen. Das ist alles, was ich auf dieser Erde noch wünsche.

Präsident. Gut, Herr Graf! — Herr Geheimderath! in dieser Urkunde erkennen Sie diesen Herrn Xaver für Ihren ältern Bruder und treten dessen Sohne die Grafschaften Liebenau und Herrmann= stadt freiwillig ab.

Alward. Ich bin auch Vater. — Was soll aus mir und meiner Tochter werden?

Präsident. In dieser Abtretungsurkunde, welche bei der Canzlei niedergelegt werden soll, sind Ihnen außer dem, was Ihnen schon nach den Familien=Pacten zukommt, durch die Güte Ihres Bruders jährlich achttausend Thaler versichert, welche nach Ihrem Tode Ihrer Tochter und deren Descen= denten zufallen. Sind Sie zufrieden?

Alward. Ja!

Präsident. So unterzeichnen Sie!

Alward, nachdem er die Urkunde durchblättert und hie und da darinnen gelesen. Ich bin bereit. setzt sich und unterschreibt.

Letzter Auftritt.

Vorige. Ein Bedienter. Die Gardeofficiere. Zuletzt Wall und Antonie.

Präsident schellt.

Ein Bedienter tritt ein.

Präsident. Advocat Wall und die fremde
Dame!

Bedienter ab.

Präsident an dem Cabinet, in welchem die Officiere
sind. Darf ich nun bitten, meine Herren?

Die Officiere treten heraus.

Alward die Urkunde dem Präsidenten zustellend.
Hier ist das Document!

Präsident zu Josephi. Mein Herr Graf Joseph von Alward! Sie sind in der Schule des Un-
glücks, unter dem Druck der Armuth zum Vater
Ihrer Unterthanen erzogen worden; ich lege daher
in dieser so wichtigen Stunde für Ihre sehr gedrück-
ten Bauern eine Vorbitte ein.

Josephi. Ihre Klagen abzustellen, sey das
erste Opfer meiner Dankbarkeit und Verehrung für
den wärmsten Freund der Menschlichkeit und Gerechtigkeit. Bergern bei der Hand fassend. Dieser redliche

Greis wird mir die Bitte nicht abschlagen, mein
Lehrer zu seyn und diese traurigen Zwistigkeiten nach
seinem Herzen zu schlichten.

Berger, ihm die Hand drückend. Das will ich und
dann meine Feder meinem Sohne Wall schenken und
nach der Hitze des Tages die Kühlung der freundlichen
Nacht unter meinen Blumen erwarten.

Antonie, schön und ganz in weiße Seide gekleidet, tritt,
von Wall geführt, ein.

Präsident, die Urkunde noch in der Hand, wendet sich
nach ihr um. Edle Gräfin! die Vorsicht schenkt mir die
Freude —

Antonie sinkt auf Walls Schulter. Aemilius —!

Präsident, mit ausgebreiteten Armen
einen Schritt auf sie zufliegend. Antonie,
Wall —!

Der Vorhang fällt.

III.

Die schwarze Frau,

oder:

Die Wette.

Lustspiel in zwei Aufzügen.

Quamquam — — —
— — tu levior cortice et improbo
Iracundior Hadria,
Tecum vivere amém; tecum obeam libens!

HOR.

1 8 0 6.

Perſonen.

———

Nannette, eine junge Wittwe.
Florin, ein Dichter.

———

Die Scene in einer romantiſchen Gegend unweit eines
Geſundheitbades.

Erster Aufzug.

Saal eines Landhauses, mit zwei Cabinetsthüren.

Erster Auftritt.

Nannette,

schwarz gekleidet und verschleiert; mit einem Kammermädchen, das weiß gekleidet und verschleiert ist, tritt ein und nähert sich dem Fenster.

Das Vögelchen pickt an! Er nimmt den Weg hieher.
Nun rettet ihn kein Gott aus meinen Schlingen mehr!
Sieh, sieh', jetzt bleibt er steh'n — dort unter den
Cypressen —
Und scheint mit scharfem Blick die Fenster abzumessen;
Jetzt eilt er schnellern Schritts — O Liebe, gieb mir
Glück,
Und bring' ihn reuevoll in meinen Arm zurück!

Beide in ein Kabinet ab.

Zweiter Auftritt.

Florin,

einen Kranz und ein Blatt Papier in der Hand, tritt hitzig ein.

Wie? alles wüst und leer? Doch sagte man mir unten,
Die Damen hätten sich so eben hier befunden;
Doch sah ich ganz gewiß — hätt' ich denn falsch
    gesehn? —
Das schwarz und weiße Paar an diesem Fenster stehn!
Wo floh die Holde hin? Soll ich sie nimmer finden?
Kann sie, wie Feen schön, wie Feen auch verschwinden?
Hier lehnt die Thür nur an; hier sind sie wohl —
    ha frisch!

  Er lauscht an einer von den Kabinetsthüren.

Still! Alles still!

    Oeffnet und sieht hinein.

  O weh! Nichts, als ein Stuhl und Tisch!
Doch dort —

    geht an die andre Kabinetsthür.

    Verwünschtes Haus! will man mich hier
     vexiren?
Nur Kobold und Gespenst dringt durch verschloßne
    Thüren!

   Indem er vergeblich daran rüttelt.

O jeder Fluch auf den, der Riegel, Kettel, Band,
Der Feder Kunstgetrieb, das erste Schloß erfand!
Pasquills der Menschheit sind's, das Schrecken edler
    Liebe,

Des Lasters Reiz und Schutz, der Ursprung aller
Diebe!

Der erste Schlösser war des bleichen Argwohns Sohn,
Und seit dem ersten Schloß ist das Vertrau'n entfloh'n!
Doch ach! was hilft es mir? An dieser Zauber-
pforte

Verhallen ungehört die inhaltschwersten Worte.
Zuletzt bleibt's doch gewiß, daß, wer mich herbemüht,
Den Geist nicht ewig spielt, nicht ewig vor mir flieht;
Und —

legt den Kranz auf den Tisch und besieht das beschriebene Blatt.

wenn nicht alles täuscht, so ist's nicht bloßes
Wirken

Des blinden Zufalls, daß am Stamm der Hänge-
birken,

Gleich neben an, wo ich das zart'ste Klanggedicht
Der Dryas anvertraut, beim nächsten Sonnenlicht
Dieß klar beschrieb'ne Blatt sich freundlich eingefunden,
Mit Rosen noch dazu aufs zierlichste umwunden;
Daß man in schwerem Krepp durch sonn'ge Fluren
zieht
Und, als man mich erblickt, nach diesem Landhaus
flieht.

Auch sind die Verse selbst — zwar Zeugen eines tiefen,
Verschloßnen, stillen Sinns — doch nicht Hiero-
glyphen!

Liest:

„In diesem düstern Thal, wo gern die Schwermuth
wohnt,

„Wird heißer Sehnsucht Schmerz und Schweigen
                    schön belohnt.
„Ist dir kein treuer Freund, kein liebend Herz ge-
        . . . . blieben; . . . .
„So räth der Echo Mund, das Fliehende zu lieben.“
Das Fliehende — . . . . .

***

Dritter Auftritt.

Florin. Nannette, als Wirthin, in einer ländlichen
Nationaltracht, welche das Gesicht etwas maskirt, schnell zur Mittelthür eintretend — mit sehr geläufiger Zunge.

Nannette.

Ach Herr! was denkt Er wohl von mir?
Von meiner Wirthlichkeit? Ist Er schon lange hier?
O sey Er nur nicht bös — erheitr' er seine Mienen,
Und sag' er mir geschwind, womit ich Ihm kann
                    dienen?
Es geht, wie in Paris, in diesem Gasthaus zu!
Tags hat man seine Noth, und Abends keine Ruh.
Die Wirthschaft ist zu groß, und liegt zu nah dem
                    Bade;
Der Eine will Kaffee; der Andre Limonade:
Bald pocht's ans Fensterlein, bald ruft mich's in den
                    Stall,
Bald an den Küchenheerd —

Florin.

[...] Ein kleiner Ueberall!

Nannette.

Bald heißt's: "Gebt Gläser raus!" Bald schreit's:
          Wo sind die Teller?
Ich muß Trepp' auf, Trepp' ab; vom Boden in den
          Keller.
Ich bin hier fast allein; mein Mann der ist — so so!
Hat wenig Lebensart, denkt nur an Korn und Stroh.
Doch ich — nun, lieber Gott! man ist noch jung von
          Jahren
Und manche Herrschaft ist doch hier schon angefahren;
Es hat mich mancher Graf gar freundlich angelacht,
Mir aus dem Bad' ein Tuch, ein Bändchen mit-
          gebracht,
Schön Nannerl mich genannt. Doch das anjetzt bei
          Seite —
Was möcht' Er denn wohl gern? 's ist warme Witt'rung
          heute.
Beliebt ein Fläschchen Bier, so klar und kühl, wie
          Eis?
Wie? oder fetter Rohm, wie diese Schürze weiß?
Herr! Waffeln back' ich ihm — so was ward nie ge-
          rochen!
Auch Kirschen giebt es schön, ganz frisch vom Baum
          gebrochen!

Florin, vor sich.

Ein muntres, nettes Weib!

Laut.

Gut, gut, Frau Wirthin, gut!
Doch — hilft nicht Speiß' und Trank für meine innre
Glut.
So süß das Obst muß seyn, gepflückt von diesen
Händen
So — sitz' ich doch nicht gern lang zwischen leeren
Wänden.
Giebt's nicht Gesellschaft hier?

Nannette.

Gesellschaft? heute nicht!
Es ist ein Wunder fast, daß es daran gebricht.
Sonst ist's hier immer voll von Herrn und schönen
Kindern:
Doch heute mag sie wohl der heiße Tag verhindern.

Florin, vor sich.

Sie hält noch hinterm Berg'; sie scheint gar schlau
und fein,
Und kann gar leichtlich selbst mit im Verständniß seyn.
Ein wenig Schmeichelei wär' gut hier angewendet
Und — sie ist warlich hübsch! — gerade nicht ver-
schwendet.

Nannette.

Was sagt der liebe Herr?

Florin.

Ach liebes kleines Weib!

Wer dächte wohl bei ihr an bessern Zeitvertreib?
Was reisende Genie's von dieser Gegend schreiben,
Find' ich vollkommen wahr! Kann man hier länger
bleiben?

Nannette,
mit untergestämmten Armen.

Je nun, warum denn nicht?

Florin.

Ich meine, über Nacht?

Nannette.

Das will ich denken, Herr! Wir geben schweren Pacht,
Viel Decem, Hühnerzins — Zwar, seit die liebe
Dame,
Die neue gnäd'ge Frau. —

Florin.

Ja die — wie ist ihr Name?

Nannette.

Ei, seht, wie klug und fein! — Ja, lieber Herr,
man spricht
Davon nicht gern —

Florin.

Warum?

Nannette.

Je nun, man weiß ihn nicht!

Florin.

Das kann nicht seyn —

Nannette.

O ja! Sie ist des Nachts gekommen;
Sie hat das ganze Guth in Erbschaft angenommen.
Doch ward kein Menschenkind ihr Antlitz noch gewahr,
Und ihren Namen kennt nur der Herr Justitziar!

Florin.

Das wär' doch wunderlich —

er zieht mit einer leichten Bewegung seine Börse.

Wir wollen uns verstehen!
Du kleines Schelmgesicht willst mir ein Näschen
drehen;
Denn —

Nannette.

Ach, bewahre mich der hohe Himmel da!

Florin.

Denn — denk' nur, liebes Kind! — vor zehn Minuten sah
Die gnäd'ge Frau hier raus —

Nannette.

Nun, das muß ich gestehen!
Die Geister lassen sich doch sonst des Nachts nur sehen.

Florin,

sich gleichgultig stellend.

So, so? — Nun, mag es seyn! vielleicht hab' ich
                                        geirrt;
Wer weiß, was für ein Schein mir vorm Gesicht
                                        geflirrt.
Was kümmerts denn auch mich? — Also, auf heut'
                                        und morgen
Wird die Frau Wirthin mir ein hübsches Bett besorgen?

Nannette.

Recht gern, mein lieber Herr! ein Bettchen, rein,
                                wie Schnee.
Es rankt sich junger Wein am Fenster in die Höh';
Das Stübchen ist zwar klein, doch maigrün ange=
                                strichen;
Vom nahen Nußbaum ist ein Sprosser nie gewichen,
Und oft blinkt durch das Laub ein wunderschöner
                                Stern —

Florin.

Ganz wie für mich gemacht! so hab' ich's gar zu gern!
Doch, was ich sagen will — ich bin aus fremden
                                Landen

Und habe niemand hier von Freunden und Verwandten;
Auch ist es meine Art, oft still davon zu zieh'n;
Drum nehm' sie im voraus —

will ihr ein Goldstück geben.

Nannette.

Nein, Herr, da halt' ich Ihn
Viel zu honett dazu — —

Florin.

Vielleicht, in ein'gen Tagen
Hört sie den Namen auch, und könnte mir ihn sagen?

Nannette.

Nein, nein! ich danke schön —

Florin.

Dann wär' der Dank an mir —

versucht sie zu umarmen.

Ach, wär'st Du mitleidsvoll, wie zärtlich dankt' ich Dir!
Wie pries' ich Deinen Reitz —

Nannette, ihm entschlüpfend.

Bei Leibe! Geld zu nehmen
Von einem solchen Herrn — zu Tod' würd' ich mich
schämen!

Ab.

Vierter Auftritt.

Florin.

Ich wette meinen Kopf, sie ist mit im Complott;
Sie trieb recht schadenfroh mit meiner Neugier Spott.
Was ist zu thun, Florin? — Ich weiche nicht vom
Platze!
Sie scheint bei alledem doch eine kleine Katze,
Die zwar ein wenig krällt, doch sämmtne Pfötchen hat,
Und gern sich streicheln läßt, ist sie des Neckens satt.
Wie? sagte sie nicht selbst, daß sie manch' Band be=
kommen,
Manch' seidnes Tuch — Ei nun! die hat sie doch ge=
nommen!
Sie stellt' es recht mit Fleiß, mit Wohlgefallen gar,
Mir wie zum Muster auf — Nun wird mir alles klar:
Auf gute Art — ja, da schämt sie sich nicht zu Tode;
Sie scheut das Nehmen nicht; sie nimmt nur mit
Methode!
Hätt' ich denn nichts zur Hand, das jenem Regen glich,
Womit Herr Jupiter einst Danaen beschlich,
Und doch nicht Münze wär? —
*indem er seine Taschen visitirt und verschiedene Journale und Papiere
auf den Tisch wirft.*
In roth und grünem Kleide
Viel Klingklang und Geschwätz, doch wenig Lust und
Freude! —
Ein Musenalmanach, des Beitrags Ehrensold. —
Ach! leider ist daran nichts, als der Schnitt, von
Gold! —

Ein neues Taschenbuch von Englisch-deutschem
    Leder!
Ein fert'ges Manuscript, und diese Bleistift-
    feder
Von Silber, sie, worin dieß brave Lustspiel,
    schlief;
Einst ehrt die Nachwelt sie, doch — Götter! ha!
    mein Brief!
Den vorhin ich erhielt — Verzauberte Prinzessen!
Warum erschient ihr mir? wie konnt' ich ihn ver-
    gessen?

Er ist von Ihrer Hand — von der Verrätherin,
Die Wort und Eide brach! — Wo sind die Tage hin,
Da mich ein solcher Brief dem Erdenthal entrückte,
Ich jedes Blatt von ihr heiß an die Lippen drückte?
Wo mich ein Beifallsblick, ein leis gestammelt Lob,
Zum schönern Ziele trieb und zu den Göttern hob?
Ach, damals sank so oft Begeist'rung auf mich nieder;
Was mir die Liebe gab, gab ich der Liebe wieder;
Ich glaubte nicht an Schmerz, an keinen Lethefluß;
Vergessen wollt' ich nichts; denn, wie, der Liebe
    Kuß
Schien mir die Ewigkeit, ein süßer Kuß von Psychen!

Es war ein schöner Traum; ach, längst ist er
    entwichen,
Kehrt nimmer wieder! Nein! Vertrauert ward mein
    Mai
Durch ihre Schuld allein! Ist sie gleich wieder frei
Und endigt meine Glut auch nur mit meinem Leben,
Doch kann ich den Verrath ihr nimmermehr vergeben!

Was schreibt sie denn? Laß seh'n! — „Mein
lieber theurer Freund!" —
O lauter Freundlichkeit! — „So ernstlich ist's gemeint?
„So streng" ist dein Gelübd, was Schickung dir ent-
rissen" —
Die Schickung, schön gesagt! — „auf ewig nun zu
missen?
„Hätt' ich gefehlt an Dir, so fehlt' ich nur aus Pflicht,
„Da oft aus Flattersinn der Mann die Treue bricht.
„Du selbst, geliebter Freund! — ich soll Dir ehrlich
glauben,
„Du bliebst mir immer treu — beäugelst alle Hauben!
„Wolan, mein feiner Herr! wenn ich nicht siebenmal
„Dich überführen kann — ist's g'nug an dieser Zahl? —
„Ich sage siebenmal — mein Freund! was gilt die
Wette? —
„So sollst Du ewig flieh'n die liebende Nannette!"
Ganz, wie sie lebt und lebt! Bald Lust, bald
Traurigkeit,
Zu Thränen leicht gerührt, zum Lachen stets bereit,
Ein immer wallend Meer — und doch, wer könnt'
es lesen,
Und fühlt' es nicht mit mir? — ein liebes, holdes
Wesen!
Ganz Unrecht hat sie nicht; die Männer sind oft leicht;
Doch daß sie nun auch mich den Uebrigen vergleicht,
Da irrt sie wirklich stark! — Das kleine Abenteuer,
Das jetzt mich an sich zieht — Was ist dran Schuld?
ein Schleier!

Fünfter Auftritt.

Florin. Nannette, als Tirolische Galanteriehändlerin, mit schwarzem, weit ins Gesicht gehendem Haar und grünem Hute.

Nannette, an der Thür.

Hier ist der Saal ja auf. Hier werden Fremde seyn!
Ein schöner junger Herr! — Ist's denn erlaubt?

Florin.

Herein!
Die kommt zu rechter Zeit, als wär' sie her geladen!
Willkommen, schönes Kind!

Nannette, knixend.

Ei, schönen Dank, Ihr' Gnaden!
Is nicks gefällig heut' von Stahl und seidner Waar?
Vom feinsten Prager Gold?

Florin.

will ihr die Locken aus dem Gesicht streichen, welches sie abwehrt.

Welch seidnes schwarzes Haar!
Was das für Augen sind! Zwei helle Liebeskerzen!

Nannette.

Hihi, das geht nok mit. Der gnäd'ge Herr will
scherzen —
Das is halt Landesart! In meinem Vaterland

Is Blond nit sehr zu sehn — uns schwärzt der
        Sonne Brand!
Dok is das Blond gar schön, und zeigt von zarten
        Trieben —

Florin.

Ja, ja, ein junger Thor kann sich darein verlieben!
Ich selber wär einmal zum sterben drauf erpicht,
Und doch betrog es mich!

Nannette.

      Ich glaub's Ihr' Gnaden nicht;
Der Herr is halt zu schmuck —

Florin.

    Es waren goldne Schlingen,
Die ach! nur allzuleicht den Unbesorgten singen;
Doch seh' ich Dich so an, o! so bekenn' ich frei,
Daß über schwarzes Haar nichts gehen kann —

Nannette,
mit dem Finger drohend.

             Ei, ei! —
Das sagt der Herr nur so —

Florin.

    Ach nein doch, liebe Seele!

Nannette.

Ei, ei! — Nun, gnäd'ger Herr! was steht denn
zu Befehle?
Strumpfbänder, schön gestickt, und Gürtel, ganz
und gar
Elastisch; Ringelchen vom feinsten Gold fürwahr;
Hier Handschuh, Tücher, Schawls von Cachemir
und Seide,
Fast wie ein Teppich groß, ein Chrysopras-Geschmeide,
Flacons mit Rosenöl, und Nadeln vor die Brust —
Ihr' Gnaden, o wie schön! man schaut's nur an
mit Lust!

Florin.

Ei, wähle selbst für mich, du liebe, art'ge Kleine!
Mir gilt's so ziemlich gleich —

Nannette.

Das is halt schwer! — Ich meyne,
Wenn man nit weiß, für wen? ob Jungfer, oder
Frau?
Ob vornehm, oder nur —

Florin.

O, nimm's nicht so genau!
Vor sich.
Das ist beim Licht beseh'n — hm! curiose Frage! —
Kaum weiß ich's selber recht, was sie am liebsten
trage —

(laut.)

Auch — möcht' ich mancherlei!

Vor sich.

Mein lieber Herr Florin!
Wer auf den Feind marschirt, der denk' ans Magazin!

Laut.

Nun, schöner Schwarzkopf, gieb ein Tuch nicht
allzutheuer,
Doch auch zu wohlfeil nicht —

Nannette.

Ah? — Die sind Mode heuer!

Florin.

Recht gut, recht schön, mein Kind! — Dann gieb
ein Kettchen her,
Ein Kettchen um den Hals, nicht leicht, doch auch
nicht schwer.
Dann — nun ich dächte — ja! so ein'ge goldne
Ringe
Ins Ohr — Nun, was Du denkst! noch ein'ge
solche Dinge!

Nannette,

zeigt eine Kette und steckt die Hand drunter.

Das zartste Filigrain! — Sie sind ganz extrafein,
Und machen einen Hals, so weiß, wie Elfenbein.
Die Ringel trägt man groß —

Florin.

Ich habe nichts dagegen.

Nannette.

Und dieses Medaillon, ein Bild hinein zu legen? —
Dieß Atlasband? —

Florin.

Genug! was macht der ganze Kram?

Nannette.

Je, weil der gnäd'ge Herr gleich was zusammen
nahm,
So — fünf, sechs, Carolins — Gewiß nit viel, Ihr
Gnaden!

Florin.

Bedenk' Dich, liebes Kind! Du thust Dir doch
— nicht Schaden? —

Nannette.

Ack nein, ack nein, mein Herr! Was recht is, mack
ick schon;
Ein wackres Mädel hält auf Reputation.
Empfehlen Sie mich nur an Freunde und Bekannte!

Florin.

Hier sind acht Friedrichsd'or mit unbeschnittnem Rande,

Von meines Didots Schlag! Da, liebes Mädchen,
                                    sieh!

Nannette.

Bekämen Sie heraus —

Florin.

Das lohnt sich nicht der Müh'!

Nannette,
als wollte sie ihm die Hand küssen.

Welch feiner Cavalier! so lob' ich mir die Kunden!
Steckt die Ducaten in ein Beutelchen.

Florin,
ihre Hand drückend.

Und, weil Du überdieß, mich, durch die Wahl ver-
                            bunden —
Recht fein ist dein Geschmack — so hold und freund-
                            lich bist;
So nimm noch dieß dazu! Sieh, schönes Kind,
                            es ist
Ein kleines Schaustück nur; ich will dich nicht be-
                            schenken:
Du sollst, wenn Du's erblickst, nur freundlich meiner
                            denken —

Nannette.

O tausend, tausend Dank! — Hier steh'n Vergiß-
                            meinnicht —

Florin,

ihr sehr freundlich in die Augen sehend.

Nun ja, Vergiß mein nicht! —

Nannette.

Adieu!

Im Abgehen vor sich.

Der Bösewicht!

Ab.

Sechster Auftritt.

Florin.

Heut' seh' ich's deutlich ein, daß Götter mich be-
schirmen,
Kaum wünsch' ich mir Geschütz, ein Weiberherz zu
stürmen,
So bringt's ein Feenkind — und viel für wenig
Geld,
Manch' süßen Blick umsonst. — Sie hat mich nicht
geprellt!
Neun, zehn Stück Friedrichsd'or, die hätt' ich gern
gegeben;
Sie hatte einen Blick, er drang bis an das Leben!
Doch sein gemach, Florin!

Indem er die kleinern Waaren nach und nach einsteckt.

Die Kugeln hübsch geschont!

Hübsch alles eingetheilt, und nichts zu hoch verlohnt!
Wer weiß, wie mancher Greif, wie viel ergrimmte
Drachen
Vor dem verwünschten Schloß' an Thor und Brücke
wachen?
Für Zof' und Compagnie wird dieß der Zauberspruch;
Die art'ge Wirthin nimmt fürlieb mit diesem
Tuch!
Wenn sie doch wieder käm'!

An die Thür gehend.

Es sind kaum zwanzig Stufen;
Sie wird wohl unten seyn; ich könnte sie errufen! —
Hm! was versäum' ich denn? Wer weiß, ist nicht
im Haus
Die schwarze Donna noch; da käm's zu ängstlich raus!
Man muß zuweilen wohl die helle Flamme zeigen,
Doch ja nicht immerfort! Oft gilt ein schmachtend
Schweigen,
Ein still Erwarten mehr. Wer allzuhitzig thut,
Verzieht die Damen leicht zu Stolz und Uebermuth.
Was mach' ich denn indeß?

Geht ans Fenster.

Die Sonne glüht gewaltig:
Und helles Mittagslicht ist gar nicht mannigfaltig;
Es könnte auf der Welt doch nichts verwünschters seyn,
Als unaufhörlich Tag und ew'ger Sonnenschein!
Ha! schön gesagt, Florin! Geschwind es auf-
geschrieben!
Wie schön und neu zugleich! — Das hat man vom
Verlieben,

Daß Amor unſern Geiſt mit platten Späßen narrt,
Indeß man ſehnſuchtsvoll auf — eine Wirthsfrau
harrt!
Herr Amor, großen Dank! — Entfliehe lange Weile!
Ich nehme, dir zum Troß, mein Luſtſpiel in die
Feile!

Setzt ſich und blättert in dem Manuſcript.

Siebenter Auftritt.

Florin. Nannette, als fremde Schauſpielerin, etwas
auffallend, doch elegant gekleidet, mit einem großen Schirmhute,
heftig, pathetiſch, mit der Abſicht zu imponiren.

Florin,

mit der Correctur beſchäftigt.

Dieß wirkt gewiß — doch hier — ſcheint ſich's verdammt zu zieh'n —
Wer klopft?

Da er ſie erblickt, ſchnell auf ſie zu.
Wen ſucht Madam?

Nannette.

Seh' ich nicht Herrn Florin?

Florin.

Sollt' ich ſo glücklich ſeyn? —

Giebt ihr einen Stuhl.

Nannette.

>   Mir sagt' es eine Dame,
>
> Daß hier der Dichter sey —

Florin.

>   Erlauben Sie — ihr Name?

Nannette.

die Frage auf sich ziehend.

Alice Myrte! —

Florin, verbindlich.

Ah! —

Nannette.

>   Sie kennen mich vielleicht —

Florin.

O ja — gewiß — Wie könnt' ich anders auch? —
>   mich däucht —

Nannette.

Es nannten öfters mich die literär'schen Blätter
Als Dichterin —

Florin.

der sich vergeblich bemüht, ihr Gesicht wegzukriegen.

>   O ja —

poetisch.

Die Hüte hol' das Wetter!
Sie ist ganz unsichtbar.

Laut.

Als deutsche Sappho, ja!

Nannette.

Als Königin der Nacht, Milfort, Eulalia —

Florin.

Wer kennt Alicen nicht?

Vor sich.

Ach, könnt' ich sie nur sehen,
Ich schenkt' ihr herzlich gern die Ladys und die Feen!

Nannette,
den Handschuh ausziehend.

Sie wundern sich vielleicht, daß ich so muthig bin —

Florin, *vor sich.* —

Ihr Arm ist himmlisch schön! —

Laut.

Ich bin entzückt —

Nannette.

Florin,
Mein lieber, theurer Freund! den ich oft glühend
nannte,
Obschon ich nur im Geist den holden Sänger kannte!

Nicht, Sie verzeih'n es mir, daß ich das zarte Band,
Von Sympathie geknüpft. —

Florin, ihre Hand küssend.

O welche schöne Hand! —
Sie überraschen mich so angenehmer Weise —

Nannette.

O schon, um Sie zu seh'n, wär' diese weite Reise —
Die Freundschaft folgt ja gern durch Flammen über's
Meer;
Sie fliegt mit Amors Flug, doch flattert nicht, wie Er —

Florin.

Zu schmeichelhaft für mich! Sie werden mir erlauben,
Daß Selbsterkenntniß mich —

Nannette.

O Himmel! gieb ihm Glauben
An seine Siege! Wie? Sie, der im Weiberrath,
Dem unerbittlichen, bestochne Richter hat,
Der Weiber, — hörten Sie? — die alles Feine
schlichten,
Und über Männerwerth und Dichterkronen richten;
Der jedes Herz besiegt, und, wo er Liebe fühlt,
Der Götter Glück verschenkt, mit Paradiesen spielt —

Florin.

O schöne Eboli! Das ist vortrefflich! Singen
Sie diese Stelle doch noch einmal mir.

Sie bringen
Mich nicht zur feigen Flucht! Beſcheidner Dichter!
ſoll
Beweis ich führen?

Florin.

Nun?

Nannette.

Ich führ' ihn gleich, und voll!
auf das über die Stuhllehne ausgebreitete Tuch und den Kranz deutend.
Wer ehrt auf ſolche Art des lieben Dichters Rücken?
Wer raubt der Gärten Zier, um ſeinen Tiſch zu
ſchmücken?
Wer fügt Cypreſſenreis den Frühlingsknoſpen bei,
Der Lieb' und Trauer Bild —

Florin.

Nun ja, Madam! es ſey!
Ich — nun es fügt ſich wohl, daß ein'ge zarte
Seelen —
Daß manche Töne ſich in ſanfte Herzen ſtehlen —
Daß manche ſchöne Hand, aus Nachſicht, mir zum
Lohn —

Nannette, vor ſich.
Auch prahlen kann der Herr!

Laut.

Man kennt die Tasso's schon!
Doch, wenn dieß also ist, so müssen Sie verzeihen,
Wenn auch Alice wagt, ihr Herz dem Mann zu
weihen,
Dem jeder Busen klopft, ihr Herz und ihr Ver-
trau'n —

Florin, vor sich.

Beim Himmel, das ist viel!

Laut.

Sie sind sehr gütig! Bau'n
Sie ganz auf meinen Wunsch — Wär' ich im Stande,
Ihnen
Dieß zu erwiedern und Ihr Zutrau'n zu verdienen —

Nannette.

O welch ein Edelmuth! welch Zartgefühl! Wolan,
Mein lieber theurer Freund!

Florin, vor sich.

Was Teufel! ein Wolan?

Nannette.

Sie wissen, daß sich Kunst und Glück nicht stets ver-
binden;
Daß sich Talent, Genie, oft in der Hütte finden,
Indeß Erbärmlichkeit im Goldpallast erscheint;
Daß oft ein Mißgeschick—

Florin,

noch am Busen seine Börse suchend, vor sich.

Ah, war es so gemeint?

Nannette.

— Die bravsten Künstler trift! Auch ich bin in dem
Falle!
Es kam der leid'ge Krieg; wir spielten nah' am Walle;
Die Logen blieben leer, Parterr und Cercle.— o!
Der wilde Mars erschien, und ach! Thalia floh;
Die Schanzer drangen ein in die entweihten Bühnen,
Es war der letzte Tag für unsern Ruhm erschienen —
Ich nahm den Pilgerstab, und als ich hierher kam,
War man sogleich bereit —

Florin.

Was kann ich thun, Madam?

Nannette.

Sehr viel! Man nahm mich an, und — wenn nur
Sie es wollen,
So wird man meinem Spiel gar bald Bewund'rung
zollen.

Florin,

die Hand langsam wieder herausziehend.

Wenn ich es will, Madam? — Ich bin kein
Redacteur —

Nannette.

Das ist mir wohl bekannt, auch wünsch' ich etwas
mehr!

Indem sie seine Hand an sich drückt.

O Herr Florin! mein Freund! der mich so oft entzückte,
Zum grausen Abgrund mich, in den Olymp entrückte,
Ach! wenn Ihr Genius die Freundin nicht verließ,
Welch Glück ständ' mir bevor bei meinem Benefice!

Florin.

O schöne Künstlerin! Von Herzen gern! Bei Ihnen,
So glühend, voll Gefühls, möcht' ich das Lob ver=
dienen,
Das Freundschaft nur mir zollt, die die Kritik
betrog;
Was wünschten Sie denn wohl? Ah, einen Epilog?

Nannette.

Von Ihnen auch nur den; doch — nein! ich darf
es wägen —

schmelzend.

Wie reich ist diese Hand! — den kühnen Wunsch
zu sagen —

Florin.

So sprechen Sie doch nur! —

Wie vor sich.

Es ist entsetzlich heiß

In diesem Sonnenschein —

Nannette.

O liebster Freund! ich weiß,
Daß Sie ein neues Stück in diesem Lenz geschrieben.
O fühlten Sie, Florin! von dieses Herzens Trieben
Ein Tausendtheilchen nur —

Florin halblaut.

Wer das verrathen hat!
Ich schrieb's an Oskar nur!

Nannette.

Doch weiß es Land und Stadt! —
Sie kennen meinen Wunsch! Nun, Edler, darf ich
hoffen?
Es liegt mein ganzes Herz vor Ihrem Herzen offen;
Mein einz'ger Freund sind Sie!

Florin, vor sich.

Das halt' ein Andrer aus!
Springt zum Tisch und holt das Manuscript.
Hier, reizend Weib!

Nannette.

O Dank! nun giebt's ein volles Haus!
O Freund! wie bin ich's werth? — Sie rühren mich
zu Thränen;
O seh'n Sie den Tribut —

Florin.

Alice! Beste! wähnen

Sie nicht in Voraus schon — Sie hoffen leicht zu
viel!
Es ist ein leichtes Ding, ein anspruchloses Spiel
Der Brunnen=Phantasie —

Nannette.

Es hat nur zwei Personen,
Wie's neu'ste Mode ist; man muß den Athem schonen!
Ich kenn' es halb und halb —

Florin, vor sich.

Das nenn' ich einen Freund!

Nannette.

Es ist ganz allerliebst! Nur Er und Sie erscheint;
Und, der betrogen wird, bedankt sich noch mit Küssen!

Florin.

Mir dünkt's ein wenig schwer! Wenn sie's probiren
müssen,
So komm' ich herzlich gern.

Nannette schalkhaft.

Das wird nicht nöthig seyn!
Es ist mir halb Natur — Doch sollt' es mich erfreun,
Dürft' an Hygea's Quell ich Phöbus Sohn erwarten —

Florin.

In dieser Woche noch!

Nannette.
Ich wohn' in Rodens Garten!
Ab.

Achter Auftritt.

Florin.

In Rodens Garten, schön! Das wird sogleich notirt,
Gesetzt — so auf den Fall — hier würd' ich refüsirt.
Ein reizerfülltes Weib, und voller Geist und Feuer!
Ja, ja, das kommt mir auch fürwahr ein wenig
theuer!
„Mein einz'ger Freund sind Sie!" — Ei, du Sirene,
schwatz'!
Mein schönes Manuscript — O weh, weg war der
Schatz!
Es ist — so unter uns — doch eine hübsche Sache,
Daß ich alchymisch Gold blos aus Papierstoff mache!
Vom Leviathan an, bis zu der Mücke Fuß,
Vom flatternden Atom, bis zu dem Sirius,
Vom Coliseo an bis zu dem Weiberspitel,
Hat niemand Sicherheit vor mir und einem Titel!
Ich liege lang' im Bett', und hab' ich einen Traum,
Bild' ich beim Dejeuner ein Märchen draus, und
kaum,
Daß ich in Pantalons und Morgenfracke stecke,
So schlendr' ich in den Wald. An einer Blüthenhecke,
Am Bach, im Wiesengrund — das ist nun einerlei! —

Wallt still ein schönes Kind, vielleicht auch zwei, und
drei.

Hat sie nicht Reiz genug, ich kann ins Schöne malen,
Und lasse sie im Lied Cytheren überstrahlen.
Das findet seinen Platz, weil längst ein Sammler bat,
G l i c e r e schmeichelnd schrieb, in mancherlei Format,
Und baut man mir darum nicht immer Ehrenpforten,
Werd' ich doch reich belohnt — wär's auch mit
süßen Worten!
Es kommt der Mittagstisch; man speißt im ersten
Haus,
Wo nur Berühmte sind. Es schäumt Champagner
aus,
Und Witz und Witzelei. Man giebt, um einzunehmen;
Es strengt sich jeder an; man muß sich auch bequemen.
Glückt dann ein Einfall, wohl! den trägt man still zu
Buch;
Es strömen andre zu; der Plan ist da; genug,
Man hat, eh' man's versieht,

in Gedanken nach dem Ort, deutend, wo das Lustspiel gelegen.

ein solches Lustspiel fertig,
Und ist des Honorars und ew'gen Ruhms gewärtig!
Man schickt's noch ungedruckt nach Hamburg und nach
Wien;
Da muß der Directeur die schlaffe Börse zieh'n;
Man wird belacht, beklatscht, und ist es gut gewesen,
So wünschen, die's geseh'n, das Ding nun auch
zu lesen!
Je nun, man giebt wohl nach. Wer wird so
grausam seyn?

Man fodert weiten Druck, und das Format recht
klein,
Ein Kupferchen davor; es giebt ein Dutzend Bögen;
Da kommen abermals die Louisd'or geflogen.
Gefällt's der halben Welt, was fragt man nach
Thersit?

Freudig nach dem Lustspiel greifend.

O du mein Lustspiel —!

Traurig.

ach! dich nahm Alice mit!
Was hilft es? Hin ist hin! Verloren ist verloren!
Ich fang' ein neues an.

Neunter Auftritt.

Florin. Nannette, wieder als Wirthin, mit einem
Glas Milch und einem Tellerchen Erdbeeren.

Nannette,
noch vor der Thür, wie zurückrufend.

Jetzt hab' ich keine Ohren;
Ich muß jetzt zu dem Herrn! Macht nur den Hecht
recht blau!

Florin.

Da sinkt mein Trost herab! Das ist die kleine Frau!
Die Gunst der Götter fällt nun endlich aus den
Wolken.
Getrost!

Nannette eintretend.

Seht, lieber Herr! das ist erst frisch gemolken,
Recht extradelicat, das halbe Glas voll Schaum!!

Florin, zutrinkend.
Die schöne Melkerin!

Nannette.

Nicht wahr, so find't man's kaum?
Am Ende hieß es gar, ich ließ ihn hier ver=
schmachten?
Auch dieses Tellerchen wird niemand mir verachten—
So roth —

Florin, zulangend.
Wie dieser Mund!

Nannette.

Hör' nur ein Mensch mit an!
Nein! so viel Ehre hat mir keiner angethan!
Doch —
nach dem Tuche fahrend..

was der Daus, ist das? da hat gewiß die braune,
Verschmißte Fränzel ihn —

Florin.

Ich war bei guter Laune,
Und wußt' auch schon, wohin? — Frau Wirthin!
sag' sie mir,
Hab' ich wohl recht gekauft? ist's hübsch? gefällt
es ihr?

Nannette.

Nun, nun! Potz! Indigblau und eine goldne Kante!
Ja — so was ist zu schön — für uns hier auf
dem Lande!
Nein; so was — nimmermehr kann's unser einem
steh'n! — , ! ?? ????? ??

Florin.

Probir' sie doch einmal; ich möcht' es selber seh'n!

Nannette.

Nun ja, zum Spaß! — O je! wie baumelt das herunter!
Wie vornehm sieht man gleich! Man sollte denken,
wunder!
Wer die Frau Wirthin wär'? — Ach wohnt' ich in
der Stadt! —
Ich glaube, daß so schön es kaum die Gnäd'ge hat!

Will ablegen.

Florin.

Die Gnäd'ge, ja! — Mein Kind! behalt sie doch
nur um!
Es steht ihr allerliebst! — Weiß sie denn nicht,
warum
Die schöne Frau so tief sich stets verhüllt und trauert,
Und vor den Menschen flieh't — Ach Gott! wie mich
das dauert! —
Und wie sie heißt? woher? ob schon vermählt? ob
frei?
Ich sah sie nur einmahl auf einen Husch —

Nannette.

Ei, ei!
Es scheint dem Herrn recht sehr an ihrem Glück
gelegen!

Florin.

Gewiß! O sey sie gut!

Nannette.

Nun, wenn ich muß — von wegen —
Mein Herz ist gar zu weich — So hör' Er, was
ich weiß!
Man sagt sich mancherlei, versteht sich, nur ganz
leis —

Florin.

So, so! Nichts schlimmes doch?

Nannette.

Da thät man warlich Sünde!
Wer ihr zu nahe trät, ich weiß gewiß, es stünde
Hier die Gemeinde auf —

Florin.

Ist sie schon lange hier?

Nannette.

Das sind so ohngefähr drei Wochen, oder vier!

Florin.

Aus welchem Lande denn?

Nannette.

Man sagt — weit über Polen,
Aus — ja, wie heißt es doch? — man sagt, die
Türken holen
Sich ihre Schätzchen dort —

Florin.

Circassien?

Nannette.

So nicht!

Florin.

Georgien?

Nannette.

Ja, ja! Getroffen!

Florin.

— Schelmgesicht!
Du bind'st mir Märchen auf!

Nannette,
als wollte sie das Tuch ablegen.

So kann ich ja wohl gehen —
Ist dieß mein Lohn?

Florin.

Ach bleib! O laß dich doch erflehen!
Ich glaub' dir, hübsche Frau!

Vor sich.

Welch' köstlicher Roman
Spinnt sich in meinem Kopf mit einer Griechin an!

laut.

Gut! aus Georgien! — doch sprich, warum in
Trauer?

Nannette.

Man sagt, ein böser Mann macht ihr das Leben sauer.

Florin.

O weh, ein Mann!

Nannette.

Nun ja — doch sind sie nicht getraut.

Florin.

So ist sie ja wohl gar —?

Nannette.

Geschieden oder Braut?
Von beiden keines ganz — doch so etwas von beiden!

Florin.

Verruchter Bösewicht, der solch ein Herz läßt leiden!

Nannette.

Das hat der Herr fast recht —

Florin.

Daß mich Apoll verdamm'!
Kennt' ich den Bösewicht, ich schrieb ein Epigramm
Voll Salz und Gift auf ihn, leb' ich gleich gern
in — in Frieden!

Nannette.

Sie achtet alles nicht, was ihr das Glück beschieden —
Das ist so ziemlich viel! — trägt unaufhörlich Leid,
Lebt einsam, klösterlich, geht wie im Nonnenkleid;
Ihr Trost ist die Musik —

Florin.

Das alles könnt' ich wagen!
Durch Stürme, Meer und Glut —

Nannette.

Man will noch etwas sagen —

Florin.

O ich beschwöre dich! — O sprich! Barmherzigkeit!

Nannette.

Man sagt sich halb ins Ohr, daß sie — seit kurzer Zeit
Von neuem aufzublüh'n, zu lächeln, angefangen;
Ja, wider ihr Gelübd, oft in den Park gegangen —

Florin.

Wie lange ist das her?

Nannette.

Fünf Tage!

Florin.

Wie? Aha —
Ihr Götter! ganz' die Zeit, da mich der Engel sah!
Ist's möglich? Frage nicht, Du Seligster von Allen! —
O schönes Weibchen!

Nannette.

Was?

Florin.

Thu' mir doch den Gefallen,
Und suche —

Nannette.

Ja, recht gern! Doch jetzo muß ich fort!
Will wiederum das Halstuch abgeben.

Florin.

O liebes Kind! das bleibt! Es liegt am schönsten Ort!

Nannette.

Wie? es soll mein?

Florin.

Ja wohl!

Nannette.

O Dank! — Im Edelhofe
Hab' ich ein Schwesterchen; es ist der Gnäd'gen Zofe.

Florin.

Ist's wahr? mein Schutzgeist du!

Nannette, geheimnißvoll.

Und — wenn der Abend naht —
Es ist im tiefsten Park ein einsamstiller Pfad
Durch Eichen, Lerchenbäum' — ein Haus von Moos
und Rinden;
Ich glaube wirklich fast, da — wär' heut' was zu finden
Für den, der suchen will —

Florin.
— O! Du bist engelgut!
Ach, wenn es mir geläng —

Nannette.
Ich helf' ihm! faß' er Muth!

Florin

Du Engel! halt dein Wort! — Wir leben dann recht
friedlich!
Nicht wahr?

Nannette,

lägt fich endlich die Wangen füffen.

Nun, für das Tuch!

Läuft schnell ab.

Florin.

Sie ift doch warlich niedlich!

,Fronten,

a Tut wagner sie . i r ac a3!

Blum, für das Cl

.a, waqut tluq"

Zweiter Aufzug.

Schattige Baumvortheile, mit Irrgängen, einer Brücke von Zwei=
gen, Rasenlanken An den Baumen hie und da Inschriften. Im
Hintergrunde eine große, geschmackvoll erfundene Einsiedler=Hütte.

Erster Auftritt.

Nannette,

mit hellbraunen Haaren, einen Strohhut und ein Körbchen mit
Apfelsinen am Arm, tritt aus der Hutte.

Nun warte, warte nur, du trotziger Florin!
Bald wird das goldne Netz dich ganz und gar
umzieh'n.
Schon dreimal ist's geglückt an e i n e m Vormittage;
Vielleicht glückt's heute ganz, wenn ich's noch öfter
wage.
Mit dem hat's keine Noth; der nimmt's nicht so
genau;
Er liebt die halbe Welt, warum nicht auch die Frau?
Nein, der ist mir gewiß! — Doch still, er möchte
kommen;
Mein Mädchen sagte ja, daß er den Hut genommen.

Sie lauscht ein wenig, und bricht dann schnell den Zweig ab.

Nimm, weiches Moos, mich auf! Es rauscht auf
jenen Höh'n;
Man sagt, im Schlummer sind wir Männern doppelt
schön!

*Sie legt sich und Hut heben sich, breitet den Zweig über ihr Gesicht
und stellt sich schlafend.*

Zweiter Auftritt.

Nannette, Florin, *langsam von einer Seite kommend.*

Florin.

Hier ist Arkadien! O fänd' ich Daphne drinnen!
Von jedem Wipfel tönt ein Lied der Sängerinnen.
Mit sehnsuchtsvollem Laut, sanft klagend rauscht
das Laub,
Als lebte jeder Baum, einst eines Gottes Raub.

Die Inschriften besehend.

Ich fühl' es nicht allein! Was in den schönsten
Stunden,
So manches sanfte Herz, manch edler Geist empfunden,
Verkündet jeder Stamm. Die schöne Klausnerin
Ist — Alles sagt es mir! — von zartem Geist und
Sinn!
Ein Herz, das Ruhe sucht in einer Solitüde,
So reizend angelegt, wird leicht gerührt vom Liede! —
Dort steht das stille Haus, das Epheu grün umflicht;
Ich wag' es, hinzugeh'n —

Indem er Nannetten gewahr wird.

Ihr Götter! täuscht mich nicht!
Wär' sie es selbst? — Ach nein! Die Jüngste der
Sylphiden
Beut hier im netten Korb das Gold der Hesperiden.
Wie schön der Amorskopf sich an das Händchen schmiegt,
Und dieser runde Arm auf dem Gesichtchen liegt!

Leise den Zweig aufhebend.

Wie hold, wie jugendlich! Wie glüh'n die Rosenwangen!
Mit welchem sanften Braun ist Stirn und Hals
umfangen
Wie glatt dieß Haar, wie weich! Jetzt ist mir's
offenbar,
Daß Hebe's Lockenschmuck ein helles Nußbraun war!

Beugt sich leise zu ihr herab.

Sollt' es wohl unrecht seyn, ihr einen Kuß zu
rauben?
Ist Küssen Sünde denn? So sünd'gen auch die
Tauben! —
Sie schläft so unschuldvoll; ich bin hier unentdeckt —
O sie ist gar zu hold —

Nannette,

springt geschwind auf und stülpt den Hut auf — noch halb schläfrig.

Ach! bin ich nicht erschreckt! —
Mein Herr! ich war so müd' — mich drückten neue
Schuhe —
Nun lachen Sie nur nicht — und lassen Sie mir
Ruhe!

Florin.

O liebes Kind! bei mir kannst Du ganz sorglos seyn,
Sieh mich als Bruder an —

Nannette, wie vor sich.

Wie spricht er doch so fein,
So ohne allen Stolz!

Florin.

Nicht wahr, Du bist nicht böse?
Was kostet hier das Stück?

Nannette.

So gern ich etwas löse, —
Ach glauben Sie gewiß, man wächst doch auch heran,
Und zög sich gern so hübsch, wie andre Leutchen, an —
So thut mir's dießmal leid. Ich bring' sie aus dem
Bade —

Florin.

Wohin?

Nannette.

Die gnäd'ge Frau erzeigte mir die Gnade
Und sagte letzthin —

Florin.

Wie? Du bist wohl öfters da?

Nannette.

Das Kammermädchen ist von mir die Muhme ja!
Ich weiß es selbst nicht recht, ob Tante oder Muhme?
Ihr Vater hieß Johann, und meiner Martin

Florin, lachend vor sich

Die zweite Blutsfreundschaft! Ist man nur ange-
brännt,
Gleich ist die ganze Welt dem Haus der Braut verwandt

laut.

Du gehst wohl jetzt zu ihr?

Nannette.

Nun freilich!

Florin.

Liebe Kleine! —
Du weißt wahrhaftig nicht, wie gut ich's mit Dir
meine?
Ich spräch, so Deinethalb, mit Deiner Muhme
gern

Nannette.

Ist's Ernst? Fast ist's zu viel von einem solchen
Herrn! —
So bin ich wirklich hübsch?

Florens

Gewiß! ich kann nicht lügen —

Nannette.

So ist's wohl auch nicht wahr, daß Männer oft
betrügen?

Florin.

Bewahre uns davor —!

Nannette.

Sie sind mir wirklich gut?

Florin.

Gewiß!

Nannette.

Bin ich auch hübsch geputzt?

Florin.

Bis auf — den Hut!

Nannette.

Wie? der entstellte mich?

Florin.

Es fehlt an einem Bande!
Da nimm — und schicke mir die Muhme oder Tante!

Nannette.

Wie? das soll alles mein? Es ist ein ganzes Stück!

Florin.

Ja! Schick' mir nur geschwind —

Nannette hupfend.

O Himmel! welch ein Glück!
Doch — nein! es schickt sich nicht —

Florin.

Du wirst Dich doch nicht schämen?

Nannette weinerlich.

Ja, wüßt' ich nur gewiß — daß —
Sie mich wirklich nähmen!

Florin vor sich.

Wa — was! Das nenn' ich rasch —

Nannette zärtlich.

Nun, gieb mir drauf die Hand!

Florin.

Da, kleiner Narr!

Nannette.

Juchheh! mein schönes Hochzeitband!

Springt freudig ab.

Dritter Auftritt.

Florin.

Nun sag' mir einer noch von ländlichen Agnesen!
Bei diesem jungen Kind gilt wenig Federlesen;
Kaum, daß man es versucht, ihr untern Hut zu
        schau'n,
So fragt sie ganz naiv: Wann lassen wir uns trau'n?
Ihr gilt's nur einen Schritt vom Seh'n zum ew'gen
        Bande;
Gerieth das Kind vielleicht nach Schwester oder
        Tante?
Ob diese kommen wird, und mit sich reden läßt? —
Hm! eines Zöfchens Herz ist niemals eisenfest!
Gewiß, sie kommt! Doch wie? Was hab' ich ihr zu
        sagen?
Dieß Kettchen wend' ich dran, will sie ein Briefchen
        tragen
Und sonst gefällig seyn! Ein Briefchen? Nein, Florin!
Ward dir umsonst das Lied, der Leier Macht,
        verleih'n? —
    Setzt sich und zieht sein Taschentuch heraus.
So schwebt, ihr Musen, denn auf euern Priester
        nieder;
Seyd gnädig, schenkt mir jetzt das Lieblichste der
        Lieder!
Du, zarter Wohlklang, komm am Arm der Phantasie,
Komm, Liebesgöttin du! Auch du, Melancholie!
    Sinnend, mit dem Bleistift auf dem Papier.

Hm! ja, das ginge an — „Wo fanfte Thränen

fließen"?—

Nein! foll ich mich denn gleich in bittern Schmerz

ergießen?

Der Anfang scheint mir platt; das fiel ja jedem ein,

Und klingt recht pinselhaft! — Man müßte etwa —

Nein! —

Zwar koftet's nur ein Wort, und taufend Blumen

fprießen.—

Prr! fprrießen — das klingt schlecht; wie wär's

mit Frühlingswiefen? —

Ei, welch ein feltner Reim! —

Stampfend.

Ihr Mufen! ha! verdammt!

Wie lange dauert's doch, bis ihr die Glut ent=

flammt?

Was quäl' ich mich denn auch?

Einige Blätter herausnehmend.

Ift jemals noch gezwungen

Ein lieblich Liedchen mir, ein Räthfel nur, gelungen?

Mein Köcher ift nicht leer! Hier Pfeile, eins, zwei,

drei —

Das ift das rechte; ja! Zwar ift es nicht ganz neu,

Hat fchon gedient einmal — es lehrte Nantchen

lieben —

Doch — ei! dafür ift's auch recht fauber abgefchrieben!

Und, was das fchönfte ift —

Es flüchtig durchfehend.

Ein wahres Glück! Es paßt

So recht auf diefen Park, als wär's hier abgefaßt! —

Schön! Du wirst Wirkung thun! Wie weich die
Töne schwellen!
Es rauscht wie Wellen hin, und kehrt zurück wie
Wellen.
Es schmelzt gewiß ihr Herz und bringt mir Min-
nelohn.
Ihr Götter, meinen Dank! — Da kommt ja Iris
schön!

Vierter Auftritt.

Florin. Nannette, ganz wie das Kammermädchen im
ersten Auftritt des ersten Aufzugs gekleidet, scheint, ohne Florin zu
bemerken, geschwind von einer Seite zur andern gehen zu wollen.
Sie spricht im Berliner Dialekt.

Florin,

Ihr in den Weg tretend und den Hut ziehend.

Mamsell! — mein Fräulein! — darf ein Fremder
hier verweilen?
Der Park ist himmlisch schön ——

Nannette.

O ja, mein Herr!

Florin.

Sie eilen

Ja, wie Europa einst

Nannette, spöttisch;

Sind Sie vielleicht —?

Florin.

Ein Mann,
Der niemals ungerührt die Schönheit sehen kann!

Nannette,
sich immer losmachend.

So sagen Sie mich nur —

Florin, lächelnd.

O, möchten Sie mir hören!
Ach, gilt bei Sie denn gar kein Bitten und Beschwören?
Ist diese sanfte Brust —

Nannette.

Ich habe keine Zeit!

Florin.

Sind Sie ein Tigerherz —?

Nannette.

Sie geh'n ein wenig weit!
Sie zwingen mir —

Florin.

O nein!

Nannette.

, ... gerad' heraus zu sagen:
Ich kann so — keinen Scherz nicht allzugut vertragen.

Florin.

Ein Scherz? Ihr Götter, hört!

Nannette.

Warum . . . lassen Sie, man gut!

Florin, vor sich.

Das ist ein Nesselstrauch!
laut.
An Ihren Edelmuth,
An Ihren zarten Sinn, muß sich Verzweiflung
wenden —

Indem er die goldne Kette hervorzieht.

Es liegt mein ganzes Glück, mein Tod in Ihren
Händen!

Nannette, plötzlich verändert.

Mein Gott! Sie rühren mir — Wie könnt' ich
widersteh'n?
Ein solches junges Blut im Leichentuch zu sehn! —
Was wollen Sie von mich?

Florin.

Zuerst, in Ihren Blicken
Des Mitleids Strahlenschein. — — ich kann —

Nannette.

Das will sich man nicht schicken!

Florin.

Warum? schuf die Natur für diese Nonnentracht
So seltne Wohlgestalt? nur für des Schleiers
Nacht —

Nannette.

Das glaub' ich selber kaum —

Florin.

Ein Aug' voll Himmelsfülle?

Nannette.

Mir zwinget ein Gelübd und der Gebiet'rin Wille!
Ein Mann, ein falscher Mann, entzieht der Gnäd'-
gen sich;
Drum meidet sie das Licht, und fodert's auch von
mich.
O hörte sie auf mir! Ich ließ ihn geh'n, den Laffen—
Die Sorte ist nicht rar; es wimmelt ja von Affen.

Florin, vor sich.

Wie allerliebst!

Mamfell! ich ehre Ihre Pflicht,
Doch dünkt mir's Graufamkeit —

Nannette,
das Geficht halb entfchleiernd.

Nun, jetzo fieht fie's nicht.

Florin.

O meinen wärmften Dank!

Nannette.

Nun? Ihre zweite Bitte?

Florin.

Wenn diefer Leda's=Hals, weiß, wie der Schnee
es litte,
Daß des Bewund'rers Hand —

Nannette fich beugend.

Sie lieber, lofer Mann!
Man kann nicht böfe feyn, wenn man auch will —

Florin.

Nun dann!
Sie läßt fich die Kette von ihm umlegen.

Wie aus Canova's Hand! Von blendendweißem
Steine

Ein reizend Götterbild, ein Bild von Elfenbeine,
Mit goldnem Schmuck geziert! — Geziert von
ihm, sag' ich?
Es ziert den Schmuck —

Nannette.

Galant! — Was wollen Sie von mich?

Florin.

So kann ich denn mich ganz der Edlen anvertrauen — ?

Nannette.

Sie können steif und fest auf meinen Beistand
bauen,
Weil Sie so artig sind — Denn, so mit
Gold besticht
Man Töchter edlen Sinns und edler Herkunft nicht.

Florin.

Wem das im Traum einfiel, mit dem würd' ich
mich zanken!
Ich möchte Ihnen gern das höchste Glück verdanken;
Drum sagen Sie mir doch, wie die Gebieterin,
Die schöne Dame heißt —

Nannette.

Ja, lieber Freund, da bin
Ich selbst im Dunkeln noch —

Florin.

Wo ist sie hergekommen?

Nannette.

Sie hat mich kürzlich erst in ihren Dienst genommen.

Florin.

Hat sie nie mich geseh'n? —?

Nannette.

Mein Herr! da sag' ich: Nein!

Florin.

Doch trieb' ich Sie zum Schwur?

Nannette.

Je nun: Es könnte seyn!

Florin.

Und hätt' ich Hoffnung wohl? —

Nannette.

Warum nicht selber fragen?

Florin.

O Beste! wollten Sie dies Liedchen zu ihr tragen?

Nannette.

Ein Lied? Wir wollen sehn! Sie liebt die Poesie —

Florin.

Ich bin ein Dichter: —

Nannette.

Schön!

Florin.

Florin mit Namen —

Nannette.

Wie?

Oft küßte sie ein Buch, und las darin; Ihr Name —

Florin.

Ist ihr bekannt? — O hier! hin zu der Herzensdame!
Es ist der reinsten Glut, der tiefsten Ehrfurcht Zoll.
Es ward mir heute früh das Herz so eng, so voll;
Da wagt' ich's endlich denn, die Flammen auszu-
    hauchen —

Nannette.

Sie blenden doch wohl nicht, und schaden zarten
    Augen?

Liest und sieht ihn zuweilen verstohlen an.

„Sie weiß es längst, was ich verschweigen muß!

„Euch, Frühlingsbäume, nannt' ich ihren Namen"
Den wußten Sie ja nicht —

Florin.»

Das wird nur so gesagt!
So — Laura, Rosa — nun! wie's jeglichem behagt!

Nannette.

„Du Echo, riefst ihn nach, und junge Weste kamen,
„Und trugen ihn süß flüsternd übern Fluß.
„Sie weiß es längst, was ich verschweigen muß!"
Der Fluß ist kaum ein Bach —

Florin.

Wer wird um Worte streiten!
Das Allerkleinste groß, das Nahe in dem Weiten,
Sieht der Poet —

Nannette.

So, so? — Mein liebster Herr
Florin! —

Florin.

Nun? nicht wahr, schönes Kind? —

Nannette.

Mir dünkt's ein wenig kühn —

Florin.

Kühn, glühend sey das Lied!

Nannette.

Ja das — doch nicht gestohlen?

Florin, wild.

Gestohlen! ich Florin! Mich soll der Schwarze
holen! —

Einlenkend.

Bei dieses Nackens Schnee! ich bin kein Plagiar!

Nannette.

Nun, seyn Sie nur nicht gleich — ich meinte nur —
es war —
Denn meine Dame ist darin ein wenig eigen,
Und sollte sich bei näh'rer Prüfung zeigen,
Dieß wäre etwa schon bekannt —.

Florin.

Von heut?

Nannette.

Ich bring' es ihr,
Und Ihnen Antwort —

Florin.

Schön! o schön! Ich warte hier.

Nannette ab.

Fünfter Auftritt.

Florin.

Scharf, stachlich, wie Kritik, doch reizend, wie die
Sünde!
Fast scheint es, daß ich mich in Circe's Reich befinde;
In Mahoms Paradieß! — Doch, Freund Florin,
gieb Acht;
Fast hätte diese dich aus dem Concept gebracht!
Sie drang recht auf den Grund, und wär' mein
Muth geringer,
So glaubt' ich warlich fast die Mähr vom kleinen
Finger!
Doch —
O euch Göttern Dank, die mich dieß Lied
gelehrt!
O, das ist ganz gewiß, die Spröde wird bekehrt;
Sie ließt das Lied — ei nun, sie ist ein zartes
Wesen —
Sie kann vor süßem Schmerz es kaum zu Ende lesen;
Sie fragt die Zofe aus; sie giebt ihr zu versteh'n,
Sie möchte heute wohl einmal spazieren geh'n.
Ist sie aus Griechenland, so nährt sie heiße Triebe;
Ist's nicht — in jedem Land wohnt unterm Schleier
Liebe!
Genug, sie kommt gewiß, sie kommt noch heute her —
Verrieth's die Wirthin nicht? — und was, was
brauch' ich mehr?

Ich biete alles auf, was mir im ganzen Leben,
Der Musen freie Gunst, Genie und Fleiß gegeben;
Sie wird, sie ist besiegt! Wir wechseln Kuß und
        Pfand,
Und bald erfährt der Neid in meinem Vaterland
Mein unermeßlich Glück — „Wie ist das zugegan=
        gen?" —
„„Je nun, er hat die Perl' blos durch ein Lied ge=
        fangen!"" —
„Der treibt's auch gar zu bunt!" — Man zeigt dem
        Publicum,
Zwar halb und halb verblümt, es sey ein wenig dumm;
Doch fragt das Publicum: Kann man das Lied nicht
        haben?
Ich? — ei, ich hab' es nicht — es liegt im Pult
        vergraben!
Man sieht das schöne Kind; doch, sehr bescheiden,
        weißt,
Sie's nur von ferne auf, bis — man es ihr entreißt!
Man giebt's geheimnißvoll —

    in der Ferne hört man Citherspiel und Gesang.

            Gott! welche süße Töne!
Ein überird'scher Klang verkündet meine Schöne!

Sechster Auftritt.

Florin. Nannette, in romantischer Tracht eines Cither:
spielers, kommt langsam hervor.

Nannette,

noch unsichtbar, singt. *)

„Dort wallte sie am monderhellten Fluß.
„Wie Elfen durch den Thau des Abends gleiten,
„Wie Nymphen hehr am Blumenufer schreiten;
„So schlüpfte über Veilchen hin ihr Fuß.
„Sie weiß es längst, was ich verschweigen muß!"
Citherspiel.

Florin,

an einen Baum gelehnt.

Wie wunderbar! — Mein Gott! Wie wirkt die
Phantasie
Doch auf mein weiches Herz! Das scheint die
Melodie
Zu meinem eignen Lied. Zu zärtliches Gewissen!
Auch Worte glaubt' ich fast — es klang, wie Fluß
und Müssen! —

*) Dieß Liedchen (vollständig mitgetheilt in der
Sammlung meiner Gedichte Bdch. I. S. 277.) ist
von meinem, zu früh für die Kunst verstorbenen Freunde
A. Harder, in Musik gesetzt worden.
d. V.

Nein, nimmer, nimmermehr, es ist nur Sinnentrug;
Wie? — Oder wär' Sie Selbst wohl kunstgeübt
genug —
O wär' es wirklich so, wie würd' es mich er=
heben! —
Gleich meinem Lied Musik und Citherklang zu
geben?

Nannette,

ist unterdessen hervorgekommen und hat sich an der Einsiedelei
niedergesetzt.

„Leicht schlüpfte über Veilchen hin ihr Fuß.
„Wie? lauschte Sie, vom süßen Ton gefangen,
„Den Nachtigallen, die aus Ulmen sangen?
„Wie? lauschte Sie der goldnen Saiten Gruß'?
„Sie weiß es längst, was ich verschweigen muß!"

Florin.

Das ist Verrath und Trug! Wie lange hör' ich
schon —

Nannette.

„Still lauschte Sie der goldnen Saiten Gruß,
„Sie forschte nach" —

Florin,

sie heftig ergreifend.

Woher? woher hast du den Ton?
Woher hast du das Lied, du wundervoller Knabe?

Nannette.

Ich hab's von ihr —!

Florin.

Von ihr?

Nannette.

Von der ich Alles habe!
Was fragen Sie, mein Herr? Ich war verwais't als Kind
Und ach! wie mitleidsvoll, wie sanft ist sie gesinnt!
Sie ward in früher Zeit durch Zufall mir gewogen —
Oft spielte sie mit mir — und kaum war ich erzogen,
So holte sie mich ab —

Florin.

Die Edeldame hier?

Nannette.

Nun ja, die jetzt hier wohnt!
Auf die Cither deut'nd.

Auch dieß verdank' ich ihr!
Sie gab mir Wort und Ton, Gedanken und Ge-
fühle,
War meine Lehrerin in Sang und Saitenspiele —

Florin vor sich.

O ganz, o ganz gewiß! Es ist ein Liebessohn!
Erzogen hat sie ihn? Ja, ja, man kennt das schon!

Welch liebliches Gesicht! Der Ton von Philomelen,
Und Augen, die im Flug der Weiber Herzen stehlen,
Voll Glut und Schwärmerei! Nun wird mir alles
                              licht,
Was noch im Dunkel lag! Darum erfährt man
                              nicht,
Wer? wie? warum? woher? — Sie büßt in
                         Trauerflören
Ein schön Verbrechen ab. Sie ließ sich einst bethören,
Und scheut Enträthselung —
                         laut.

                    Sie gab dir dieß Gedicht?

                    Nannette.

Nun ja! Ist's Sünde denn? Ja doch! Warum denn
                    nicht?
Sie flieht oft aus dem Schloß in diese stillen Bäume;
Dann bin ich stets zur Hand, erwarte sie und träume —
Der Traum ist gar zu süß! — ich könne sie zerstreu'n
Durch Cither und Gesang; doch nur dieß Lied allein
Gewährt ihr Trost.

                    Florin
              freudig die Hände reibend.

          Mein Lied!

                    Nannette.

              Sie pflegt wohl auch zu weinen;
Doch sagt sie, daß ihr dann die Genien erscheinen.

Entfloh'ner, schöner Zeit — Sie träumt die Zeit
            zurück,
Verlebt noch einmal froh das ihr entriß'ne Glück!
Sie pflegt wohl oft das Lied noch einmal zu verlangen,
Und sieht mich freundlich an, und klopft mich auf die
            Wangen.

Florin vor sich.

Die Wangen? Herr Florin! Geh'n sie ein wenig
            sacht;
Am Ende würden sie zum Dank noch ausgelacht.
                    Laut.
Du liebst sie wohl recht sehr? —

Nannette.

                Wie sollt' ich sie nicht lieben?
O das ist jedem tief in seine Brust geschrieben!
Sie folgt mir überall, des Tags und in der Nacht;
Sie ist's, die mit mir schläft, und die mit mir
            erwacht. —

Florin vor sich.

Verwünscht wär' mein Geschick! — es ist ihr
            Cherubin!

Nannette vor sich.

O, das wird allerliebst! Ich mach' ihm heiß und eng!
            Laut, mit schmachtendem Entzücken.
O dürft' ich, könnt' ich nur ihr, was ich fühle, sagen;

Nur Echo, Berg und Thal, vernimmt die stillen
    Klagen;
Gern miß' ich hier das Land, wo die Citronen
    blüh'n —
Kennst du es nicht, mein Freund? — und Gold-
    orangen glüh'n;
Gern miß' ich Vaterland und seiner Haine Düfte;
Wo meine Herrin weilt, da weh'n des Himmels Lüfte!

Florin vor sich.

Welch' junger Bösewicht! — Doch sehen muß ich;
    seh'n
Die Magdalene doch —!
Laut.
   Wird sie auch heut' hier geh'n?

Nannette.

Das glaub' ich ganz gewiß. Sie ist schon längst
    von Hause,
Und weilt vermuthlich hier im kühlen Raum der
    Klause.

Florin.

Wie? in der Klause dort? in dieser Hütte schon?
Vor sich.
Jetzt alles oder nichts!
Laut.
    O hör' doch an, mein Sohn!

Ich fähe fie fo gern; o fuch's doch einzurichten —
Du würdeft mich recht fehr, vielleicht auch fie ver=
    pflichten.

Nannette.

Auch Sie? wär's möglich? Sie? — Sie wären ihr
    bekannt,
Vielleicht von Ihrem Freund' mit Briefen hergefandt,
Vielleicht —

Florin vor fich.

Ei frifch gewagt! Man muß zu lügen wiffen!

Nannette vor fich.

Dem Pagen fchenkt er nichts! Ich werde beichten
    müffen! —

Florin laut.

Ja, ja, du kleiner Schalk! Du fcheinft fehr fchlau,
    fehr fein,
Im Rathen fehr gefchickt —

Nannette
wie vor fich, mit großem Affect.

Gott! follt' es möglich feyn?
Es wär' der Falfche felbft —!

Stürzt vor ihm nieder.

O laßt mich knie'n und weinen!
Ihr, der Gebieterin, wird wieder Glück erfcheinen;
Ihr feid's! ihr kehrt zurück! —

Florin vor sich.

Das ist doch wunderbar!
Der Nebenbuler kommt; Er scheint entzückt —

Nannette.

Ist's wahr?
Ist's wahr? Sie sind's? Sie sind's? Der liebe
Ungetreue?
Sie kommen liebevoll, mit Schmerz und bittrer Reue:
Versöhnung flehen Sie? — O Hoffnung, Him=
melskind!
Wie glücklich wird Sie seyn! — O' sagen Sie ge=
schwind:
Ich bin's! so flieg' ich fort —

Florin.

Du scheinst ja Glut und Flammen!

Nannette.

Wie kann das anders seyn? Wir litten ja zusammen;
Wenn Sie nicht länger weint, wenn Liebe Sie beglückt,
So bin ich ja zugleich dem stillen Gram entrückt.
O wüßten Sie, wie heiß Ital'sche Mädchen fühlen,
Sie würden länger nicht mit meiner Hoffnung spielen!

Florin.

Auch Sie wär' aus dem Land —?

Nannette.

Nur ich allein, nicht Sie!

Florin.

Von Mädchen sprachst Du ja —

Nannette.

Nun freilich, freilich! Wie?
Erriethen Sie denn nicht, daß Sie mich auf der
Reise
Durch Mailand mit sich nahm, und daß ich
Mignon heiße?

Florin
sie feurig an sich ziehend.

Du Mignon? — Götter, du! — du, süße
Nachtigall,
Ein Mädchen? — War ich blind? — Ihr
Himmelsgötter all'!
Sie ist, wie Engel, rein! — Hab ich denn nichts
zu schenken?
Du Liebesgauklerin! nimm dieß zum Angedenken!
Giebt ihr hastig das Medaillon und die Ohringel.
Hätt' ich ein Diadem —

Nannette
mit mädchenhafter Freude.

Von Ihnen nehm' ich's an,
Und zeig's der schönen Frau! — Mir war's wie
angethan
Reißt hastig die Ohrringel von der Karte und hängt sie ein.
Oft wünscht' ich heimlich mir dergleichen Schmuck zu
haben;

Es läßt so mädchenhaft, und paßt auch für den
Knaben! —
So tret' ich vor Sie hin —!

Florin.

Du allerliebstes Kind! O
Huldgöttin! Zauberin! —

Nannette.

Ich fliege wie der Wind;
Mit sanftem Lautenton begrüß' ich sie, und singe;
Und fragt Sie lächelnd dann: Wer gab dir diese
Ringe?
So, flüstr' ich leis: Er selbst!
Will fort.

Florin.

O warte, warte doch! —
Verwünschtes Mißgeschick! —

Nannette.

Was wollen Sie denn noch?

Florin.

O, das verwünschte Lied! Was vorhin Iris drohte,
Wird sicherlich erfüllt! — Du kleiner Liebesbote!
Sing' doch das Liedchen nicht; denn, wenn du dieses
sängst —

Nannette.

Wie so? warum denn nicht? – Das Lied: Sie weiß
es längst?

Florin.

Ja, ja, Sie weiß es längst! — wenn auch nicht
meine Liebe,
Doch wenigstens mein Lied! — Ob ich ein andres
schriebe — ?
Ich habe wohl noch eins — das von der stillen Flur —
Doch das gefällt mir nicht! — Nun gut, so sing'
es nur!

Nannette.

So sagen Sie mir doch — Was haben Sie dawider,
Wenn ich das Liedchen sing'. — was schaden solche
Lieder?

Florin.

Mein Gott! nun gut, du singst; – doch — wenn
Sie, — etwa lacht;
So sag' ihr nur, das Lied, das man ihr jetzt
gebracht —
Das Kammermädchen nahm's — das wäre nicht das
ächte —
Mir würd' es kränkend seyn, wenn Sie was Arges
dächte —
Das Lied sey falsch —

Nannette.

Sey falsch —?

Florin.

Vertauscht! Verstehst du nun?

Nannette.

Kein Wort!

Florin.

Doch sag' ihr's nur!

Nannette.

Ei, das will ich wohl thun!

In die Eremitage ab.

Siebenter Auftritt.

Florin.

Sie glaubt es nicht! Und wenn — was ist damit
gewonnen?
Florin, du hast dich selbst mit einem Netz umsponnen,
Das den Olympiern leicht ein Gelächter giebt! —
Ja, ja, das ist der Lohn, wird man in Feen verliebt!

Wirft sich auf eine Bank.

Verliebt? hm! bin ich das? Kaum hab' ich Sie
gesehen;

Selbst dieß verdank' ich noch des losen Zephyrs
     Wehen!
Sie schien ein Himmelsbild! Vielleicht! — Nun ja,
    ich sah
Sie im romant'schen Hain, hier in Arkadia!
Sie ging in düsterm Schwarz, umwallt vom dichten
     Schleier;
Da glüht ein schwarzes Aug' mit doppelt schönem
     Feuer,
Und doppelt blendend hebt aus nächtlich schwarzem
    Flohr
Sich eine weiße Brust, ein Schwanenarm hervor!
Doch — sey sie Venus selbst! — wie den Roman nun
    enden?
Fängt mir doch wunderbar das Herz sich an zu wenden!
Was will ich denn bei ihr, auch wenn das Spiel
    gelingt?
Sie lieben? Gut! Und dann — Heirathen? — ach,
    es dringt
Ein leises Beben mir an die geheimste Seele! —
Ja, wenn es Nantchen wär'! Florin! Florin!
    verhehle
Aus Eigensinn und Trotz dein eignes Herz dir nicht!
Ach, immer noch zu Ihr zieht Liebe dich und Pflicht!
 Zwar, sie — brach Wort und Schwur, so heilig
    mir gegeben,
Sie trübte mir das Licht, verbitterte mein Leben —
Doch, warum reist' ich auch, verließ das schöne Land,
Wo ich das höchste Glück in Nantchens Liebe fand? —
Es war doch schöne Zeit, wenn ich des Abends eilte,

Ein Lied ihr gab und las, bis in die Nacht verweilte!
Wie schön war jener Tag, da sie im Garten stand,
Und weinend, lächelnd dann mir dieses Liebespfand,
Wozu sie lang gespart, selbst an den Finger steckte;
Wie schön der erste Ball, der unsre Liebe weckte!
Wie schön das Doppelfest der Liebe und der Kunst,
Da die Gefeierte, nicht bergend mehr die Gunst,
Da die Vergötterte, der Alles huld'gend fröhnte,
Mich mit dem Lorberkranz, den ihr man weihte,
            krönte,
Mir sanft die Wange bot —

     steht in tiefen Gedanken, auf seinen Ring.

Letzter Auftritt.

Florin. Nannette, wie im ersten Auftritte des ersten
Aufzugs, ganz in Trauer, tritt aus der Einsiedelei.

Nannette vor sich.

          Voll ist die heil'ge Zahl!
Doch eins versuch' ich noch, ich wag' es noch einmal!
Wenn dieses mir gelingt — zwar tief wird es mich
         schmerzen,
Doch — ach, ich lieb' ihn doch mit vollem, heißem
          Herzen!

weiter vorkommend, laut, mit tiefem Gefühl:

Der Abend schwebt herab —

Florin *auffahrend.*

Mein Gott! ſie kommt!
    Auf ſie zu.

Madam! —
Vergönnen Sie, Madam, dem wärmſten Dank —
        ich nahm
So innig Antheil, war ſo fühlbar für die Ehre,
Die edle Schöpferin von dieſem Park —

        Nannette.

                            Ich höre,
Daß dieſer düſtre Hain ſich Ihrer Gunſt darf freu'n.
Verleiten Sie mich nicht, Florin! zu ſtolz zu ſeyn.

        Florin *vor ſich.*

Sie las von mir —! und ſpricht, wie Mignon
        Philomele —
            Laut.
Vermöcht' ich das, Madam — Doch Stolz in einer
        Seele,
Die nur dem Himmel lebt, doch ihn zur Erde zieht,
Unſichtbar Freuden ſchafft, doch ſelbſt die Freude flieht?

        Nannette.

Sie denken gut von mir! Ich habe wohl den Willen;
Doch fehlt mir oft die Kraft, es glücklich zu erfüllen,
Was ich mir ſtill gewünſcht. Gern ſchüf ich dieſen
        Wald
Zum Tempel der Natur, zum lieben Aufenthalt

Für sanfte Herzen; doch,.wie kann das mir gelingen?
Nur Auserkohrne sind's, die in das Heil'ge dringen,
Und, was sie tief gefühlt, dem Lied', dem todten
Stein
Dem Bilde — selbst dem Blumenbeet', dem Strauch',
verleih'n!

Florin.

Wer Schönes fühlt und wünscht, ist sicher auserkohren.

Nannette.

Doch wird Gefühl und Kraft auch stets vereint
geboren? —
Was streiten wir, mein Freund! Der Kampf ist hier
nicht gleich!
Ein still empfindend Weib, ein Dichter, kühn und reich.
Auch — seh'n Sie, seh'n Sie nun; daß Stolz und
Wahn mich treiben? —
Auch sind wir wohl zu gut, um länger fremd zu
bleiben.

Schlägt den Schleier etwas zurück.

Florin, vor sich.

Welch himmlisches Gesicht! Wie denkt, wie redet sie!

Laut.

So ist es denn kein Traum, kein Wahn, daß
Sympathie
Getrennte schön vereint; sie unerkannt verbindet;
Daß, was sich angehört, auf heil'gem Pfad' sich
findet —

Nannette.

So dacht' ich mir Florin', wenn ich entzückt ihn las,
Bei seiner Liebe Lied den eignen Schmerz vergaß.
Ach, träumend dacht' ich oft: ein solches Herz erwerben,
O! so geliebt sich seh'n und dann — mit Wonne
                    sterben!
Was sag' ich? Ich vergaß —

Florin, vor sich.

                    Wie das zum Herzen drang!
Welch holde Schwärmerei! Welch zauberischer Klang!
Wo bin ich? Hört' ich recht?

                    Laut.

                    So darf Florin es wagen,
Die stille Huldigung — den leisen Wunsch —

— Nannette

kühler, als wollte sie das Obige verbessern.

                    O schlagen
Sie oft den Weg hier ein. Dann sinkt auf dieses
                    Thal
Der Götter höh're Gunst, der Sonne schön'rer
                    Strahl.
O kommen Sie recht oft in diesen stillen Garten, —

Florin verbindlich.

Mit jedem Morgenroth, die — Sonne zu erwarten!

Nannette
als wollte sie abbrechen.

Berühmt wird dann mein Park, verherrlicht jeder
Schritt;
Denn, wo ein Dichter naht, da bringt er Götter mit!

Florin wie vor sich.

Wie? Hätt' ich mich geirrt? Von jenes Himmels
Schwelle
So schnell gestürzt —

laut.

Noch nicht, noch nicht von dieser Stelle,
Von der geheiligten, wo ich die Freundin sah!
O meine Freundin! — Nein! so wohl und weh
geschah
Mir nimmer noch zugleich! Ich trag' es nicht —
Sie zeigen
Den offnen Himmel mir und dann —

Nannette
mit sich selbst kämpfend, geheimnißvoll.

Treu lieben! Harren! Schweigen!
Versteh'n Sie dieß, mein Freund? Mein Unglück
wär zu groß,
Um ohne Prüfung nun —

Florin knieend.

— Beneidenswerthes Loos!

Ich wähne, träume nicht — Von diesem schönen
Munde
Schwebt der Gewährung Ton —

Nannette!

Zum Denkmal dieser Stunde —
O möcht' ich nimmermehr zum zweitenmal bereu'n! —
Dieß freundliche Geschenk!

Giebt ihm einen Brillantring.

Florin.

Dieß Pfand der Neigung mein? —

Nannette.

So nehmen Sie, mein Freund! Man möchte uns
belauschen —
Geschwind die Hand! die Hand! — Nicht wahr,
Florin, wir tauschen?

Florin, *erschrocken.*

Madam! — Ich glaube kaum — dieß ist nur
einfach Gold —

vor sich.

Wie lang' hat sie gespart! Nein! Nimmermehr!
und sollt'
Ich keine wiederseh'n! —

Laut.

Ich kann den Ring nicht geben;
Er ist ein holder Schein aus meinem Frühlings-
leben;
Es blieb mir keiner, sonst —

Nannette.

Was sagen Sie, Florin?
Sie wähnen — wagen es, mir Jemand vorzu-
ziehn? —
Den Ring! — ich will ihn jetzt! —

Florin.

Wie? könnten Sie mich hassen,
Wenn ich —

Nannette.

Den Ring will ich! Sonst muß ich Sie
verlassen!
Den Ring!

Florin.

Nein! nimmermehr!

Nannette.

Aus meinem Angesicht!
Ich bin verschmäht —

Florin.

Ich muß!

Nannette,

wirft schnell Schleier und schwarzes Ueberkleid ab. Sie ist darunter
reizend, doch sehr einfach, weiß mit rosenfarbnem Leibbande gekleidet.—Das blonde Haar wallt frei herab.

Du willst Dein Nanntchen nicht?

Beide fliegen sich in die Arme und sprechen unter einander:

Florin.

Du Nanntchen?

Nannette.

Mein Florin!

Florin.

Mein Nantchen! Kleine Nonne,
Du warst es selbst?

Nannette.

Florin! Du mein?

Florin.

O Himmelswonne!

Nannette.

Nun trennt kein Schicksal uns? Nicht wahr?

Florin,
sich plötzlich losreißend.

Doch, doch, Madam! —
Doch, gnäd'ge Frau vielleicht! — Wozu dieß
Duodram?

Nannette, lächelnd vor sich.

Ja wohl, ein Duodram!

Florin.

Wozu dieß Spiel? das Trauern?

Nannette.

Ei nun, um Dich, mein Freund! ein wenig zu
belauern!

Florin.

Noch Hohn und Spott! — Madam! man triumphirt
zu früh!
Mein Herz ward überrascht; doch jetzt verlaß' ich
Sie!

Nannette.

Das könntest Du, Florin?

Florin.

Mein Herz war zu erweichen;
Doch dient es nicht zum Spiel und zu Theater-
streichen!

Nannette.

Das könntest Du, Florin?

Florin.

Du konntest Schwüre brechen;
Nichts galt Dir dieses Herz; mein Kummer; Dein
Versprechen;
Der ersten Liebe Schwur: „Nichts scheidet uns, als
Tod!"
Kein Jahr noch war ich fort, kein ganzes Jahr, da
bot
Ein Greis Dir Herz, — und Geld — Du weintest
ein'ge Zähren —

Nannette.

Wie hart! wie ungerecht! — Konnt'st Du uns
denn ernähren?
Was warst Du damals denn? Wer kannte Deinen
Geist?
Was hattest Du gethan? Du warst davon gereist —

Florin.

Hier trug ich manchen Schatz —

Nannette.

Wer nannte Deinen Namen?

Florin.

Jetzt nennt man ihn —

Nannette.

Doch sonst —

Florin.

Ich schrieb doch schon zwei
Dramen!
Erwarten solltest Du —

Nannette.

Bis Noth, Bekümmerniß
Noch früher, unerquickt, den Vater mir entriß?
Es kostete mein Glück, doch ihn konnt' ich erretten;
Es lag in meiner Hand; doch die trug Rosenketten! —
Man gab ein Stück von Dir — verstummt wär selbst
der Neid —
Ich spielte und gefiel — Kennst Du noch dieses
Kleid? —
Von Lob und Glück berauscht, vom Glanz des Balls
umflossen,
Ich sechzehn, zwanzig Du — so ward der Bund
geschlossen!

Florin.

Und war ich Dir denn nichts? nichts diese reine
Glut?
Du kanntest diesen Geist —

Nannette.

Drum dacht' ich: Er hat Muth!
Nein! Er verkennt Dich nicht! Er wird das Große
tragen;
Dich nicht verdammen, nein! er wird dein Loos
beklagen!

Florin.

Klein bin ich gegen Dich! So hab' ich's nicht
geseh'n!
Doch Nantchen! sprich doch, sprich, wie konnte das
gescheh'n? —
Wohnst Du denn hier im Schloß?

Nannette.

Ei wohl! es ist das meine —
Ich hab's nicht längst gekauft — und, wenn Du
denkst, das Deine!
Es ist nicht allzuklein, und nährt schon seinen Mann;
Wer sagt's, ob hier Natur, ob Kunst, den Preis
gewann?
Drum hat mir's eben recht zum Dichtersitz geschienen —
Was meinst denn Du, Florin?

Florin, traurig.

Ich kann auch Geld ver=
dienen!

Nannette.

Gewiß! doch auch verthun —

Florin, kleinlaut.

Ja, ja, da hast Du recht!
Dann übersetz' ich was —

Nannette, enthusiastisch.

Du, mein Florin, ein Knecht?

Florin.

Ich bin nicht Deiner werth, Du liebliche Nannette!
Doch still — was fällt mir ein?

Nannette.

Nun was denn?

Florin.

Ei, die Wette!
Schriebst du nicht heute noch: Wir sehen uns nur
dann,
Wenn ich dich sieben Mal des Leichtsinns zeihen
kann?"

Nannette.

Nun, ich gewann sie ja! ...

Florin.

... Du hätteſt ſie gewonnen?
...

Nannette,

klatſcht in die Hände.

Herbei, mein Ariel! ...

Florin, vor ſich.

Was hat ſie ausgeſonnen?

Das Kammermädchen, gekleidet wie oben, bringt einen verdeckten
Korb, und geht dann wieder ab.

Florin, vor ſich.

Das iſt doch ſonderbar; die ſcheint faſt ein'ge Zoll
Jetzt größer, als vorhin —

Nannette.

Nun, Freund, dein Maas iſt voll!
... den Korb aufdeckend und wie ausrufend.
Ein indigblaues Tuch — „Wir leben dann recht
friedlich,
„Du kleiner Engel! Nicht? Sie iſt doch warlich
... niedlich!"

Florin.

Der Schwarze spricht aus Dir!

Nannette.

Ein kleines Silberstück!
Ich freilich bin nur blond; drum hab' ich auch
kein Glück.
Sieh doch — Vergißmeynnicht! „Ich will dich nicht
beschenken,
Du sollst, wenn Du's erblickst, nur freundlich meiner
denken!"

Florin.

Bist Du ein böser Geist?

Nannette.

Hier kommt denn Nummer drei!
Ein allerliebstes Stück, ein Lustspiel nagelneu.
Der, wer betrogen wird, bedankt sich noch mit Küssen;
„Ich komme herzlich gern, wenn Sie's probiren
müssen!"

Florin.

Ich werde noch verwirrt! — Schon gut, ich glaube
Dir!

Nannette.

Ich halte auf mein Wort. Mein Freund, erlaube mir! —

Ein Stückchen Atlasband; ein Kettchen, diese Ringe,
Hier ein Medaillon — und hier, als Nebendinge,
Ein heut gedichtet Lied, acht Stück von Didots
Gold.

Mit dem Beutelchen klingelnd.

Je n's sieben — dieß noch drein — welch reicher
Minnesold,
Den ich empfing! —

Florin.

Was? Du? —

Hin und her laufend.

Wo hatt' ich meine Augen?
Beim Wetter! Warlich, ja!

Nannette.

Wenn sie nur dazu taugen,
Von nun an mich zu sehn! — Nun, ehrenfester
Mann,
Wie steht's um dieses Herz, das man so leicht
gewann?

Florin *vor sich.*

War ich denn taub und blind? — hm! —

Laut.

Kannst Du wirklich denken,
Ich hab' es nicht gewußt; ich würde so ver=
schenken,
Hätt' ich Dich nicht erkannt —

Nannette.

Ha! bravo! süperfein!
Doch mich betrügst Du nicht —

Florin.

Bewahre mich! nein! nein!
Das sieht man ja von selbst —

Nannette.

Du sollst mich nicht bethören!
Komm, Freund! und kannst Du mir's bei diesem
Herzen schwören,
So glaub' ich Dir — Wie hält's?

Florin.

O Nantchen! sey nur gut!
Ich bin so glücklich jetzt! Ich habe nicht den Muth!
Ei — Andre hätten mich gewiß nicht so betrogen;
Du warst es doch allein, was mich so angezogen —

Nannette.

Hem! hem! — doch darauf mag ich ja zu sehr nicht
trau'n!
Ja, wär' ich nur nicht blond — so etwa schwarz und
braun!

Florin.

Sey gut, Du liebes Kind! — Laß uns den Scherz
vergessen,

Mit Frauenlist kann sich selbst Dichterlist nicht messen
Du — mehr als Zauberin! — ein ganzes Götter=
Chor
Hauſ't doch in diesem Kopf, und unter diesem Flohr!
Du biſt noch ganz, wie sonſt! Das soll ein Leben
werden,
Ein irdiſch Paradies, ein Himmelreich auf Erden —

N a n n e t t e herzlich.

Wenn ich Dir's geben kann!

L . . . . und Florin.

in ausſchweifender Freude.

Ich bin nun frank und frei, —
Ich frage nicht darnach, wenn Oſtermeſſe sey!
Nicht mehr in Egg' und Pflug, empor zum sonn'gen
Himmel
Schwebt ohne Gert' und Zaum mein muth'ger
Flügelschimmel!
Ha! — Glückliche Idee, die Augenblicks entſtand! —
Begeiſt'rung nahet mir mit Nantchen Hand in
Hand!
Ich dächt' ein neues Stück: D i e s c h w a r z e
F r a u —

N a n n e t t e.

D i e W e t t e!

Sich schelmisch und zärtlich an ihn schmiegend.

Der Flatt'rer heißt —?

Florin wie kleinlaut.

Florin! — Und die verzeiht —?

Nannette.

Nannette! *)

*) Oder:

Sie.

Wenn's nur schon fertig wär —

Er.

Und Euch gefallen hätte!

d. U.

IV.

Alcindor.

Fest-Oper in drei Aufzügen.

1 8 1 9.

Perſonen.

Artemidor.

Morgana, eine Fürſtin des Geiſterreichs.

Medora.

Alcindor.

Robert, ein ritterlicher Greis.

Lothar, Prinz, ein Anführer der verbündeten Heere.

Rüdger, Anführer einer feindlichen Schaar.

Zephyrine,
Selinde, } Medora's Begleiterinnen.
Nadine,

Elementargeiſter.

Große des Reichs.

Krieger.

Bürger und Landleute.

Gefolge.

Das Coſtum ideal-romantiſch, indem die Handlung keiner beſtimmten Zeit und Gegend angehört.

Erster Aufzug.

Erster Auftritt.

Ungewiſſes Frühlicht. Hinter Nebelflohr ein regellos scheinender Halbkreis, von Erlen und andern Bäumen; in deſſen Mitte ein Baumsturz, mit Roſengebüsch umgeben. An den Seiten zwei Felſenſtücke von röthlichem und braunem Geſtein, Bleiglanze, und Schlacken, nur dürftig mit ſchwärzlichem Geſträuch bewachſen. Es ſteigen von Zeit zu Zeit Rauch und Funken hervor. Der Hintergrund iſt gleichfalls von Nebel bedeckt.

Morgana, ein Lilienzepter im Arme, mit dem andern auf den Baumsturz geſtützt, ſo, daß ihr ſilberflohrner Schleier ſich über ihn und das Roſengebüsch ausbreitet. Vor ihr **Zephyrine, Selinde und Nadine** (in Fräulein-Tracht) knieend und die Hände zu ihr erhebend. **Elfen** (in kurzgeſchürzten weißen Gewändern, grün gegürtet) an den Bäumen gruppirt, gleichfalls in bittender Stellung.

Zephyrine, Selinde und Nadine.

Vernimm o Fürstin unser Flehn!
Trenne die Liebenden nicht!
Medoren hülfreich beizuſtehn,
Machteſt du ſelbſt uns zur Pflicht!

Elfen.

O höre, was die Schwestern fleh'n!
Trenne die Liebenden nicht!

Morgana.

Wer ist mit Neigung wohl Medoren
Mehr zugethan, als ich?
Wer hat von jeher über sie gewacht?
Wem näher liegt die Wohlfahrt zweier Völker
Die gleicher Sinn, gleich feste Treu' verknüpft?
Wer blickte froher zu der Hoffnung auf,
Die vormals klar im Buch' des Schicksals stand?
Und doch — naht' schwere Prüfung, droht Gefahr!
Ihr dürft sie nicht — ich darf sie nicht beschützen!

Die drei Fräulein.

Wir sollten ihren Kummer seh'n!
Thränen im hold'sten Gesicht!
Vernimm, o Fürstin, unser Flehn!
Bist du die Mächtige nicht!

Elfen.

O höre, was die Schwestern fleh'n!
Bist du die Mächtige nicht!

Morgana.

Und ob ich die Rose
Dem eisigen Schooße

Des Nordens entkose;
Die schlummernde Aehre
Befruchte und nähre;
Die perlende Zähre
Der Muschel verkläre;
Mit schimmerndem Strahle
Rubinen, Opale,
Den Schmetterling mahle;
Die Silberforelle,
Das Sylphchen der Welle,
Mit Purpur erhelle;
Der Feenstab in diesen Händen,
Vielleicht kann er Gefahren wenden —
Doch was beschlossen, muß vollenden! —
Was dort in diamantner Pracht
Der Sternenschriften ist zu lesen,
Das ändert kein geschaffnes Wesen,
Dem beugt sich auch der Geister Macht.

Die drei Fräulein und die Elfen, welche früher von Zeit zu Zeit noch
bittend die Hände erhoben haben, senken bestürzt die Häupter. Nur
die erstern, die Hände über die Brust gefaltet, richten noch flehende
Blicke auf Morgana. Diese fährt fort:

Nicht länger fodre klagend euer Wort,
Nicht länger schweigend, der beredte Blick,
Was zu gewähren höh'rer Rath verbeut! —
Steht auf! daß weniger beklommen ich,
Was meine Sorg' bereitet, nun vollführe!

Die Fräulein gehorchen. Morgana gegen die Felsenstücke gewandt:

Ihr aber dort, noch vor dem Hahn erwacht
Hervor! hervor!

Zweiter Auftritt.

Die Vorigen. — Sobald sich Morgana nach den Felsen gewendet, sind weiße und blaue Flämmchen daraus aufgeflackert. Jetzt steigen aus den Oeffnungen des Gesteins auf einer Seite **Erdgeister** (Bergkappen auf den Häuptern, dunkelbraun, mit silbernem und blauem Schmelz, gekleidet, Grubenlichter und Bergwerksgeräth in den Händen) und **Feuergeister** (feuerfalb und grau mit Lahn, gekleidet, Hammer und Zangen in den Händen) mit den Oberleibern hervor. Die Elfen in halb furchtsamer, halb neugieriger Stellung.

Morgana.

Habt ihr das Werk vollbracht?

Erdgeister,

von der einen Seite.

Wir haben, wir haben
Im Dunkeln gegraben —

Feuergeister, von der andern.

Von Gluthen geröthet,
Geschmolzen, gelöthet —

Erdgeister.

Gehämmert, geweihet —

Feuergeister.

Geschmiedet, gefeiet —

Beide.

Gold, Rubin, Smaragd und Stahl!

Erdgeister.

Das Harte, das Feste,
Das Schönste, das Beste —

Feuergeister.

Geschmücket mit reichen
Figuren und Zeichen —

Erdgeister.

Es wird sich erproben —

Feuergeister.

Der Meister wird's loben —

Beide.

Alles, wie Dein Wort befahl!

Morgana.

So übergebt es Euern Fürsten nun!
Ich rufe sie, wenn ihrer ich bedarf!

Erd- und Feuergeister sinken wieder hinab. Zu den Elfen.

Ihr aber, meine leichten Dienerinnen,
Hinweg in Luft und Duft!

Elfen.

Links und rechts durch Lein und Rain!
Auf und ab durch Stein und Hain!
Links und rechts durch Kluft und Schluft!
Auf und ab durch Luft und Duft!

Morgana.

Bis mein Wink Euch wieder ruft!

Elfen,

entfernter, mit verhallendem Tone.

Bis Dein Wink uns wieder ruft!

Morgana und die Elfen, die Bäume und Felsenstücke verschwinden.

Dritter Auftritt.

Der Nebelflohr hebt sich. Man erblickt im Hintergrunde auf einer
reizenden Anhöhe, hell beleuchtet, ein romantisches Waldschloß, mit
bunten Fensterscheiben, Thürmchen, Schnörkeln und andern Zier-
rathen. Die drei Fräulein ersteigen die Anhöbe. Landleute mit ländlichen Geschenken, von beiden Seiten eintretend. Bald
darauf Medora.

Männer und Jünglinge,

von einer Seite, zuerst kommend.

Gold'ne, rosige Sonne!
Strahle heut' wolkenlos klar!

Gaben zärtlicher Wonne
Bringen Medoren wir dar! —
Eilet, eilet! Platz genommen;
Eh' die Frau'n und Mädchen kommen!
Unser sey der erste Lohn!

Frauen und Mädchen.
von der andern Seite, jene neckend.

Siebenschläfer! — Guten Morgen! —
Ha! wir lauschten längst verborgen —
Mit Vergunst! da sind wir schon!

Medora tritt aus dem Schloße.

Beide.

Mit Vergunst! da sind wir schon! —
Ja, fürwahr, da sind sie schon! —
Schaut, Medora naht sich schon! —
Gold'ne, rosige Sonne!
Strahle heut' wolkenlos klar!
Gaben zärtlicher Wonne
Bringen Medoren wir dar!

Medora,
mit Empfindung vor sich.

Wie so hell des Morgens Strahlen
Die smaragdnen Fluren mahlen.
Wie, verjüngt im Arm der Nacht,
Rings umher die Gegend lacht!

Die Landleute erblickend.

Seyd mir gegrüßt,
Ihr friedlichen Bewohner dieser Flur!

Zu den Fräulein.

Willkommen, freundliche Gespielen!
Ihr wandelt schon? — vermuthlich um dem Thau,
Dem Perlenschmuck' der Wiesen nachzuspüren?

Die Fräulein,

geheimnißvoll lächelnd unter sich.

Wir lieben's, auf der grünen Au'
Mit Perlenschmelz den Fuß zu schnüren —!

Medora,

wieder zu den Landleuten.

Wie soll ich's gnug euch danken, liebe Freunde!
Daß ihr die Heerden, euer Feld verlaßt,
Um mir des Morgens blühend Angesicht
Mit eurer Liebe Gaben zu bekränzen?

Landleute,

indem sie die Geschenke emporhalten und dann auf die Anhöhe setzen.

Alles, was Fluren und Bäume und Reben,
Sammelnde Bienen geschäftig uns geben,
Nimm es, o Fräulein! als herziges Pfand!
Aber so frühe zum Schlosse zu dringen,
Rosen, noch blitzend vom Thau', dir zu bringen,
Hat uns der edle Alcindor gesandt.

Medora.

Indem sie seine Rose, welche ein Mädchen emporhält, ihr aus der Hand nimmt und an die Brust steckt, feurig.

Alcindor? Er? —

Sie schlägt die Augen nieder und fährt gemäßigter fort.

Erfreulich ist so zarter Morgengruß,
Wird ros'gen Glanz dem ganzen Tag verleihn! —
Eilt jetzt zu euern Heerden, eurer Flur;
Doch wenn der Abend lächelnd niedersinkt,
Dann kehrt zu einem frohen Fest zurück!

Landleute.

Ja; wenn der Abend lächelnd sinkt,
Dann kehren wir zurück,
Wo Spiel und Tanz und Freude winkt,
Doch schöner noch Dein Blick!

Vierter Auftritt.

Medora. Die Fräulein, in einiger Entfernung.

Medora.

Kaum barg ich länger das Gefühl,
Das bei Alcindors Namen mich ergriff!
Wie sinnig er, mich zu erfreuen, sorgt. —

Schaut auf, die Rose nieder.

Wie zart gefärbt seh' ich dich prangen,
Du holde Gabe seiner Hand!

Die Fräulein.

Sie gleicht der jungen Liebe Wangen,
Die stiller Ahnung Deutung fand!

Medora.

Ah Ihr —? Kommt näher, Theure!
Erröthend flieh' ich an der Freundschaft Brust.
Gieb, liebe Zephyrine, mir die Hand,
Und fühle hier, was sich nicht schildern läßt!

Sie legt Zephyrinens Hand an ihr Herz.

Bei jedes Morgens Strahle
Gewahrt' ich hier im Thale
Nur, wie die Einsamkeit
So süße Ruh' verleiht!

Die Fräulein, lächelnd.

Ja, süße Ruh' verleiht
Im Grünen Einsamkeit!

Medora.

Da kam mit Lanz' und Bogen
Alcindor hergezogen; —
Beim ersten Druck der Hand
Wär' mir das Herz entwandt.

Die Fräulein.

Denkt! nur ein Druck der Hand,
Und gleich das Herz entwandt!

Medora.

Nun seh' ich unter Bäumen,
So wachend, als in Träumen,
Im Hain und im Gefild
Stets nur Alcindors Bild!

Die Fräulein.

In Hain und im Gefild,
Ach! nur Alcindors Bild!

Medora, schüchtern.

O nennt die Macht der Triebe,
Die ängstet und vergnügt —

Die Fräulein.

Medora fühlt die Liebe,
Die jedes Herz besiegt!

Medora.

Doch, wer mag sein's besitzen? —
Die Ros', von ihm gesandt —

Die Fräulein, vor sich.

Mög' Euch die Vorsicht schützen! —
laut.

Die Ros' ist gnügend Pfand.

Medora.

Und dennoch kann er weilen,
Und Gaben sendet Er?

Die Fräulein.

Dir Antwort zu ertheilen,
Kommt dort ein Waidmann her!

Fünfter Auftritt.

Medora. Die Fräulein, sich zurückziehend.
Alcindor, der, sobald er Medora gewahr wird, Jagdspieß
und Hifthorn seinem Diener giebt. Der Diener ab. — Zuletzt
Robert.

Alcindor.

Du bist's, Du bist's, Medora! — Edles Fräulein!
O zürne nicht, daß ich Dir Gaben sändte,
Die Deine Fluren schöner wohl erzieh'n! —
Vor deinem Antlitz bleicht der Blumen Glanz,
Ist unwerth Deiner Huld — als Boten nur
Bescheidner Hoffnung mögen sie was gelten! —
Verstehst Du, Holde, mich?

Medora, sich abwendend.

Wie könnt' ich das?

Alcindor.

So sieh mich hier zu Deinen Füßen!
Du holdes Mädchen! werde mein! —
O, sprich! Laß mein Geschick mich wissen —!

Medora, zärtlich schüchtern.

Die Rose mag die Antwort seyn!
Weß Gabe diesen Platz gefunden,
Dem werd' ich Herz und Leben weih'n!

Alcindor,
ihre Hand an sich ziehend.

Schönste der Stunden,
Wo ich gefunden
Dich, o Medora! mein Leben! mein Glück!

Medora.

Schönste der Stunden! —
Treulich verbunden
Theilen von nun an wir Leiden und Glück!

Beide.

Treulich verbunden,
Innig umwunden,
Theilen von nun an wir jedes Geschick!

Sechster Auftritt.

Medora. Alcindor, Robert der schon etwas frü,
her eingetreten ist.

Robert.

O! fodert nicht des Schicksals Macht
Zum Kampf', ihr Theuern, auf!

Alcindor,

freudig die Arme gegen ihn ausbreitend.

Mein Morgenroth war längst erwacht;
Jetzt stieg die Sonn' herauf!

Robert.

Ihr folget oft Gewitternacht,
Gebeut's des Himmels Lauf!

Medora.

Er hasset nicht der Unschuld Frieden —

Alcindor.

Wir sind vom Schicksal uns beschieden!

Robert.

Beständiges wohnt nicht hienieden!

Medora.

Sey nicht so düster, edler Greis!

Alcindor.

Gieb nicht uns banger Ahnung Preiß!

Robert.

Nur Mäßigung ist mein Geheiß! —
Oft, wenn der Schnitter Tag gekommen,
Sieht fern man wilde Stürme droh'n —

Medora, vor sich.

Fürwahr, er macht mein Herz beklommen.
So ernst war nie des Greises Ton!

Alcindor, vor sich.

Fürwahr, er macht mein Herz beklommen;
So warnend war noch nie sein Ton!

Robert.

Wißt! Irr' ich nicht, so nah'n sie schon!

Alcindor und Medora.

Ach! — irrt er nicht, so nah'n sie schon.

Robert ab.

Siebenter Auftritt.

Medora. Alcindor.

Medora, vor sich.

Wie bebt mein Herz! — Und auch Alcindor — ach!
Wie trübe starrt sein holdes Aug' zur Erde!

Alcindor, vor sich.

So ahnungsschwer war nie sein Vaterwort!
Wenn Robert ahut, ist Ahnung schon Gefahr!

Medora, laut.

Alcindor! wär' es möglich? sollte das Geschick
Zwei Herzen trennen, die so treu sich lieben?

Alcindor, sich ermannend.

O zage nicht, Geliebte Du!
O zage nicht!
Wo fänd' ich Muth, wo fänd' ich Ruh',
Wenn Hoffnung Dir gebricht? —
Geordnet ist der Sterne Walten;
Auch sie lenkt Liebe sanft und mild,
Und alle gute Wesen halten
Vor treue Lieb' ihr Strahlenschild! —
Morgana! höre Du mein Flehen!
Medoren schützen ist Dir Pflicht!
O eile Du, uns beizustehen,
Wenn jeder Hoffnungs = Anker bricht!

Und — soll das Schrecklichste geschehen,
Indem er sie umarmt und ihr zärtlich ins Auge blickt,
Erlösche a der Augen Licht! —
Mag Erd' und Himmel untergehen,
Von dir, Medora, laß' ich nicht!

Achter Auftritt.

Medora. Alcindor. Die Fräulein. Landleute zum Theil mit Sensen und anderm ländlichem Geräth.

Die Fräulein.

Bange Frau'n und Männer nah'n —

Alcindor und Medora.

Stürmt die Wolke schon heran?

Landleute.

Unglück bricht zu uns sich Bahn —

Alcindor und Medora.

Welch ein Unglück? — sagt es an!

Landleute, unter einander.

Ach, wir zagen, ach wir beben! —
Schreckensthat hat sich gegeben! —
Feindesmacht verheert das Land —

Ohne Heerden kamen Hirten,
Welche lang' in Wäldern irrten —
Weiber, die um Kinder jammern —
Kinder, die sie bleich umklammern,
Rohe Wurzeln in der Hand —
Hütten lodern auf in Brand!

Alcindor.

Entsetzlich! ha!

Medora.

O Himmel!

Einige Landleute, (In die Culisse schauend.

Was ist dort? Welch Getümmel?

Neunter Auftritt.

Die Vorigen. Lothar mit Kriegern.

Lothar, (zu den Kriegern.

Nein! ihr wackeren Genossen!
Hier wird uns kein Lorbeer sprossen,
Hier bedarf's zum Kuß nur Muth! —

Zu den Landleuten.

Bebt nicht vor des Feindes Wuth!
Weiber zagen! Feige zittern!

Eine Schaar von tapfern Rittern! –
Führt' ich her zu eurer Huth! —
Schwerter wissen wir zu schwingen,
Und nach freudigem Gelingen
Labt uns Kuß und Rebenblut!

Krieger.

Ja, nach freudigem Gelingen,
Labt uns Kuß und Rebenblut.

Weiber.

O! nun fassen wir Vertrauen —

Krieger.

Ha! zu uns faßt man Vertrauen!

Einige Männer und Jünglinge.

Wir auch fühlen Kraft und Muth!

Krieger.

Wacker! Sie auch haben Muth!

Lothar,
zu Alcindor, mit Spott.

Aber Du — von edlem Blut!
Willst Du hier in Rosenauen
Lauben für die Liebe bauen, —

Alcindor. *(heftig und ...)*

Reize nicht des Zornes Glut! —
Ich auch weiß das Schwert zu führen —

Medora.

Dich, Geliebter! Dich verlieren —?

Lothar.

Was hör' ich? welche Töne? —
Sie, die mein Herz entbrannt!

Alcindor.

Mir ist die Holde, Schöne
Mit Treu' und Schwur verwandt!

Medora.

Nie, Fremdling! hab' ich dich gekannt!

Lothar.

Doch ist in dich mein Herz entbrannt!
Will ihre Hand fassen.

Alcindor.

Niemand soll sie mir entreißen!
Dieß Schwert ist meiner Liebe Schuß!

Lothar.

Heraus! heraus! mein blankes Eisen!
Dir zartem Schäfer biet' ich Trutz!

Medora und die Landleute,
theils zu Alcindor, theils zu Lothar gekehrt.

Auf! auf! das Schwert ihm zu entreißen!

Ein Krieger, es wehrend.

Nein! Männer ziemet Schutz und Trutz.

Zehnter Auftritt.

Die Vorigen. Morgana. Elfen.

Morgana, im Erscheinen.

Herbei aus Tief' und Höh'!

Elfen erscheinen und ziehen, sich die Hände reichend, einen Halbkreis
um sie.

Alle,
außer den Elfen, in verschiedenem, ihrer Empfindung angemessenen
Tone.

Morgana! die Fee!

Sie beugen sich vor ihr. Alcindor und Lothar senken die Schwerter.

Morgana.

Nicht ziemt es Tapfre, jetzt zu fechten
Um eignen, eigensücht'gen Zwist;
Nicht um Medora's Hand zu rechten,
Die mein, die meine Tochter ist!

Alle erstaunen.

Alcindor und Lothar.

Morgana's Tochter?

Landleute.

Ihre Mutter Sie?

Alcindor.

Der Mächt'gen Tochter? O! ich zage —

Lothar.

Ein Feenkind! wie steigt die Waage!

Medora.

Du, meine Mutter? — Noch vernahm ich's nie! —
Wohlan, o Mutter! laß mich Deine Knie
Mit inn'gem Flehn, mit heißer Angst umflechten —

Sie kniet vor ihr.

O Mutter! reiß' mich von Alcindor nicht!

Morgana.

Auch ich gehorche höhern Mächten;
Was sie versagen, fodre nicht!

Alcindor.

Dein Liljenstab trotzt finstern Mächten;
O trenne treue Liebe nicht!

Lothar, *vor sich.*

Ich weiche nicht von meinen Rechten!
Dieß Schwert ist meine Zuversicht!

Morgana,

zu Medora und Alaindor.

Gehorsam ist die erste Pflicht!
Glaub' ich die Zukunft zu ergründen,
Scheint Andr'es jetzt sich zu verkünden;
Oft ist nur Trug, was Wahrheit scheint!
Ob sonst die Zeichen günstig waren,
Wo ihr vereinigt, droh'n Gefahren;"
Vereinung trennt, und Trennung eint!

Eilfter Auftritt.

Die Vorigen. Robert (nun bewaffnet,) den die Krieger und Landleute ehrerbietig durchlassen.

Landleute.

Er bewaffnet! welch' ein Ahnen!
Warlich! nun kämpft sich's um rühmlichen Preiß!

Aeltere Krieger.

Uns zum Sieg' den Pfad zu bahnen,
Nahtest du immer der Deinigen Kreis'.

Jüngere Krieger?

Schwingt die Schwerter, schwenkt die Fahnen!
Sey uns willkommen, du tapferer Greis!

Alcindor, ihm entgegen.

O Robert! o mein Vater! — Doch — in Waffen du?

Robert.

Nicht länger ziemt die Ruh'!
Nicht länger gilt's, mit Speer und Pfeilen
Dem Wild im Forste nachzueilen! —
Erfahre, was nicht früher zu verkünden,
Vom Hofe fern dich kräft'ger zu erzieh'n,
Artemidor, dem Weisen, nöthig schien —
Und mög' es dich zu edler Glut entzünden! —
Du bist mein Neffe nicht — nur durch die Lieb' mein
Sohn;
Der Baum, dem du entsproßtest, trägt die Kron'!

Alcindor steht erstaunt und betroffen.

Krieger und Landleute.

Heil ihm! Heil ihm, dem Sproß von Königsstamme!

Lothar,

ihn ehrerbietig begrüßend.

Du bist von königlichem Stamme! —
Doch Ritter auch — drum fechten wir den Strauß —
Auch ich bin Prinz! — nach Rittersitte aus!

Alcindor zu Lothar.

Es gilt!

Medora, vor sich.

Ach! näher schlägt die Flamme,
Die all mein Glück verzehren muß!

Robert.

Mein Prinz, Du zögerst? Was ist Dein Entschluß?
Ein Herold, den der König schnell gesandt,
Bringt seinen Ruf: Zum Kampf für's Vaterland! —
Dich mahnt die Ehre — Pflicht. — Artemidor!

Alcindor, feurig.

Artemidor?

Krieger und Landleute.

Heil, Heil Artemidor!

Alcindor.

Artemidor!

Zu Medora.

Leb' wohl, Geliebte meiner Seele!
Wer ehrte nicht des Edelsten Befehle!
Sein Nam' ist: Tugend, Recht und Pflicht!

Medora,

gewaltsam, sich auf die Fräulein stützend.

Ja! — Lebe wohl, Geliebter meiner Seele!
Vollziehe treu des Edelsten Befehle!
Leb' wohl — ob mir das Herz auch bricht!

Alcindor.

Gebt Helm und Schild! reicht Waffen! Wehr und Waffen!

Morgana.

Empfange-sie aus meiner Hand,
Als meines Schutzes Unterpfand!

Einige Männer und Jünglinge.

Laßt uns aus Sens' und Pflugschar Schwerter schaffen!

Andere Männer und Jünglinge.

Auch uns, auch uns gebt Waffen! Wehr und
Waffen!

Einige schwingen die Sensen, andern werden von den Kriegern
Spieße ausgetheilt.

Krieger, Männer und Jünglinge.

Wer nicht den Ruf des Königs ehrt,
Dem eine Spindel! Uns ein Schwert!

Zwölfter Auftritt.

Die Vorigen. Bald darauf Fürsten der Erd-
en und Feuergeister.

Morgana,

sich gegen die Erde beugend.

Unterird'sches Geisterchor!
Oeffne meinem Ruf' dein Ohr!
Oeffne, Schoos der Nacht, das Thor!
Geisterfürsten! steigt empor!
Födert euer Werk hervor!

Dumpfes Geroll im Boden. Ein Schimmer dringt aus der Erde; sie öffnet sich. Fürsten der Erd- und Feuer-Geister (Einer der erstern mit silberner, Einer der zweiten, mit goldener Backenkrone geschmückt, die übrigen nur silberne und goldene Reifen um das Haupt) heben sich langsam hervor und legen, theils knieend, theils nur halb aus dem Boden hervorragend, Schwert, Helm und Schild, letztere beide mit Sinnbildern geziert, vor Morgana nieder. Während ihres Aufsteigens:

Elfen,

mit abgewandtem Gesicht.

Welch ein wunderbares Grauen,
Solche Brüder anzuschauen!

Weiber.

Wehe! wehe! welch ein Grauen,
Solche Wesen anzuschauen!

Männer.

Seyd nicht thöricht! faßt Vertrauen!
's ist gar drollig anzuschauen!

Einige Krieger.

Was die falben, donnerblauen,
Schäb'gen Kauze bau'n und hauen!

Andere Krieger.

Weiber! bittet sie nur fein,
Wünscht ihr Gold und Edelstein!

Zusammen.

Schaut! wie blendend, hell und rein
Ist der Wundergaben Schein!

Erd- und Feuergeister.

sich vor Morgana neigend, eintönig.

Die Brüder haben tief im Schacht,
Wenn oben Mond und Sonne lacht,
Doch unten nur der Glühwurm wacht,
Das Harz der Berge angefacht,
Mit regem Fleiß das Werk vollbracht.
Ist wohl geschmiedet, klug erdacht!
Wir ehren, Fürstin, Deine Macht,
Doch blendet uns des Taglichts Pracht;
Laß uns hinab zu Mutter Nacht!

Morgana winkt ihnen und sie verschwinden mit unterirdischem Getös.

Dreizehnter Auftritt.

Vorige, ohne die Erd = und Feuergeister.

Morgana,

zu Alcindor, indem sie den Elfen winkt, ihm die Waffen anzulegen. Andere Elfen sind nebst den drei Fräulein beschäftigt, Medora zu trösten und zu beruhigen.

Empfange denn die Waffen!
Helm, Schild und Wehr! —
Laß nie sie Dir entraffen,
Nie Deinen Arm erschlaffen
Für König, Vaterland und Ehr! *)

Alcindor gewaffnet und alle Männer.

Nie soll der Arm erschlaffen
Für König, Vaterland und Ehr! *)

Alcindor.

Mächt'ge! Dank für Deine Gnade!
Was Du gebeutst, das soll gescheh'n!
Nie sollst Du auf der Ehre Pfade
Mich, den Du schützest, wanken seh'n!

Krieger.

Nie sollst Du auf der Ehre Pfade
Uns, die Du schützest, wanken seh'n!

*) Hier können nach Befinden noch einige, gleiche, die Sinnbilder auslegende Strophen, nebst jedesmaligem Chor, eingelegt werden.

Alcindor, zu Medora.

So muß ich Dich verlassen?
Medora! Holde! zage nicht!

Morgana.

Ein stilles Thal wird sie umfassen;
Nicht ganz verlosch, der Hoffnung Licht!

Medora.

Mag jeder Stern erblassen,
Zeuch hin den Pfad für Recht und Pflicht!

Lothar, vor sich.

Fürwahr ich muß ihn tödtlich haffen,
Wenn sie so zärtlich zu ihm spricht!

Die drei Fräulein,
zu Medora.

Nein! Du bist nicht verlassen!
O fasse Muth und Zuversicht!

Robert.

Zum Schutz des Heerds das Schwert zu fassen,
Ist tapfrer Männer Ruhm und Pflicht!

Weiber.

So wollt Ihr uns verlassen,
Ob unser Herz vor Kummer bricht?

Krieger und Männer.

Zum Schutz des Land's das Schwert zu faffen,
Das ist des Mannes Ruhm und Pflicht!

Alle.

Muthig, muthig, Schwestern! Brüder!
„O, vertraut oder guten Macht!
Freudig sehen wir uns wieder!
Auf zum Angriff! auf zur Schlacht!

Medora ruht halb ohnmächtig in den Armen der Fräulein. Mor=
gana berührt sie mit ihrem Stabe. Sie scheint entschlummert.
Morgana breitet den silbernen Schleier über sie aus. Alle Elfen
umringen sie. Krieger und Landleute ziehen im Hintergrunde ab,
und der Vorhang fällt. . . .

Zweiter Aufzug.

Das Quellenthal. Die Seitenwände sind Grotten, Springbrunnen, Cascaden, Felsen mit tropfendem Moose, Wasserpflanzen, Weiden; deren Blätter und Zweige ins Wasser hinabhängen u. s. w. Hinten gleichfalls Felsen= und Grottenwerk, wovon in mehren Absätzen ein Wasser= fall herabstürzt, der im ganzen Hintergrunde einen breiten Strom bildet. Der Wasserfall bedeckt die Mitte und die linke Seite des Hintergrunds, und nur auf der rechten Seite ist offene Aussicht auf die schimmernde Wasserfläche. Auf einer Seite eine vorzüglich schöne Grotte, mit Muscheln, Corallen = und Cristallen=Zinken u. s. w. verziert. Darin eine Moosbank. Es ist sternhelle Nacht und alles vom Monde magisch beleuchtet, anfänglich grünlich, bläulich, dann heller und silberfarbig, bis sich späterhin, wie ange= geben wird, der Horizont verfinstert.

Erster Auftritt.

Medora, mit Morgana's Schleier bedeckt, schlummert in der Grotte Neben ihr Zephyrine, Selinde und Na= dine, jetzt als Sylphien. (Sie tragen we kurz geschürzte Gewänder mit Silberstickerei und aurorfarbnen Gürteln, und sind mit Psychen-Flügeln versehen. Die erste mit einem Maiblumen-, die zweite mit einem Veilchen-, die dritte mit einem Vergißmein-nicht-Kranze.)

Zephyrine,
Medora's Schleier hebend, sie zärtlich betrachtend, und leise.

Noch schläft sie lind,
Ein unschuldvolles Kind!

Selinde, ebenfalls leise.

Ei! wir schwebten auch geschwind —

Nadine, eben so.

Und im lau'sten Maienwind —

Selinde.

Ja, das gab ein Kosen, Fächeln —

Zephyrine.

Sie bewegt sich, scheint zu lächeln —
Medora drückt, noch schlummernd, die Rose an ihren Busen, hebt den Arm, wie Jemand entgegen, und läßt ihn wieder sinken.

Nadine.

Sie träumt wohl süß —

Zephyrine und Selinde.

Von Ihm, von Ihm gewiß!

Nadine.

Der Traum scheint auch die Wangen anzufachen —

Selinde.

Sie regt sich wieder —

Zephyrine.

Still! sie wird erwachen!

Medora,

erhebt sich ein wenig, schlägt die Augen auf und sieht, wie noch
halb traumend, die Sylphiden an.

Ah Ihr —? Doch wie? — Welch Duftgewand?
Wer flocht für Euch dieß blüh'nde Lockenband?

Zephyrine.

Wir sind Sylphiden — doch, Morgana schienen
Von je wir würdig, Dir zu dienen —

Nadine.

Nur Täuschung war der vor'ge Stand —

Selinde.

Jetzt haben Dich der Güt'gen Muttersorgen
In diesem schönen Grund verborgen —

Zephyrine.

Du bist im Quellenthal erwacht!

Medora.

Wer gab Euch Flügel? — Wohl fühlt' ich ihr
Wehen —

Sie sinkt wieder nieder und legt den Arm über die Augen.

Zephyrine.

Sie wähnet noch ein Traumgesicht zu sehen.
Still! laßt uns lauschen, was des Thales Pracht
Auf ihr Gemüth für Eindruck macht!

Sie entfernen sich mit einer schwebenden Bewegung und verber-
gen sich, lauschen aber zuweilen hervor.

Zweiter Auftritt.

Die Vorigen. Bald darauf Wassergeister.

Medora,

richtet sich halb auf, lächelt, und erholt sich nur nach und nach
vom Traume.

So ist es! — Ganz so, wie gedacht! —
Es war ein Gaukelbild der Phantasie,
Das erst Alcindorn Helm und Schild verlieh,
Dann — in wie hellem, wasserklarem Spiegel! —
Den Freundinnen des Sommervogels Flügel.
Wo sind sie nun? und wo Alcindor?

Stimmen aus den Quellen.

— Alcindor!

Medora, sich setzend.

Wie?

Wer rief den Namen?. Träum' ich denn noch fort?
Wo bin ich denn? welch wunderbarer Ort!

Sie steht auf und sieht sich um.

Quelle gaukelt hier um, Quelle,
In der stillen Mondennacht;
Von der Sterne Silberhelle
Lieblich angelacht,
Funkelt magisch jede Welle!
Welche Ruhe! welche Wunderpracht!
Bin ich denn erwacht?

Wassergeister,

(hellblau, mit Silber gekleidet; theils mit Schilf bekränzt, theils
Schilfkolben und Wasserlilien in den Händen) haben sich von der
Seite, welcher Medora den Rucken wendet, erhoben, und
flüstern:

Bist erwacht! bist erwacht!

Verschwinden.

Medora,

aufhorchend, sich nach der andern Seite wendend.

Wie? Sprach hier jemand? — Nicht doch! —
Alles still!

Waffergeifter,
von der entgegen gesetzten Seite.

Alles still! alles still!

Verschwinden.

Medora,
wieder nach der erſten Seite gewandt.

Wie wunderbar! Faſt ſcheint es; Jedes will
Hier rieſeln, flüſtern, liſpeln, wallen —

Waffergeifter,
von der andern Seite.

Wallen! wallen!

Verschwinden.

Medora,
von neuem nach der andern Seite gewandt.

Ich faß' es nicht? Iſt dieß ein Spiegelſaal?
Sind's Meeresgärten? Iſt's ein Nixenthal?
Birgt das Gezweig von Muſcheln und Corallen
Auch Sänger? Giebt's hier Nachtigallen?

Waffergeifter,
von der erſten Seite.

Nachtigallen! Nachtigallen!

Verschwinden.

Medora,
in die Mitte tretend, und ſo beide Seiten ins Auge faſſend.

Hat mich von des Lebens Borden

Eine Woge fortgespühlt?

Bin ich selbst zur Nymphe worden?

Ist die Glut gekühlt?

In wie lieblichen Akkorden

Der Cascaden sanftes Rauschen wühlt!

Alles lebt und fühlt!

Einige Sirenen

(in fleischfarbnem Trikot, mit silbernem Ueberwurf, und blonden, lang herabwallenden Haaren, mit Perlen umwunden) tauchen im Hintergrunde aus dem Strome und wiederholen:

Alles lebt und fühlt!

Dritter Auftritt.

Die Vorigen. Die drei Sylphiden.

Mediora wendet sich nach dem Hintergrunde und wird hiebei die drei Sylphiden gewahr.

Ha! Ihr seyd's, liebe Mädchen! die versteckt

Mich, gleich dem Widerhall, geneckt!

Doch seyd Ihr's auch? woher dieß Flügelpaar?

Zephyrine.

Was wir Dir vorhin schon gesagt, ist wahr!

Medora.

Zephyrinen leise berührend, und dann die Hand unter eine Quelle
haltend.

Ich kann nicht zweifeln! Ja, der Traum entwich!
Morgana, sie, die Gütge, schützet mich!
Wie bin ich glücklich!

Die Sylphiden umarmend.

an Eurer Brust
Werd' ich des Lebens fröhlich mir bewußt!

Wassergeister,

doch jetzt unsichtbar.

Fröhlich dir bewußt!

Medora, erstaunend.

Wart Ihr's denn nicht? Sind wir hier nicht
allein —?

Wassergeister, eben so.

Nicht allein! Nicht allein!

Medora.

Giebt's der Bewohner dieses Thal's noch mehr?

Wassergeister,

von allen Seiten, doch wie vorhin....

Noch mehr! Noch mehr!

Medora.

Sind's Wasserorgeln, die der Nachthauch spielt?

Theaterschr. I.   23

Wassergeister,
von einer Seite.

Nachthauch spielt!

Du hörteſt ja, daß alles lebt und fühlt!

Wassergeister,
von allen Seiten.

Alles lebt und fühlt!

Selinde.

'ſ ſind kleine Schäfer! Immer laß ſie walten!

Nadine.

Harmloſe Weſen, niedliche Geſtalten —
Bei Mondlicht lauſchen ſie aus Binſ' und Rohr,
Ein lebend Waſſerblümen=Volk, hervor —

Zephyrine.

Sind ſchüchtern noch, — doch glaub' uns, mit der
Zeit
Gelingt es Dir, in dieſer Einſamkeit
Dich mit den Plaudrern gut zu unterhalten!

Medora.

Morgana! o wie dank' ich Dir!
Du linderſt alle Leiden

Durch zarte Huld und Liebe mir —
Kannst Du von Ihm mich scheiden?
Laß mich ihn seh'n! O, nur ein Mal!
O führ' ihn in dieß Zauberthal —
Ein Himmel wird's uns Beiden!

Man hört in weiter Entfernung Hörnerruf.

Medora.

Was war das?

Selinde.

Nun, vielleicht ein Hirtenhorn,
Ein Zeichen, daß man wachsam vor dem Wolf'!

Zephyrine.

Das werfen Echo's sich einander zu,
Wie frohe Knaben, spielend mit dem Ball,
Zumal in solcher ruh'ger, stiller Nacht!

— Abermaliger, etwas stärkerer Hörnerruf.

Nadine.

Nein, Schwestern! nein! das ist nicht Hirtenruf!

Zephyrine,
halb heimlich.

Ich fürchte, selbst zu diesem fernen Thal
Wälzt sich Gefahr! wälzt sich Getös der Schlacht!

— im **Medora**:

Was meinest Du? — der Klang war doch ganz
eigen —

Zephyrine, *vor sich.*

Das Unglück naht!

Zu den zwei Andern.

Laßt uns den Hang ersteigen!

Ersteigt den Felsen.

Selinde und Nadine.

O wär's vergönnt, die Arme zu beschützen!

Sie folgen ihr.

Zephyrine,

laut, von oben.

Ich sehe fern — im Mondlicht — Speere blitzen —!
Ein wild Gedräng" — ein Haufe flieht —
Es ist so wirr, daß man die Farb' nicht sieht —

*Nochmaliger, weit stärkerer Hörnerruf, nun auch mit Trompeten
untermischt.*

Medora,

zusammengeschreckt, in der heftigsten Unruhe.

Hörner tönen! Speere blitzen!
Ja, noch wüthet die Schlacht! —
Ihm auch droh'n der Schwerter Spitzen —
Ihn verräth der Waffen Pracht —

Jetzt kann er sein Blut verspritzen! —
Auf, Morgana! zeige deine Macht! —
Weh! die Hörner dröhnen
Schrecklicher daher!
Mit des Landes Heldensöhnen
Kämpft und siegt — und sinkt auch Er! —
Wenn deine Huld mich auserkohren,
Morgana! — wenn du mich geboren,
So schirm' Alcindors Haupt! —
Was wär' ich, würd' er mir geraubt? —
O eil', ihn zu erhalten!
Gieb gutem Recht' des Siegs Gewinn!
Doch — heischt ihr Opfer feindliche Gewalten,
So nehmt mein Leben hin!

Man hört das Getös immer näher, das sich nun in Siegs-
Jubel verwandelt. Medora will nach dem Felsen, den die Sylphiden bestiegen haben.

Vierter Auftritt.

Die Vorigen. Lothar.

Lothar,
mit gezogenem Schwert, tritt ein, noch in die Culissen sprechend.

Bleibt hier! Mit wen'gen schützt sich dieser Paß!
Der Feinde keiner flüchte durch dieß Thal,
Und, wer Euch naht, den dränget in den Strom! —

Die Zung' klebt mir am Gaume — warlich hier
Giebt's Wasser g'nug, ein Heer zu tränken!

Legt Schwert und Schild nieder, hält, seitwärts gekehrt, den
Helm unter einen Springquell und trinkt.

Medora,

die sich mit dem Schleier bedeckt und furchtsam in den Vorgrund
gezogen hat. —

O, Einer von den Unsern! Ew'ge Mächte!
Vernahmt Ihr mich? — O, sollt' es Wahrheit
seyn —?

Lothar,

den Helm wieder aufsetzend.

Das nenn' ich Labung! ja, ich zechte
So gierig nie selbst goldnen Wein!

Nimmt Schwert und Schild.

Nun, wieder frisch ins Kriegsgewitter!

Will fort.

Medora.

Verzieh' ein wenig, edler Ritter!
Beruh'ge mich — und sage mir geschwind —

Lothar, vor sich.

O all' ihr Sterne! Welch ein reizend Kind!
Die Nymphe wohl von diesem Quellenthale —

Schlägt das Visir auf.

Medora,

erschreckend, vor sich hin:

Was seh' ich? Er! Alcindors Feind!
Wer kannt' ihn in des Helmgegitters Stahle?

schüchtern.

Siegt unser Heer?

Lothar, lachend.

Verfänglich ist die Frage!
Doch, wer auch siegte, Dir ist er ein Freund!

Medora.

Sprich deutlicher! Du siehst ja, daß ich zage —

Lothar.

Denn Schönheit schützen ist stets Ritterpflicht! —
Doch, wen Du Dein nennst, weiß ich nicht.

Medora.

Die Unsern sind — da, wo Alcindor ficht!

Lothar,

sie erkennend und auf sie zueilend.

Medora! Sie! — O holde Dame!
Enthülle mir den Himmelsblick!

Medora, vor sich.

O wehe mir! Alcindors Name
Verrieth mich ihm! Welch Mißgeschick!

Lothar, vor sich.

Alcindor! ha! verhaßter Name!
Und doch verrieth er mir mein Glück!

Medora.

Soll ich zum dritten Mal Dich fragen? —

Lothar.

Der Sieg ist unser! Laß das Zagen!
Hoch sieht man unsre Fahnen ragen.

Medora.

Wie fröhlich alle Pulse schlagen!
Wie Wonne diesen Busen hebt! —
So — lebt Alcindor?

Lothar.

Ja, er lebt!

Medora sinkt, mit dankendem Blick gen Himmel, auf die Knie. Er richtet sie auf.

Doch was kann Dir sein Leben nützen?
Du brauchst der Freunde keinen mehr!
Ich, ich allein, will dich beschützen!
Die Lieb' macht diesen Arm zum Heer!

Medora.

Nie ist mein Blick auf dich gefallen —

Lothar.

Doch sah ich Dich an Roberts Hand
Einst in dem schönen Thale wallen,
Wo ich Dich jüngsthin wieder fand.
Da schien ich dem Ird'schen entschwunden,
Mein Herz war auf ewig gebunden;
Da, da gelobt' ich, Dir allein
Dieß Schwert und meinen Dienst zu weih'n —

Medora.

O naht kein Gott, mich zu befrei'n?

Lothar.

Und ich erfülle meinen Schwur!

Medora.

Mein Herz schlägt für Alcindor nur!

Fünfter Auftritt.

Die Vorigen. Alcindor.

Alcindor, noch außerhalb.

Was wollt ihr, Feige! hier? — dorthin wirft sich
    der Feind!
Sind Eurer mehr im Thale?

Tritt mit gezogenem Schwert ein.

Lothar.

     Wer erscheint
So trotzig hier? wer will mir Lehre geben?

Medora.

Er ist es selbst, der mir zur Hülf' erscheint!
O dank dir, Schicksal, das mich ihm vereint!

Alcindor.

Du bist's, Lothar?

Medoren erkennend.

    Ha! du, mein süßes Leben!

Der Himmel fängt sich nach und nach an zu verfinstern.

Lothar,

Medora zu sich ziehend.

Mein ist sie jetzt! ist meine Beute!
Weh' dem, der meinen Zorn empört!

Alcindor.

Hinweg, hinweg von ihrer Seite! —

Alcindor und Medora.

Lothar! Du wagst es? Unerhört!

Lothar.

Du schaltst mich vorhin einen Feigen —

Alcindor.

Mein ist ihr Herz! mein ist sie eigen. —

Medora.

Dir werd' ich ew'ge Treu' bezeigen —

Lothar.

Und weil der Schlacht Getümmel ruht —

Medora.

O Himmel! neu entbrennt die Glut —

Lothar,
das Schwert schwingend.

So —! solchen Makel tilgt nur Blut!

Alcindor.

Wohlan! bewähre Deinen Muth!

Alcindor und Lothar.

Wohlan denn! vom Kampf sind die Klingen noch
blank!
Dem Tapferſten reiche Medora den Dank!

Sie ſtellen ſich gegen einander.

Medora,
wirft ſich zwiſchen ſie.

O laßt euch meine Bitte rühren!
Verſöhnung, Alcindor! Verſöhnung, Lothar!

— Alcindor und Lothar,
führen ſie in die Grotte.

Der wäre werth, Dich zu verlieren,
Deß Schild nicht jedes Makels bar
Für Ehre und Liebe! die Schwerter ſind blank!
Dem Tapferſten reiche Medora den Dank!

*Sie fangen an zu fechten. Auch außerhalb der Scene hört man
Schwertergeklirr. Der Horizont iſt dunkler worden; man ſieht entfernte Blitze.*

Sechster Auftritt.

Die Vorigen. Rüdger mit einer Anzahl feindlicher
Krieger.

Rüdger.

Unser, unser ist die Schlucht!
Decket unsre Schmach und Flucht —

Feindliche Krieger.

Unser, unser ist die Schlucht!

Medora.

Himmel! welche Angst und Qual!
Ach, zum Schlachtfeld wird dieß Thal!

Alcindor und Lothar,

die fechtend mit den Schilden eben an einander ruhen, sich umsehend.

Feinde! ha!

Noch drohend gegen einander.

Ein and'res Mal!

Sich die Hände reichend.

Jetzt verbunden Herz und Stahl!

Sie stellen sich, den Angriff erwartend vor die Grotte.

Rüdger,

noch ohne jene zu sehen, zu den Seinigen.

Halt! Wer weitre Flucht begehrt,
Dessen Brust durchbort dieß Schwert!

Krieger.

Haltet! haltet! frisch gewehrt!
Schwert von vorn', im Rücken Schwert!

Rüdger, etwas vortretend.

Ha! dieß erleben! diese Schand' und Schmach!
Besiegt! besiegt! kein Fähnlein hält sich mehr!
Und nun — dem Feinde dient auch die Natur!
Es zuckt der Blitz, ein Wetter zieht heran —
Will das uns hier in Wasserflut begraben?
Des Himmels reiner Sternenplan wird Nacht —

es donnert.

Krieger.

Immer finstrer wird die Nacht!
Hört, wie dort der Donner kracht!

Medora.

Weh uns! welche bange Nacht!
Auch der Donner ist erwacht!

Alcindor und Lothar.

Wenn Dir auch kein Stern mehr lacht,
Fürchte nichts! die Liebe wacht!

Rüdger, vorschreitend.

Ha! — Wer da? Wer da?

Alcindor und Lothar.

Hoch Artemidor!

Rüdger.

Höll' und Himmel! Täuscht mein Ohr?

Zu den Seinigen.

Triumph! Triumph! ha! noch ist nichts verloren!
Gefangen ist Alcindor und Lothar!

Krieger!

Gefangen, ha! Alcindor und Lothar!

Alcindor und Lothar.

Ihr jauchzt zu früh!

Rüdger.

Ergebt euch meiner Schaar!
Das Schwert mir her! Ich kenn' Euch — euren
Stand —
Bedenkt, dieß holde Fräulein an der Hand —

Krieger, sich nähernd.

Ergebet euch!

Rüdger.

Zurück! Sie sind ein kostbar Pfand!
Für solche Geiseln läßt sich viel erkaufen!

Lothar.

Da gilts zuvor ein wenig Raufen!

Alcindor und Lothar,
unter sich.

Es ist ein flücht'ger, feiger Haufen!
Sie halten schwerlich lange Stand!

laut.

Wir wissen selbst uns loszukaufen;
Für uns büßt nicht das Vaterland!

Rüdger.

Ihr seyd verlassen!

Zu den Seinigen.

Schließt euch! Fest!

Alcindor und Lothar.

Verlassen, wer sich selbst verläßt!

Rüdger.

Seht diese Menge —

Alcindor und Lothar.

Wir sind Zwei!
Artemidor! — durch! durch!

Alcindor hat die halb ohnmächtige Medora umfaßt. Lothar verzahnt

Rüdger.

So sey es denn! Herbei!
Doch wer sie tödtet, büßt es selbst durch Tod!

Alcindor und Lothar.

versuchen sich durch schnellen Angriff durchzuhauen und dringen blutig
ein.

Laßt sehn! laßt sehn! auch euer Blut fließt roth!

Die Krieger,

nun auch angreifend.

Was büßen! was sterben! Man stirbt nur ein Mal!
Drum Leben um Leben! Und Stahl gegen Stahl!

Das Gewitter ist näher gezogen; es blitzt und donnert
heftig. Die Wogen des Stroms rauschen. Musikalisch-
pantomimisches Kampfgemälde. Die feindlichen Krieger
kämpfen zum Theil nur vertheidigungsweise und suchen
die Prinzen zu entwaffnen; aber bald wird das Gefecht
hitziger. Alcindor, Medora im Arm, und Lothar kämpfen
wie Verzweifelnde. Sie werden umringt. Zuerst wird
Lothar, dann auch Medora von Alcindor getrennt. Die
Sylphiden auf dem Felsen strecken bald die Hände,
wie um Hülfe flehend, gen Himmel, bald nach Medora
aus. Medora kann zu jenem Felsen nicht gelangen, er-
klimmt aber den gegen überstehenden. Krieger folgen ihr
nach. Allenthalben Verderben erblickend, stürzt sie sich auf

der hintern offenen Seite vom Felsen, in den Strom. Die
Sylphiden erheben angſtvoller die Hände. Alcindor, Medorens Sturz gewahrend, bricht ſich, an der vom Waſſer=
fall bedeckten Seite, eine Bahn zum Strande, und wirft
ſich, hoch den Schild emporhaltend, gleichfalls in die Wogen.
Er ſucht dorthin zu ſchwimmen, wo Medora unterſank.
Krieger, theils erſchrocken zurücktretend, theils triumphi=
rend. Man ſieht Medorens Schleier auf dem Strome;
auf der andern Seite bleibt Alcindors Arm mit dem
Schilde noch ſichtbar. Lothar iſt im Vorgrunde in ein Knie
geſunken und ſein Schild zerhauen; er vertheidigt ſich nur
noch ſchwach. Kriegeriſcher Jubel. An der offenen Seite
des Hintergrunds erhellt ſich plötzlich der Himmel, und
man ſieht in lichtem Schimmer Morgana auf einer Muſchel
über den Wellen ſchweben. Sobald ſie ſichtbar worden iſt,
fällt der Vorhang.

Dritter Aufzug.

Erster Auftritt.

Platz vor einem Stadtthore, das durch Ehrenbogen und sonstige Verzierungen zum Empfange eines siegreichen Heeres geschmückt ist.

Bürger und Bürgerinnen.

Die letztern scheinen die Bekränzung des Thors und der Mauern eben beendigt zu haben, und schauen, wie in banger Spannung, nach einer Seite.

Bürger,

bestürzt und erschrocken eintretend.

Wehe! wehe! laßt die Freude schweigen!
Bange Botschaft traf das Ohr!
Tauscht mit dunkeln, mit Cypressenzweigen,
Dieser Kränze Blumenflor!

Bürgerinnen.

Weh' uns! Eure Blicke — euer banges Schweigen — !
Euch zu hören, bebt das Ohr!

Bürger,

deren Worte die Frauen von Zeit zu Zeit beängstigt unter sich wiederholen.

Sie kam zu früh, des Sieges Sage!
Der Unsern Glück hat sich gewandt!
Es drohen unheilschwangre Tage
Uns — diesen Mäuern — Vernichtung und Brand!
Flüchtige kamen — entwaffnet — mit Wunden —
Der Himmel am Thale der Quellen ward roth —
Lothar war gefangen — Alcindor verschwunden,
Erwarb wohl den ersten Lorbeer durch — Tod!

Alle,

im Ausbruche des heftigsten Schmerzes unter einander.

Ihr Mächte des Himmels! Lothar ist gefangen!
Alcindor verschwunden — Alcindor wohl todt!

Man vernimmt aus der Ferne heranziehende kriegerische Musik.

Horcht doch! höret doch! Trommeln erklangen —
Weh! schon naht des Krieges Noth!

Alle stehen in banger Erwartung.

Zweiter Auftritt.

Die Vorigen. Lothar, am linken Arme leicht verwundet, doch ein feindliches Schild an demselben, in der Rechten ein Schwert. Hinter ihm einige Krieger, die eine feindliche, oben zersplitterte Fahne tragen.

Lothar.

Freudig! freudig! nicht beklommen —!

Bürger und Bürgerinnen.

Seht! Prinz Lothar! — Willkommen! willkommen!
Lebt Alcindor —?

Lothar.

Wird bald kommen!

Krieger und Bürger 2c.

Ja! er lebt! nur nicht beklommen! —
Hoch! er lebt! er wird bald kommen!

Bürger 2c.

Doch ist's möglich? — die Gefahr. —

Lothar.

Ist vorüber, doch sie war!

Bürger 2c.

So erzähl' uns —

Lothar.

Nun, so höret!

Bürger, unter sich.

Stille! ruhig! Nicht gestöret.

Lothar.

Vernehmt denn! — Blutig war die Schlacht;
Doch wallten siegreich unsre Fahnen
Hoch durch die Sternennacht,
Bis mich und Ihn des Zufalls Macht —
Der Feinde schnelles Flieh'n — geheimes Ahnen —
Zur Schlucht des Quellenthals gebracht.
Da — schien des Schicksals Zorn erwacht!

Bürger ꝛc.

Da schien des Schicksals Zorn erwacht?

Lothar.

Wir sind allein — die Feinde dringen,
Weit überlegen, auf uns ein,
Und was wir kämpfen, was wir ringen,
Zu zahlreich sind der Gegner Reih'n!....

Bürger.

Zu zahlreich sind der Gegner Reih'n!

Lothar.

Der Donner rollt — mit Finsterniß umhangen,

Wird der, erſt kläre Sternendom —
Ich ſinke, falle.— bin gefangen!
Alcindor — wirft ſich in den Strom!

Bürger ꝛc.

Alcindor! ach! er wirft ſich in den Strom!

Lothar.

Er hebt noch aus den Wellen hoch ſein Schild! —
Die Feinde jauchzen! — ſammeln ihre Schaaren —
Sie kehrten in's verlorne Schlachtgefild —
Die Unſern ſtutzen — wünſchen zu erfahren —
„Alcindor ſank!" tönt's plötzlich durch die
Reih'n —
Die Feinde brechen wütend ein —
Die Unſern flieh'n —!

Bürger ꝛc.

Die Unſern flieh'n! o Himmel!

Lothar.

Ich bin entwaffnet — knirſche ſtill vor Wuth —.
Da wirft zurück ſich feindliches Getümmel —
Alcindor hat den Strom durchſchwommen —

Bürger ꝛc.

Er hat den wilden Strom durchſchwommen —!

Lothar.

Er ist auf's neu' zum Heer gekommen,
Mit ihm gekehrt der Unsern Muth!

Krieger.

Sein Anblick gab uns neuen Muth!

Lothar.

Und nun beginnt auf's neu der Kampf — im
Dunkeln —
Man sieht nichts, als der Speere Funkeln,
Nicht Freund, nicht Feind! — Mann gegen Mann!
Ein jeder tödtet, wen er kann! —

Krieger.

Freund gegen Freund! Mann gegen Mann!

Lothar.

Die Unsern siegen — jene weichen —
Der finstre Rüdger giebt ein Zeichen,
Mich unverweilt dem Tod zu weih'n —

Bürger.

Dich unverweilt dem Tod zu weih'n! —

Lothar.

Da dringt mit schweren Schwertesstreichen
Alcindor mit den Unsern ein —
Und ihm gelingt's, mich zu befrei'n!

Krieger und Bürger.

Hoch! Ihm geläng's, Dich zu befrei'n!

Lothar,
die Hand an der Stirn, vor sich.

Ha! Ihm gelang's, mich zu befrei'n. —

laut.

Nun — durft' ich auch nicht müßig seyn —

Krieger,
die Fahne erhebend und jubelnd.

Der Nächste mußt' ein Schild ihm leih'n,
Und bald war diese Fahne sein!

Bürger.

Hoch! hoch, Lothar! die Fahn' ward dein!

Lothar.

Gnug! in der Morgenröthe Glanze
Bot nichts sich unserm Schwert mehr dar —
Schaut dort! in wohlerrungnen Kranze
Naht grünend, wie zum Winzertanze,
Sich eine wackre Heldenschaar!

Bürger.

Heil Dir, Heil Dir! hoch! hoch, Lothar!
Willkommen, wackre Heldenschaar!

Lothar mit den Seinigen durch das Thor ab.

Dritter Auftritt.

Vorige ohne Lothar. Alcindor (prächtiger gekleidet, doch mit Helm und Schilde) mit Robert und andern
Anführern. Krieger der verbundeten zwei Heere mit
bekränzten Fahnen, alle grüne Zweige auf den Helmen. Prächtiger
Marsch. Dann:

Bürger.

Heil, junger Held im frischen Kranz'!
Der Adler schwäng' hoch' sein' Gefieder! —
Heil, Robert! Dir im Silberglanz'
Der Locken! — willkommen, ihr Brüder!

Alle,

unter mancherlei Bewillkommungen.

Willkommen, ihr Männer und Brüder!

Alcindor,

mit stillgerührter Freundlichkeit.

Mit Rührung führ' ich diese Heldenschaar;
Zum väterlichen Heerd'; zum Dank-Altar!
Die ew'ge Vorsicht gab Gelingen —
Dank, Freunde! Dank! — stets euer ist mein
Blut! —

mit einer Abtheilung durch das Thor ab.

Robert.

Seyd freudig! — bald wird eurer Brüder Muth
Des Friedens Oelzweig diesem Lande bringen!

Eben so ab.

Bürger ꝛc.

O schöner Oelzweig sproß' empor!
Es wälze im Blut sich die Hyder!
Dann trennen wir nimmer uns wieder!
Dann senkt sich für Artemidor
Der schönste Abend nieder!
Den schönsten Abend Ihm! Artemidor!

Während dieses Gesangs sind die Krieger und Bürger durch das
Thor eingezogen.

Vierter Auftritt.

Kurzes Theater. Ein Gartengang mit Palmen = Pommeranzen=
und Granatbäumen, schönen Stauden und Pflanzen. Auf einer
Seite ein Schloß.

Alcindor,
ohne Schild, den Helm im Arme, eintretend.

O fasse, fasse dich, beklommnes Herz!
Verschließ' die tiefen Wunden, arme Brust!
O fühle nicht der bittern Trennung Schmerz —
O fühle nicht den schrecklichsten Verlust!
Erfasse nur den einzigen Gedanken,
Umklammr' ihn fest, wie Eichen junge Ranken:
Ihn wirst du seh'n, der stets dir Vater war,
Den Vater seines Volks — den Stern zum wahren
Ruhme —!

Wie schwillt das Herz mir doch so wunderbar!
Hier bin ich ja in seinem Heiligthume,
Im Heiligthum der Weisheit und Natur!
Ja, jede Pflanze, jede Blut' und Blume,
Verkündet eines Völkerhirtens Spur! —
O möge stets sein Beispiel mich erheben,
Für andrer Glück, für Völkerglück zu leben!

Fünfter Auftritt.

Alcindor. Lothar, prächtiger gekleidet, ohne Schild,
den Helm im Arme.

Lothar.

Sey mir gegrüßt, mein Prinz! willkommen hier im
Tempel
Des wahren Friedens!

Alcindor.

Du, Lothar? —
Vorüber ist die äußere Gefahr —

Halb heimlich.

Kommst Du, mich an mein Wort zu mahnen!

Lothar,

mit heftiger innerer Unruhe.

Auch mich beschied Artemidor's Befehl;

Doch — nein! weshalb hätt' ich's noch länger
Hehl —?
Auch inn'rer Drang — mein heißes Herz — ein
Ahnen —

Alcindor.

Ein Ahnen? wie?

Lothar,

mit sich kämpfend, dann mit Rührung und Feuer.

Daß — Du nicht glücklich bist!
Daß, ob Dich Lorbeern rings umgeben,
Dein Aug' die schönste Ros' vermißt —

Alcindor.

Versteh' ich Dich —?

Lothar.

Du rettetest mein Leben —

Alcindor.

Du hätt'st das auch für mich gethan —
Du that'st es schon —!

Lothar.

Alcindor! — hör' mich an —

Dich — trösten möcht' ich! — Kannst Du mir
vergeben?

Er will ein Knie senken.

Alcindor, es verhindernd. — — länger

Lothar—!

Lothar.

Alcindor! — Ew'ge Treu und Pflicht!

Mein Herr!

Will nochmals ein Knie beugen.

Alcindor,

zieht ihn an seine Brust.

Mein Freund! mein Bruder!

Lothar.

Traure nicht! —

O laß nicht ganz der Hoffnung Strahl
Aus Deinem Busen schwinden!

Alcindor, in tiefer Wehmuth.

Werd' ich im Strom, im Quellenthal,
Medorens Grabmal finden — ?

Lothar.

In's Knie gesunken, sah ich Glut
Sich auf der Wog' entzünden —

Alcindor.

Wie brausend, furchtbar war die Flut!

Laß Alles Dir verkünden!
Gleich Aphroditen aus dem Meer,
Erschien Morgana, hoch und hehr,
Gebietend Well' und Winden.
Dieß giebt mir Hoffnung — weckt den Muth —

Feurig.

Der so an Deiner Brust geruht,
Wird Dir Medoren finden!

Alcindor.

O nimmer! — in der wilden Fluth
Sah ich mein Glück verschwinden!

Sechster Auftritt.

Die Vorigen. Robert in Baret und Staatskleidung.

Robert.

Mit inn'ger Wonne, Prinzen! find' ich euch
Hier Brust an Brust! So ziemt es edle Sprossen
Erhabnen Stamms; durch's Blut schon Bund-
genossen;
So ziemt es in dem Vorplatz eines Tempels,
Der Tugend und dem Völkerglück geweiht! —
Nehmt Greises Segen! — Glück durch Einigkeit!

Alcindor und Lothar.

Durch Einigkeit! Dank, edler { Lehrer } Dir!
{ Ritter }

Robert.

Doch jetzt, Alcindor! höre noch von mir,
Was Dir zu wissen nöthig ist, bevor
Du zu des königlichen Weisen Füßen sinkst —

Alcindor.

O sprich, mein Vater!

Robert.

Einen hohen Lohn
Hat Dir des Königs Vaterherz erkohren —

Alcindor.

Mein einz'ger Lohn versank in wilde Flut —

Lothar.

Verzweifle nicht! o fasse frohen Muth!
Morgana sah' ich, — und sie wär' verloren?

Robert.

Noch inn'ger zu befestigen das Band,
Das beide Völker längst umwand,
Den Sieg, erkämpft von den vereinten Heeren,

Durch Volks = und Vaterglück zu ehren,
Erkohr er Dir, der Königstochter Hand, —
Der alle Herzen zugewandt —

Alcindor.

Medoren hab ich Treu' verheißen —
Mein Leid um sie wird nie vergeh'n!

Lothar.

So schnell soll er das Band zerreißen,
Er, der Medorens Blick geseh'n!

Alcindor und Lothar.

O nimmermehr kann das gescheh'n!

Robert.

So wills die Pflicht! so wird's gescheh'n!
Du bist's, auf den die Deinen sehn!
Wem kann Entsagung mehr gebühren — ?
Muth! Muth! dort öffnen sich die Thüren —
Das Vaterherz erwartet Dich!

Lothar.

Ein Vaterherz erwartet Dich!

Alcindor.

O ew'ge Mächte! höret mich!

Die Thüren des Chiosk sind eröffnet worden. Alcindor eilt hinein. Man sieht ihn noch auf ein Knie sinken und ehrerbietig die Arme erheben. Robert und Lothar treten hinter ihm ein, so, daß durch sie das Uebrige dem Blick entzogen wird.

Siebenter Auftritt.

Große, prächtige Colonnade, im Hintergrunde mit einem
Haupt = Eingange, worüber eine Kuppel. Die Colonnade
ist ganz offen und beut die Aussicht auf einen schön da=
herfluthenden Strom. Im Vorgrunde auf einer Seite
die Façade eines Tempels, auf der andern ein Thron=
sessel unter einem Prachthimmel. Zu beiden führen
gleichförmige Stufen.

Bürger und Landleute,

zum Theil mit Eichen = Zweigen und Gewinden; in Masse zusammen=
stehend.

Ernste, hochgeweihte Stunde,
Wo das Schicksal sich enthüllt! —
Ew'ge Vorsicht! Heil dem Bunde,
Der des Landes Wunsch erfüllt!
Günst'ge, himmlische Gewalten,
Welche schützen und erhalten,
Baut auf Lieb' und Zärtlichkeit
Treuer Völker Sicherheit!

Einige.

Schauet! schauet! dort — sie kommen!

Andere.

Ruhig! ruhig! — Platz genommen!

Sie treten alle dem Ausgange des Tempels gegenüber.

Vorsteher.

Alle könnt ihr hier nicht stehen!

Mehrere.

Alle woll'n den Vater sehen!

Vorsteher.

Sollt's auch! — folget! hier zurück! —
Alle sucht sein Vaterblick.

Mehre.

Wohl denn! — Ordnet euch! — Zurück!
Alle sucht sein Vaterblick.

Sie ordnen sich in der Colonnade, daß sie einen ovalen Halbkreis bilden.

Achter Auftritt.

Die Vorigen. Alcindor, Lothar, nun in Feder-Barets und Prachtmänteln. Robert, mehre Heerführer und Große des Reichs, sämmtlich in Staatskleidern.

Alcindor.

Ich grüß' in euch das ganze Vaterland —

Bürger und Landleute,
freudig jubelnd.

Alcindor! Er! den alle Herzen lieben!

Einige, halb heimlich.

Doch Kummer scheint sein Aug' zu trüben —

Andere.

Ein würd'ger Ernst ziemt hohen Stand!

Alcindor, zu Lothar und Robert.

O werthe Freunde! gebt mir eure Hand!
Wo ist mein Muth, wo mein Entschluß geblieben —?
Ich fühle, was ich nimmer noch empfand!

Lothar.

Muth, edler Prinz! versuch', es aufzuschieben;
Vertrau' Morgana's mächt'ger Hand!

Robert.

O folge nicht den flücht'gen Trieben! —
Artemidor und Vaterland!

Die Vorhänge des Tempel-Ausgangs öffnen sich.

Bürger und Landleute.

Der König kommt! der Vater tritt hervor!
Heil unserm Vater! Heil Artemidor!

Neunter Auftritt.

Die Vorigen. Artemidor ein Greis von höchster Majestät und Milde, im einfach-prächtigem Gewande, auf dem Haupte ein Diadem, statt Zeptero einen Oelzweig. Hinter ihm, Große des Reichs, lauter Greise, deren einer auf einem Prachtkissen einen Eichenkranz trägt. Alle, außer den Prinzen, die sich ehrerbietig verbeugen, sinken auf ein Knie. Tiefe Stille.

Artemidor,
sich allenthalben umschauend.

Nur vor der Sterne Herrscher sollt ihr knie'n!

Bürger und Landleute.

In ihrem Vater ehren Kinder ihn!

Artemidor.

So soll vereint zu ihm der Herzen Weihrauch zieh'n! —

Er läßt sich auf ein Knie nieder, legt das Diadem neben sich und erhebt die Hände. Die Greise hinter ihm, die Prinzen, alle Uebrigen folgen seinem Beispiel. Tiefe Stille.

Dir, der die Sterne lenkt, sey Dank gebracht!
Du gabst den Sieg, Du hast geschirmt, gewacht!
Du bannst die Zwietracht in des Abgrunds Nacht!
Du willst des Landes Wohlfahrt fester gründen,
Zwei Brüdervölker inniger verbünden —
Dir, über'n Sternen! Preis und Dank!

Er steht auf und nimmt das Diadem wieder. Alle erheben sich von den Knieen.

Vernehmt es denn! die Friedenssonne sank
Wohlthätig schon auf uns hernieder —

Volk.

Bringt den ew'gen Mächten Dank!
Steigt empor, des Jubels Lieder!
All' auf Erden Freund' und Brüder,
All' der großen Kette Glieder!
Himmelswonne! — Preis und Dank!

Artemidor,
mit den Greisen herabsteigend und Alcindor zu sich winkend.

Du aber, den ich liebe, wie den Sohn,
Empfange diesen Eichenkranz zum Lohn!
Und welkt sein Laub, sein Reiß noch sage Dir:
Der Bürger Glück, das ist des Thrones Zier!

Alcindor,
sinkt vor ihm aufs Knie.

Nie soll's meinem Sinn' entweichen,
Vater — !

Volk.

Ja der Kranz von Eichen
Ist der Kön'ge schönstes Zeichen!
Bürgerglück des Thrones Zier! —
Du wirst edlem Vorbild' gleichen,
Wir in Treue nimmer weichen;
Heil, Artemidor! Heil Dir!

Artemidor.

Noch ist ein schöner Preiß Dir ausersehn;
Mein hoher Freund, mein edler Bundgenosse
Schenkt in der Tochter holde Gabe Dir —

Alcindor,

zwischen Betroffenheit und unterwürfiger Ehrfurcht getheilt.

Mein König! Vater! — Du verkündest mir — —

Ein rosiggoldner Schimmer verbreitet sich im Hintergrunde über
den Strom.

Volk,

dieß gewahrend, theilt sich auf beide Seiten, so, daß hinten die Colonnade ganz offen wird.

Seht! Seht! des Stromes Flut erglimmt!
Horcht! Wonneklang vom grünen Bord des Strands!

Alle stehen mannichfach gruppirt in gespannter Erwartung.

Zehnter Auftritt.

Die Vorigen. Ein prächtig geschmückter Wagen, dessen Räder, wenn sie sich aus dem Wasser erheben, hellsilberne Funken von sich sprühen, schwebt, von vier Schwänen gezogen, von Meergöttern, Sirenen, Amoretten, Delphinen ꝛc. umgaukelt, auf dem Strome majestätisch daher. Auf ihm Morgana (mit Diadem, und sonst in größter Pracht) und eine, mit gelbenem Schleier verhüllte junge Dame. Hinter ihnen die drei Sylphiden. — Am Schlusse des Auftritts Elementargeister Volk.

Volk.

Morgana ist's! die Schütz'rin unsers Lands!

Alcindor.

Wie bebt mein Herz! Kaum wag' ich's, hinzuschauen!

Lothar und Robert.

Morgana ist's! O hab' zu ihr Vertrauen!

Morgana mit der verschleierten Dame und den drei Sylphiden ist ans Land gestiegen. Die Meergötter u. s. w. gruppiren sich am Ufer des Stroms um den Wagen.

Morgana,
die Dame vorführend.

Empfange sie, des schönsten Glückes Pfand!
Ich habe Dir die Braut erzogen, —
Ich habe sie des Stromes wilden Wogen
Mit mütterlicher Angst entwandt —

Artemidor.

Empfange sie aus ihrer Hand,
Vom hohen Bundsfreund Dir gesandt!

Morgana winkt den drei Sylphiden, die Dame zu entschleiern.
Es ist Medora, in königlich-brautlicher Tracht, eine Krone, mit
Mirten durchflochten, in den Locken.

Alcindor und Medora,
breiten entzückt die Arme gegen einander aus, treten aber ehr-
furchtsvoll wieder zurück.

Sie ist's!
Er ist's! } mir schwinden fast die Sinne!

Alle,
außer Medora.

Die schönste Ros' der Jugend und der Minne,
Von günst'gen Mächten { uns / euch } gesandt!

Artemidor,
ihre Hände zusammenlegend.

Du, ew'ge Vorsicht! knüpftest dieses Band!

Medora und Alcindor beugen sich über Artemidors Hand und blicken
einander im höchsten Entzücken der Liebe an. Auf Artemidors Einladung besteigt Morgana den Thron. Artemidor begiebt sich auf die
Stufen des Tempels und beobachtet, auf einige Greise gestützt, das
Glück der Liebenden.

Medora.

O mein Alcindor!

Alcindor.

Meine holde Braut!

Lothar.

Wohl dem, der höh'rer Lenkung traut!

Robert, ernst.

Sein Glück auf Pflicht und Recht erbaut!

Tritt zu Artemidor.

Lothar.

Ich huld'ge Dir, des edlen Freundes Braut!

Tritt zu Artemidor.

Artemidor.

Beginnet denn den bräutlich frohen Reigen —

Morgana, winkend.

Hervor, hervor, die Huld'gung zu bezeigen!

Im Vorgrunde steigen Erdgeister (Knaben) mit Silbermulden, Geräthschaften der Kunst und des Ackerbaues, Korngarben, Früchten, Trauben u. s. w. aus der Erde. Im Hintergrunde kommen Wasser geister (gleichfalls Knaben) mit Körbchen voll Muscheln, Perlen, Fischen, Attributen des Handels u. s w. aus dem Strome. Von einer Seite Elfen (wie im ersten Aufzuge) mit Blumenkränzen, von der andern Salamandrinen (gleichfalls Mädchen, feuerfarb und weiß gekleidet) mit brennenden Kerzen. Gruppe um das Brautpaar. Zu nächst hinter ihnen die drei Sylphiden, einen Mirten-, einen Lorbeer- und einen Rosenkranz über sie haltend. Dann die Elementar geister, so, daß die Salamandrinen ihre Kerzen und die Sylphiden ihre Blumengewinde gegen einander emporhalten, die Erd = und Wasfergeister aber dazwischen stehen.   Dann der Kreis des Volks; mit Eichengewinden und Zweigen.

Sylphiden.

Fröhlich können wir nun scheiden;
Denn erfüllt ist unsre Pflicht.
Lieb' ist Schutzgeist nun Euch Beiden —
Anderer bedürft Ihr nicht!

Erd = und Wassergeister.

Nehmt die Gaben, die wir bringen,
Als des künft'gen Glückes Pfand —

Elfen.

Rosig, wie wir Euch umschlingen,
Blühe stets der Liebe Band!

Salamandrinen.

Gleich den Fackeln, die wir schwingen,
Lodre stets der Herzen Brand!

Alle.

Friedenssonne beiden Reichen!
Steter Lenz dem Rosen = Band'! —
Nie soll unsre Treue weichen! —
Liebe! — Treue! — Vaterland!

Verschönerte Variationen der allgemeinen Gruppe.

III. Die ſchwarze Frau ··· Die Zelte.
ſpielt in ···

Inhalt

des erſten Bandes.

Es liegt dieſem Schauſpiele eine wahre Begeben=
heit zu Grunde, über welche der Verfaſſer noch
als junger Sachwalter ſich genau zu unterrichten
Veranlaſſung fand. Daß auf dieſes Schauſpiel
Iffland's damals zu hoch erhobene, jetzt zu
tief herabgeſetzte Familiengemälde Einfluß gehabt
haben mögen, ſtellt der Verfaſſer nicht in Abrede.

III. Die ſchwarze Frau, oder: Die Wette. Luſt-
spiel in zwei Aufzügen. 1806.   .   S. 215

> Zuerst erschienen im dritten Bändchen der Tul-
> pen. (Leipzig, bei Hartknoch 1807,) — Den
> Gedanken, ein Zweispiel dieser Art zu dichten,
> erzeugte Stoll's dem Französischen nachgebilde-
> tes Lustspiel: 'Scherz' und 'Ernst. Von ähn-
> lichen dramatischen Duetten und Terzetten, deren
> späterhin eine ziemliche Anzahl auf die Bühne
> gekommen sind, war dem Verfasser damals noch
> keins bekannt. — Jetzt ist es von neuem übersehen
> und in Kleinigkeiten verbessert worden.

IV. Alcindor. Feſt-Oper in drei Aufzügen. 1819.
                                        S. 311

> Hier zum erstenmal vollständig abgedruckt. Der
> zweite Aufzug ist im dritten Hefte der Muse
> 1821. unter dem Titel: Der Kampf im Quel-
> lenthale, vorläufig mitgetheilt worden.

Druckfehler.

S. 9. Z. 24. l. Ehrfürchtig st. Ehrfurchtig

— 10. — 13. l. stützt st. stürzt

— 30. — 9. l. furcht' st. fürcht'

— 50. — 25. l. flehend st. fliehend

— 75. — 3. l. innre st. immer

—124. — 8. l. doch st. auch

—241. — 8. muß nach „Flammen" ein Comma stehen.

—278. — 13. muß nach: „sollte sich" noch „vielleicht" stehen.

—296. — 5. ist zu lesen: selbst dem Strauch, dem Blumenbeet verleihn.

—306. — 1. l. traulich st. traurig

Friedrich Kind's

Theaterschriften.

Zweiter Band.

Leipzig
bei Georg Joachim Göschen 1823.

Herrn

General

August Wilhelm Freiherrn
von Leyser,

Officier des Königlich Französischen Ordens der
Ehrenlegion, Ritter des Königlich Sächsischen
St. Heinrichs= und des Königlich Schwedischen
Schwert=Ordens ꝛc.

verehrungsvoll

gewidmet.

I.

Das Nachtlager in Granada.

Schauspiel in zwei Aufzügen.

1 8 1 7.

Personen.

Gabrielle.

Gomez, ein junger Hirt.

Ein Jäger.

Ambrosio, ein alter Hirt, Gabriellens Oheim.

Vasco,
Pedro, } Hirten.

Ein Alkade mit Gerichtsfolge.

Graf Otto, ein deutscher Ritter.

Don Filippo, ein Spanischer Grand.

Höflinge, Jäger und Bauern.

Zeit: Mitte des sechzehnten Jahrhunderts.

Erster Aufzug.

Ein Bergthal in Granada, von der untergehenden Sonne beleuchtet. Vorn eine Burg = Ruine, noch aus der Maurenzeit. Säulen, in die Erde versunken, und hochberaste Schutthaufen liegen umher.) Seitwärts ein von Steinplatten zusammengesetzter Tisch mit einer Bank. Weiter hinten zerstreute Dorfhütten.

Erster Auftritt.

Gabrielle sitzt, den Kopf auf die Hand stützend, vor der Pforte auf einer der versunkenen Säulen. Gomez, mit Hirtentasche und Stab, kommt.

Gomez.

Ach, wie traurig sitzt sie wieder! —
Glänzend wallt das dunkle Haar
Von den weißen Schultern nieder
Seh' ich recht? Sie weint wohl gar! —
Ja, ich muß das Letzte wagen!
Still wollt' ich mein Schicksal tragen,

Wär' sie glücklich! — tragen? still?
Weiß ich selbst wohl, was ich will! —

Gabrielle aufblickend.

Gomez!

Gomez.

Holde Gabrielle!

Glänzt in Thränen stets dieß helle,
Sternengleiche Augenpaar?

Gabrielle wehmüthig.

Mir ist Alles nun entrissen,
Was mir lieb und theuer war!

Gomez.

Sprich, Geliebte! Laß mich's wissen:
Welch ein schmerzlicher Verlust,
Deß ich noch nicht Kunde habe,
Traf auf's neu' die zarte Brust?

Gabrielle.

Deine fromme Liebesgabe,
Meine einz'ge Trösterin,
Ach, auch sie, auch sie ist hin!

Gomez.

Wie? sie brachten selbst die Taube
Ihrem Haß zum Opfer dar?

Gabrielle.

Darin irrst du! einem Aar
Ward sie, mir vorm Aug', zum Raube.
Ob die Hand ich rang und schrie,
Ungerührt von Angst und Flehen,
In die Lüfte führt' er sie,
Dorthin nach den Felsenhöhen. —
Ach, sie war mein einz'ges Glück!
Wenn sie kosend mich umspielte,
Flatternd mir die Wange kühlte,
Kam die vor'ge Zeit zurück.
Sie schien mir ein gutes Zeichen;
Trug sie nicht am Hals den Ring,
Den ich einst von dir empfing? —
Selbst den Oheim zu erweichen,
Dein zu werden, hofft' ich noch,
Konnt' ich ihr das Futter reichen,
Drückt' ich sie an Busen — doch
Da ich nun auch sie verlor —

Gomez.

Zage nicht!

Gabrielle.

Was hast du vor?

Gomez.

Noch das Letzte zu versuchen,
Was zu mir ein Engel sprach. —
Traurend trieb ich durch die Buchen
Meine Heerde hin zum Bach.
Leise plätscherten die Wellen,
Rings herum die Gegend schwieg;
Keinen Wandrer sah man gehen;
Selbst vom höchsten Felsenstieg
Hörte man kein Lüftchen wehen,
Nirgendwo ein Maulthier schellen,
Als — der Berge tiefste Spalten
Plötzlich von der Hunde Bellen
Und von Jagdruf widerhallten,
Dann durch Schlucht und Felsenhang
Schuß auf Schuß, und Hörnerklang,
Hier bald, und bald dort, erklang.

Gabrielle.

Wie geschah das?

Gomez.

In der Runde
Scholls' nun aus der Hirten Munde,
Daß die kaiserliche Jagd,
Die man gestern angesagt,
Näher unserm Thal gekommen.

Gabrielle.

Glaubte man doch unsern Herrn
In des Auslands weit'ster Fern'.

Gomez.

Richtig, doch ein mild'rer Stern
Ist für Spanien' erglommen.
Hast du nie von Karlo's Neffen,
Sanft und schön, voll Muths im Treffen,
Der für ihn regiert, vernommen?

Gabrielle.

Eine Hirtin tugendsam,
Die von fernen Fluren kam;
Pries so warm ihn, so beklommen —
Recht, als wär's ihr Bräutigam —
Daß verrätherisch' die Schaam
Hoch auf ihren Wangen glühte.

Gomez.

Mag des Jünglings Heldenblüte
Höher manches Busenband
Steigen lassen, seine Güte,
Die bewährte tapfre Hand
Bei so treulichem Gemüthe,
Hat ihm auch der Männer Seelen,
Was wohl mehr gilt, zugewandt.

Dieser Sproß von deutschem Stamme
Weiß des Südens heiße Flamme
Edler Milde zu vermählen —

Gabrielle.

Doch wozu das mir erzählen,
Der vor Gram das Herz fast bricht?

Gomez.

Tagt dir noch kein Hoffnungslicht?
Holdes Mädchen, laß das Weinen,
Fasse Muth und Zuversicht!
Nach Granada's Felsen-Hainen
Hat mein Schutzpatron ihn nicht
Aus der Hauptstadt hergeführt,
Daß er nach dem Eber spürt;
Nein! der Liebe Schmerz zu heilen,
Schutz der Unschuld zu ertheilen! —
Muthig will ich zu ihm eilen,
Nicht an die erkämpften Fahnen,
An die Tugend seiner Ahnen
Voll Vertrau'ns den Enkel mahnen;
Will ihn, alles Bebens frei,
Dann als höchsten Richter fragen,
Ob es Fug dem Oheim sei,
Deine Hand mir zu versagen,
Die, weil er mein Herz erprobt,

Mir dein Vater schon gelobt,
Bloß, daß deine kleine Heerde
Eines Buben Mitgift werde,
Dem Verdienste, unbekannt,
Seine Neigung zugewandt,
Da doch wir uns zärtlich lieben? —
Gleicht der Prinz der Väter Bilde,
Beut Bedrängten sich zum Schilde,
Wird Gerechtigkeit er üben!
Mein wirst du —

Gabrielle.

O trüg'risch Hoffen!

Steht wohl des Beherrschers Ohr
Dir, dem armen Hirten, offen?

Gomez.

Mit dem Muth, den Liebe giebt,
Die so heiß, so trostlos liebt,
Dring' ich durch die Wachen vor!
Müßt' ich auch die Jagdlust stören.
Meine Klagen soll er hören,
Oder mich verzweifeln seh'n!

Zweiter Auftritt.

Gabrielle. Bald darauf ein **Jäger.**

Gabrielle,

Gomez einige Schritte nacheilend.

Könnt' ich, könnt' ich mit dir geh'n!
Mög' ein Engel dich begleiten! —

Sich wieder umwendend.

Wie? scheint dort nicht was zu schreiten?
Noch ist nicht der Tag entflohn —
Kommen meine Quäler schon?

Sie will durch die Pforte, bleibt aber wehmüthig davor stehen.

Ach, wie einsam tret' ich heute
In die wüste Wohnung ein!
Gestern war ich nicht allein —
Meine Taube, kirr und munter,
War noch nicht des Todes Beute!
Jetzt floß längst der Armen Blut — —
Schützt kein Heil'ger, schützt kein Wunder
Unschuld vor des Räubers Wuth?

Lehnt sich mit dem Kopfe an eine Thürpfoste.

Jäger,

mit Hifthorn und Schwert, den Jagdspieß umgehängt, auf
der Hand eine Taube, steigt vom Felsen.

Nun, Gott sei Dank! da zeigen sich ja Häuser!
Ein Abenteuer giebt's, kein Ungemach.

Nun schlaf' ich heut' wohl unterm Halmendach
So sanft, nein! sanfter, als der Kaiser.
Ha, was ist dort? Ein Kind, wie Ros' und Schnee,
Und reich umwallt von rabenschwarzen Haaren!
Im ganzen Forst jag' ich das schönste Reh!

Indem Gabrielle geht durch die Pforte.

Weg war der Schatz! Recht, wie in alten Kunden,
Ein Feienhirsch, ist sie dem Aug' entschwunden;
Doch da giebt's Rath —

   Eilt zur Pforte und ruft ihr nach.

     He! schönes Mädchen, he!

Gabrielle

tritt wieder heraus und bebt, wie vor einer Erscheinung, zurück.

Hilf, St. Eustach!

Jäger.

     Was bebst du denn vor mir?

Gabrielle.

Wer du auch seist, wer von den Himmelsschaaren
Der Hirtin ließ Erhörung widerfahren,
Vergieb, o Herr! des Zweifels Ungebühr.
Jetzt, da ich Hülfe bringend dich gesehen,
In deiner goldnen Locken Strahlenzier,
Jetzt glaub' ich fest, daß Wunder noch geschehen;
Mein Täubchen ist's, schon in des Adlers Klau'n —

Jäger.

Ist's möglich, Kind?

Gabrielle.

O senke selbst Vertraun

In's bange Herz! Ja, Heil'ger, sie ist mein,

Mein letzter Schatz; es hing ihr beim Entfliegen

Am schlanken Hals ein Silberringelein

Jäger giebt ihr die Taube.

Bedarf, deß, nicht! dieß Auge kann nicht trügen.

Gabrielle,

die Taube freudig an sich drückend und mit ihr tändelnd.

Du Ringlein der Treue, so hab' ich dich wieder?

Dich, Botin der Hoffnung, mein einziges Gut?

Dein Herz, ja es klopft noch; dein weißes Gefieder

Ist rein, gleich der Lilje; es trieft nicht von Blut!

Ich kann dich, wie eh'mals, noch zärtlich umfassen,

Ich bin nun von neuem im öden Gemach

Nicht ohne Gefährtin; nicht gänzlich verlassen —

Indem sie die Taube durch ein Gitter hineinläßt.

Da, flieg nur, du Traute! bald folg' ich dir nach!

Jäger vor sich.

Wie kindlich sie sich freut! Sie hat indessen

Vor lauter Lust den Heil'gen ganz vergessen!

Gabrielle,

sich wieder umwendend, mit scheuer Ehrfurcht.

Bist du noch da, du wunderthät'ger Mann?
O sage mir, wie ich dir dienen kann!
Dein mächt'ger Arm hat sie dem Aar entrissen!
O laß mich knie'n, laß mich zu deinen Füßen —

Jäger, sie abhaltend.

Nicht doch, mein Kind! Ich bin ein Erdensohn,
Und, freut es dich, hab ich dahin den Lohn.

Gabrielle.

Ein Mensch wärt Ihr?

Jäger.

Leicht bist du überführt,
Dieweil so leicht kein Heil'ger — Hunger spürt.
Du wohnst wohl hier?

Gabrielle.

Bei meinem Oheim, ja!
Jüngst starb mein Vater —

Jäger.

Und die Wohnung da?

Gabrielle.

Ein wüstes Schloß ist's, aus der Maurenzeit —

Mit schüchterner Heimlichkeit.

Man sagt sogar, es sei'n Abencerragen,
Ob einer Kön'gin drin verbrannt, erschlagen;
Sie hieß Fatime, nahm nachher die Tauf,
Beschloß im Kloster ihren ird'schen Lauf,
Weil Christenritter sie vom Tod befreit. —
Ich weiß nicht recht —

Jäger.

Ja, 's liegt etwas weit.

Gabrielle.

Dann haben oft sich Räuber hergeflüchtet;
Nun aber ist's von Hirten zugerichtet
Zum Schutz vor Sturm, zur Ruh' der Nacht,
Indeß ein Theil nur bei den Heerden wacht.

Jäger.

So sei von mir als Wirthin heut' begrüßt!
Ich wäre gern hier freundlich aufgenommen —

Gabrielle.

Nun, seid Ihr wirklich nicht von dort gekommen,
So sagt auch Ihr mir —

Jäger.

— Sprich ganz unbeklommen!

Gabrielle, verschämt.

Man weiß doch gern auch, wer der And're ist!

Jäger.

Von Herzen gern! da ist nicht viel zu sagen —
Ich bin — ein Schütz in des Regenten Sold. —

Gabrielle.

Wohl auch ein Deutscher? nicht wahr? Eure Züge —

Jäger.

Ganz recht, da sagt mein Antlitz keine Lüge,
Und — sollten wir die Deutschen nicht behagen,
So sind doch Dirnen stets den Jägern hold;
Drum werden wir uns doch wohl auch vertragen?

Gabrielle.

O scherzt nicht so mit einer armen Magd! —
Ihr seid so freundlich, lieber Herr! drum sagt:
War's Wunder nicht, wie konntet, ohne Schwingen,
Ihr aus der Luft mein Täubchen wiederbringen?

Jäger.

Ich find' es selbst, der Fall ist sonderbar,
Doch lang die Mähr; drum laß uns niedersetzen!
Die Sonne sinkt; die Luft ist rein und klar,
Ich mag mich gern am Abendroth ergötzen —

Sie setzen sich auf zwei nahe bei einander liegende Trümmer.

Die Jagd ging gut; ein Zwanzigender war,
Schlank, schön, wie keiner, glücklich aufgetrieben;
Doch trug der zu der Ehre kein Belieben,
Von des Regenten Hand erlegt zu seyn.
Leicht flog er über Netze, Stock und Stein;
Zuletzt umstellt, entriß er sich der Hatz, —
Gestreckt die Kron', durch einen mächt'gen Satz,
Indem er, trotz dem vorgehalt'nen Spieß,
In kräft'gem Sprung zwei Treiber niederstieß.
Kaum sah der Prinz den Fall der wackern Leute,
So flammt' er auf; jetzt galt's nicht bloß der Beute;
Er schwur aus Zorn des schnellen Hirsches Tod —

Gabrielle.

Das war nicht schön! den Hirsch zwang ja die Noth.

Jäger,

halb verwundert zu ihr aufblickend, dann schnell.

Ach, was weißt du! — Genug, von Zorn erregt,
Hätt' ich gar gern den flücht'gen Hirsch erlegt.
Ich — ja, auch ich und alle Jagdgenossen
Verfolgten ihn auf unsern besten Rossen;
Ich meines Theils, so heiß auf Rach' entbrannt,
Daß ich zuletzt, als er dem Blick entschwand,
Mich in der Wildniß ganz allein befand,
Von steilen Felsen ringsum eingeschlossen.

Gabrielle, in die Hände klopfend.

Der Hirsch entkam! Nun bin ich wieder froh,
Und möcht's Euch gönnen, lieber Herr!

Jäger.

So? so!
Ei seht, hier werd' ich in die Schul' genommen!

Gabrielle.

Ihr wär't ja sonst — auch nicht hieher gekommen.

Jäger.

Wart', Schelm! — Wo war ich?

Gabrielle.

Ihr wart ganz allein,
Und rings um Euch nur Wald und Felsenstein.

Jäger.

Du ließest mich vermuthlich dort zur Strafe;
Doch spür' ich zu der Büßung keine Lust,
Weil, kann's gescheh'n, ich gern im Trocknen schlafe.

Gabrielle.

Bald regt für Euch sich Mitleid in der Brust.

Jäger.

Ich rief, ich ließ das Hifthorn laut erschallen,
Doch — nirgends Antwort, als von Widerhallen!
Daher ich denn nach kurzem Rath beschloß,

Theaterschr. II.

Nachdem zuvor ich mein ermüdet Roß,
Zusamt zwei treuen, mir gefolgten Hunden,
An einen Baumstamm angebunden,
Emporzuklimmen, wie es konnt' gescheh'n,
Um von der Höh' die Gegend zu beseh'n.

Gabrielle.

Mir bangt um Euch. Versteht Ihr denn das Klettern?

Jäger.

Je nun, das lernt sich in der Jugend wohl!
Ich übt' es oft mit Brüdern und mit Vettern,
Dem Gemsbock nach, im bergigen Tyrol. —
Jetzt klomm ich rasch, als gält's um einen Preis,
Hing hoch genug, mich einmal umzuspähen;
Der Puls schlug laut, der Stirn' entfloß der Schweiß —
Schon schwebte unter mir ein Volk von Krähen,
Schon überblickt' ich weit den dunkeln Forst,
Da kreischt' es mir zur Linken, und ich fand,
Auf einer Klipp', die senkrecht ragend stand,
Recht mit Vergnügen einen Adlerhorst.
Doch bald bewog mich Rauschen, ziehend Schweben
In hoher Luft, die Augen zu erheben,
Und sieh'! der Alte nahte seiner Brut.
Ich nahm mein Rohr — und doch, nach ihm zu
schießen,

Hegt' ich schon Lust, konnt' ich, mich nicht entschließen;
Denn, unter uns, ich bin den Adlern gut.

Gabrielle.

Gewiß, Ihr scherzt! Auch, solchen, welche Tauben,
So zahm und kirr, den Hirtenmädchen rauben?

Jäger.

Ein Aar, der kühn selbst in die Sonne schaut,
Ist warlich groß —

Gabrielle.

Ein Räuber ist's! Mir graut!

Jäger.

Auch vor gemalten? Ha, vor diesem Zeichen
Sah' ich schon oft des Reichsfeinds Rotten weichen;
Solch Panner weckt in mir gar frischen Muth! —
Drum gnügt es mir, den Adler bloß zu scheuchen,
Und er, der mich so unversehn entdeckt,
Vom Ruf des Gasts vor'm eignen Haus erschreckt,
Ließ, augenblicks sich hebend, seinen Krallen,
Zehn Schritt' von mir, dein Täubchen niederfallen.

Gabrielle.

Den Heil'gen Dank!

Jäger.

Wer weiß auch, wenn ich schoß,
Ob nicht, im Krampf das Blut der Taube floß —

Gabrielle.
Ihr guter Mann

Jäger.

Denk' nicht, daß ich dran dachte!
Das kommt nun so; das Herz treibt oft sein Spiel.
Doch, als ich hinging, wo die Taube fiel,
Denk', liebes Kind! wie froh ich war, — da lachte
Mit Korn und Frucht mich offne Gegend an,
Und leicht fand ich vom Felsenstieg die Bahn.

Gabrielle.

Ein Heil'ger that's!

Jäger, lächelnd.

Mehr kann man nicht verlangen.
Doch, wünscht' ich nun — Seit ich vom Zug verirrt,
Sind leichtlich sieben Stündchen hingegangen;
Drum scheint, was dich nicht wundern wird,
Mein Magen nicht ganz unbefangen.

Gabrielle,
nach einigem Besinnen vor sich.

Geh's, wie es geht!

Laut.

Es ist nur Obst und Brot,
Was ich Euch bringen kann, und Milch von Ziegen —

Jäger.

ihre Wange leis berührend.

Färbt diese Kost die Wang', so lieblich roth,
So kann sich wohl ein Waidmann dran begnügen.
Drum komm —

Gabrielle.

Nein, lieber Herr! ich bring's heraus.

Jäger.

Soll ich zur Nacht denn unterm Himmel liegen?

Gabrielle.

So gern ich's that, Ihr dürft nicht mit ins Haus,
Bevor mein Oheim und die Hirten kommen.

Jäger.

Warum denn nicht? Ihr habt zur Streu doch Stroh.

Gabrielle.

Ach, lieber Herr! sie sind gar hart und roh!
Einst hatt' ich einen Pilgrim aufgenommen,
Der, alt und schwach, und vor Ermüdung krank,
Hier vor der Pforte fast zu Boden sank —
Nichts hielt sie ab, ihn in den Wald zu jagen;
Sie fluchten mir, und drohten, mich zu schlagen.

Jäger,

entrüstet und ihre Hand fassend.

Dich schlagen? Dich!

Gabrielle, sich losmachend.

Jetzt, wehrt nicht meinen Schritten;
Ich hol' Euch Kost, und will dann für Euch bitten.

In die Ruine ab.

—

Dritter Auftritt.

Der Jäger allein.

Sie lebt nicht glücklich, und verdient's so sehr!
Welch feurig Aug'! welch, reine, offne Stirne!
Nie sah ich eine unschuldvoll're Dirne! —
Wie? führte wohl kein bloßes Ungefähr
Nach langer Irrfahrt mich hieher?

Ja, wenn ich nun ein Schütz' im Thal hier wär' —
Was schadet's auch, ein wenig süß zu träumen? —
Mein wär' solch Weib — und nur dieß Feuerrohr!
Wenn Rosenwolken früh den Himmel säumen,
Zög ich zum Forst; doch trät der Mond hervor,
Dann fänd ich sie, mein harrend unter Bäumen,
Die Lämmer tränkend noch am Wiesenquell;
Ihr Auge grüßte mich so rein und hell,
Ich flög' ihr zu, ich rief: da bin ich wieder!
Sie sänk in meinen Arm —

Vierter Auftritt.

Der Jäger. Gabrielle bringt einen irdenen Krug und
ein Körbchen mit Brot, Datteln, Feigen u. dergl.

Gabrielle, noch in der Ferne.

Da bin ich wieder!

Jäger, wie erwachend.

O du —!

Gabrielle.

Vergebt, wenn ich zu lang' geblieben;
Ein Mehres nicht vermag für heut' das Haus.

Sie breitet ihren Vorrath auf dem steinernen Tische aus und winkt
dem Jäger, sich daran zu setzen.

Jäger.

Nein, Kind, dein Herz hat dich zur Eil' getrieben,
Und Hunger würzt dieß Mahl zum Fürstenschmaus.
Doch mußt du auch, noch höher es zu würzen,
Durch freundliches Gespräch die Zeit mir kürzen.

Gabrielle.

Das will ich gern; — denn —, ich gesteh' es, frei,
Mir fiel was ein; ich möcht' Euch gern was fragen.

Jäger.

Nur frisch heraus; es sei auch, was es sei,
Und wenn ich's weiß, will ich dir's redlich sagen.

Gabrielle.

Ja, 's ist bedenklich —

Jäger.

So?

Gabrielle.

Ihr seid vom Hofe
Und mehr, als ich, versteht die jüngste Zofe —

Jäger.

Ei, was thut das?.

Gabrielle.

Gut! — Kennt Ihr den Regenten?

Jäger.

Ich? — Halb und halb — ich meine von Person —

Gabrielle.

Das ist mir lieb! — Seht, ferne Sonnen blenden —
Sagt's ja ihm nicht —— Verdient er wohl den Thron?

Jäger.

Ei, Kind, da fragst du — wer kann von uns beiden
Hierüber, so ins Blaue hin, entscheiden? —
Was wollt' er nicht! Er ist ein Königssohn!

Gabrielle.

Das frag' ich nicht. — Ist er denn brav und gut,
So brav und gut, als alle Leute sagen?

Jäger.

Ich mein'— — er ist ein treues deutsches Blut,
Und seine Fehler sind wohl zu ertragen!

Gabrielle.

(in die Hände klopfend.)

O das ist herrlich!

Jäger.

Willst du zu ihm gehen?

Gabrielle.

Und wenn —?

Jäger.

Dann rath' ich, sei auf deiner Huth!
Denn — diese Schwäche muß man eingestehen,
Der Prinz soll gern nach hübschen Dirnlein sehen!

Gabrielle.

Da giebt's schon Andre! — — Ist er auch gerecht?
Gilt gleich vor ihm der Ritter und der Knecht?
Wird, wann sie einst zur Vätergruft ihn tragen,
Der Günstling nicht, doch Wittw' und Waise klagen?
Sprecht, lieber Herr!

Jäger,

(bewegt aufstehend.)

So viel er weiß und kann —
Ich glaube, ja!

Gabrielle.

Was ist Euch, guter Mann?
Seid Ihr schon satt?

Jäger (setzt sich wieder).

Beinah'! Mir ward so heiß
Und weich ums Herz; doch nun ist es vorüber.
Jetzt — kommt die Frag' an mich —

Gabrielle.

Ja, thut das Lieber!
Und auch so redlich sag' ich, was ich weiß.

Jäger.

Nun du — der Gott ein solches Herz beschert,
So rein Gefühl — wohl einer Krone werth!
(Laut.)
Was hast denn du, gesteh' mir's frei und offen,
Vom Prinz Regent zu fürchten oder hoffen?

Gabrielle.

Das wird mir schwer; doch freilich muß es seyn!
Sagt, Herr! —
(Wendet sich ab und hält die Hände vor die Augen.)

Jäger.

Ei, soll ich dein Gesicht nicht sehen?

Gabrielle.

Jetzt nicht! — ob Ihr was Liebes habt —

Jäger.

Ich? — nein!

Gabrielle.

Ja, dann ist's schlimm —

Jäger.

Nun, 's kann wohl noch geschehen!

Gabrielle.

Bei mir ist's schon vorbei; doch — von den Beiden —

Jäger.

Zwei Liebsten? wie?

Gabrielle.

—kann ich nur einen leiden.

Jäger.

So? leiden?

Gabrielle.

Ja! Je nun, wie man so spricht!

Jäger.

Wohl! ich versteh'! — Doch was hat das zu sagen?
Der Fall kommt oft —

Gabrielle.

Ach, ich bin zu beklagen!
Ich will, den ich nicht soll, und den ich soll, den nicht!
Nein, eher todt —

Jäger.

Wie denkt Ihr's anzufangen?

Gabrielle.

Der Rechte ist zum Prinzen hingegangen,
Daß der für uns sich in das Mittel schlägt.

Jäger.

Wenn er ihn fänd, ja, ja, das wär' ganz gut!

Gabrielle.

Es wird schon geh'n! O glaubt mir, er hat Muth,
Hat manchen Wolf im Walde schon erlegt!

Jäger.

Nun, sei getrost!

Gabrielle.

Doch Euch wollt' ich was bitten.
Seid Ihr vielleicht beim Prinzen wohl gelitten?

Jäger.

O ja!

Gabrielle.

Gewiß? — Man weiß schon, daß verblümt
Das Hofvolk oft sich hoher Gunst nur rühmt
Doch, ist es so, nun, dann wagt's meinetwegen,
Ein gutes Wort für Gomez einzulegen.
Ich will Euch auch recht gut seyn — jedem Stand
Bringt das Gebet des Armen Heil und Segen!

Jäger.

Verlaß dich drauf! da hast du meine Hand!

Küßt sie auf die Stirne.

Fünfter Auftritt.

Die Vorigen. Ambrosio, Vasco und Pedro (alle mit starken Stäben) kommen.

Vasco

tritt zwischen den Jäger und Gabriellen.

Hinweg!

Jäger.

Verwegner! kannst du dich erfrechen?

Vasco, höhnisch.

Erfrechen? ha!

Ambrosio.

Wißt, das ist seine Braut!

Pedro.

Sie ist's!

Vasco.

— So was weiß man in Spanien zu rächen!

Jäger zu Gabriellen.

Ist das der Rechte?

Gabrielle
verneint es stillschweigend.

Vasco.

—Was? schon so vertraut!

Pedro.

Leid's nicht!

Vasco.

Ihr wollt vor mir durch Zeichen sprechen!

Ambrosio *zu Gabriellen.*

Hinein mit dir!

Vasco *zum Jäger.*

Und du — gleich pack' dich fort!

Ambrosio, *zu Gabriellen.*

Bereit' das Mahl!

Jäger.

Es kostet mich ein Wort,
Und Ihr — doch nein!

Nimmt seine Büchse.

Wer wagt's, mich anzufechten?

Vasco,
seinen Stab schwingend.

Du denkst doch nicht, wir fürchten solch ein Rohr?
Drei gegen Einen —

Ambrosio.

Pfeif' ich meinen Knechten,
Bricht aus dem Wald ein Dutzend noch hervor.

Vasco,

Gabrielen wegreißend.

Fort! fort!

Jäger.

Rühr' sie nicht an!

Gabrielle,

sehr ängstlich zu dem Jäger.

Vergebt den Hirten!
Ihr wünschtet ja, sie sollten Euch bewirthen.

Jäger.

Ja so! — Laßt's seyn! die Sach' sei abgemacht;
Ich bin verirrt; gebt Herberg' mir für Nacht.

Vasco.

Ei sieh!

Gabrielle.

Seid gut!

Ambrosio.

Wir brauchen keine Gäste.

Gabrielle.

Bedenkt, er steht in des Regenten Sold!

Vasco.

Und wär'er's selbst das Kukuksei im Neste
Steht mir nicht an —

Jäger.

Ich zahl', die Streu mit Gold.

Zieht einen gewichtigen Beutel, wobei man zugleich auf seinem
ledernen Wams eine goldene Kette gewahr wird. Die Hirten
treten zurück und sehen sich bedeutungsvoll an.

Da habt Ihr's in Voraus —

Giebt Ambrosio und Vasco.

Pedro.

Herr, mir auch!

Jäger giebt ihm.

Ambrosio zu Vasco.

Was meinst du?

Vasco, geschmeidig.

Nnn, 's ist freilich Hirtenbrauch,
Den Wandersmann nicht von der Thür zu weisen;

Zum Jäger.

Nur Eifersucht —

Pedro.

Man hat kein Herz von Eisen.

Vasco.

Ihr scheint ein wackrer Herr! — Welch schön Gewehr!
Ist wohl geladen? — Ei, weißt mir's doch her!

Jäger,
mit einigem Argwohn.

Nicht doch!

Vasco.

O gebt!

Jäger, abwehrend.

Ein Jäger von Verstand
Giebt nie die Büchs' in eine fremde Hand.

Vasco.

Je nun, so laßt's! deßhalb woll'n wir nicht streiten —

Gabrielle zu Ambrosio:

So darf ich ihm die Lagerstatt bereiten?

Ambrosio.

Sie ist bezahlt!

Vasco.

Ei, man muß gastfrei seyn!
Viel Ehr' für uns!

Gabrielle.

Kommt, lieber Herr, herein!

Gabrielle und der Jäger ab.

Sechster Auftritt.

Vasco giebt **Ambrosio** und **Pedro** einen Wink, noch da zu bleiben, und zieht sie etwas weiter von der Ruine. Es beginnt ganz dunkel zu werden.

Vasco.

Habt Ihr's geseh'n?

Pedro.

Was meinst du?

Vasco.

Nun, das Gold!
Die schöne Büchs'? die schwere goldne Kette!

Pedro.

Die Goldmünz' dran —

Vasco.

Das ist ein Fang!

Ambrosio.

— Ihr wollt —

Vasco.

Das ist doch klar — es ist sein letztes Bette!

Ambrosio.

Ein — Mord?

Pedro.

Still! Still!

Vasco zu Ambrosio.

Du wirst recht schwach und alt!
Sprich, woll'n wir uns denn ewig dran begnügen,
Wenn dann und wann bei unserm Hinterhalt
Ein Bettelmönch gekrümmt vorüberwallt —

Ambrosio.

Ein Griff, je nun! Ein Mord mag schwerer wiegen!
Und an dem Gast —

Pedro.

Mich überläuft's ganz kalt.

Vasco.

Ihr Memmen! Wohl! die That nehm' ich auf mich!
Er küßte sie —

Einen Dolch aus dem Gürtel ziehend.

Den Kuß bezahlt ein Stich!
So wird's ein Ehrenpunkt —

Pedro.

Ja, da klingt's eh'r!

Ambrosio.

Bedenket doch —

Vasco.

Was ist's am End' auch mehr?
Das seht ihr doch an seinen Locken schon,

Daß er ein Deutscher, wohl ein Ketzer ist,
Der und ein Jud' ist gleich —

Pedro.

Ist er kein Christ,
So sei's!

Vasco.

Ja, ja, es giebt noch ein Gotteslohn,
Solch einen Sünder zeitig abzufangen!

Ambrosio.

Thut's morgen im Gebirg!

Zu Vasco.

Kaum ist's ein Jahr,
Seit du, wer weiß, woher? der Haft entgangen.
Aus Mitleid erst vergönnt' ich Zuflucht dir,
Dann hast du listig meine Habbegier,
Stets tiefer in dein Netz versponnen —

Vasco.

Wozu dem Eidam das? Nun, willst du nicht,
Such' ich das Weite, mache dem Gericht
Zuvor euch als Genossen offenbar —

Ambrosio.

So, Vasco, hast du auch die Braut gewonnen! —
Ganz hat der Teufel dich, hat er ein Haar!

Pedro.

Erzürnt euch nicht!

— Bedenk' doch, heut', wie morgen,
Kann er davon; doch wir mit unsern Heerden,
Wie da?

Vasco.

Das findet sich! O dafür werden
Statt eurer die Gerichte treulich sorgen.

Ambrosio.

Und wollt' ich auch — bedenk' doch die Gefahr!
Er scheint kein Feigling; trägt ein gutes Schwert,
Ist mit gezog'ner Kugelbüchs' bewehrt —

Vasco.

Ist's nichts, als das? das macht mir noch kein Grauen.

Ambrosio.

Auch scheint er uns nicht allzusehr zu trauen;
Als du die Büchse nahmst, gab's ihm Verdacht.

Vasco.

Ist all' berechnet, und der Plan gemacht.
Zuerst, daß wir noch stärker werden,
Gehst; Pedro! du zurück jetzt zu den Heerden,
Bringst, nur für'n Nothfall! Knechte; diesen setzt
Man blos in's Ohr, ein deutscher Ketzer habe

Die Ehr' und Tugend meiner Braut verletzt,
Und jeder kommt mit seinem stärksten Stabe.
Wir beide gehn hinein, durch Freundlichkeit
Und durch Bereu'n ihn völlig zu gewinnen —
Wie's scheint, bethört auch Liebe seine Sinnen —

Ambrosio.

Halt! — Gabrielle! — Vasco! denk', ein Mord!
Verschweigt sie ihn?

O die Treu' —

Vasco.

Wie? ist nicht Gomez fort?
Er eilte so, als müss' er wem entrinnen.
Nun giebst du morgen, nach gelung'ner That,
Sie mir zum Weib. Dann mag sie durch Verrath
Den Mann und Oheim auf die Folter führen!

Pedro.

Nein! jetzt scheint mein Gewissen sich zu rühren —
Ich trau' ihr nicht!

Vasco.

So wird sie fortgeschickt!
Zu Ambrosio.
Alvaro's Weib im Dorf liegt schwer danieder;
Schick' sie zu der; sie komm' erst morgen wieder —
Sie thut es gern, sie, die so gern erquickt!

Kommt sie dann heim — „Er ging!" — und
damit gut,
Wenn auch sein Leichnam tief im Brunnen ruht! —
Nun, wißt ihr sonst noch was zu überlegen!

Ambrosio.

O wär's vorbei!

Pedro.

Ich habe nichts dagegen!

Ab.

Vasco zu Ambrosio.

Nun komm herein, — erheitre dein Gesicht!
Reich ist der Fang! Ihm tagt kein Morgenlicht.

Beide in die Ruine ab.

Zweiter Aufzug.

Das Theater ist in zwei ungleiche Hälften getheilt; eine niedrige und schmale Zwischenthür verbindet sie. Die größere Hälfte zeigt das Innere eines maurischen Gemachs. Hufeisenförmige Bogen mit dünnen Säulen, Stukkaturarbeit, goldene, den arabischen Buchstaben ähnliche Züge auf hellblauem Grunde, sind noch hie und da zu sehen, an audern Theilen ist der Kalk abgefallen, Manches wie von Feuer geschwärzt, die Fenster blos mit Gittern verwahrt. Eine Lagerstelle mit Schilfmatten und ein Strohstuhl sind die einzigen Geräthschaften. Die kleinere Hälfte ist Ruin und bildet eine Art Vorsaals; nur ein wenig Decke hängt noch herab. Eine Treppe mit eisernem Geländer führt herauf; ihre Fortsetzung ragt noch ein Stück höher empor und ist oben abgebrochen. Der Mond scheint über das offene Gemäuer herein, anfänglich von finstern Wolken umgeben, die sich jedoch nach und nach verziehen, daß es zu Ende des zweiten Auftritts völlig mondhell wird.

Erster Auftritt.

Die Scene bleibt nach aufgezogenem Vorhang noch einige
Augenblicke leer und man hört unter dem Theater die Melodie der
im dritten Auftritte vorkommenden Romanze auf einer Zither
spielen. Nachdem sie einige Sekunden beendigt ist, steigt
Vasco, in der Rechten eine Lampe; in der Linken die Büchse,
mit dem Jäger herauf.

Vasco,

die Treppe hinab leuchtend.

Fallt nicht! die Steine sind nicht sämmtlich eben,
Die eine Stufe fehlt!

Jäger, heraufspringend.

Da bin ich schon!

Vasco.

Nun, nicht wahr, Herr! Ihr habt uns auch ver=
geben?
Wir Hirten sind nicht grad vom feinsten Thon;
Nicht Jedem glückt's, wie Euch, am Hof zu leben,
Doch treu und redlich find't man uns zuletzt.

Jäger.

Das ist genug! — Mir ward die Zeit nicht lang;
Der hübschen Dirne Mährlein und Gesang
Hat in der That mich wunderbar ergötzt.

Vasco

öffnet die Zwischenthür und führt den Jäger ein.

Hier tretet ein! So viel das Haus vermag,

Hat sie für Euch ein Lager zubereitet.

Legt die Büchse in eine Ecke und setzt die Lampe in eine
Mauerblende.

Schlaft sanft und süß; 's hallt freilich, wenn man
schreitet,

Der Wind pfeift auch; doch, solltet Ihr was hören,

Seid unbesorgt, und laßt durch nichts Euch stören;

Bei Hirten wird's ein wenig frühe Tag!

Nun, schlaft recht sanft!

Jäger.

Ich hoffe, bis zum Morgen.

Vasco.

Das könnt Ihr auch; bei uns seid Ihr geborgen.

Geht durch die Zwischenthür ab, macht sie zu, und legt von
außen das Ohr an.

Zweiter Auftritt.

Der Jäger im Gemach allein. Vasco im Vorsaal.

Jäger —

tritt an ein Gitterfenster.

Die Nacht ist schön! mit Wolken kämpfen Sterne,
Und das Gebirg' steigt auf, wie ein Koloß. —
Wer glaubte mich wohl hier? in wald'ger Ferne,
Als Gast der Hirten, weit von Hof und Troß,
Ganz nur ein Mensch, im wüsten Maurenschloß?

Sich umsehend.

Und doch fürwahr, es ist ein Abenteuer,
Das mir, je länger, auch je mehr gefällt.

Vasco vor sich.

Viel Glücks!

Jäger.

Gar wunderbar ist dieß Gemäuer,
Wo kärglich nur die alte Pracht noch hält.
Wär's wirklich wahr, daß einst Abencerragen
Vor alter Zeit von Zegri's hier, erschlagen?
Die schwarze Wand zeugt noch von Feuersglut —
Vielleicht auf diesem Estrich schwamm ihr Blut.

Vasco, vor sich.

Stellt Ahnung ihm das eigne Schicksal vor?

Jäger.

Es sei! Ihr Schatten steigt nicht mir empor!
Und wenn's geschäh, würd' ich vor ihnen zittern?
Die Hand ist rein —

Vasco vor sich.

Wär' ich ein feiger Thor,
Sein kecker Muth, er könnte mich erschüttern.

Jäger.

Der Zeitstrom rauscht, verschlingend Macht und Pracht;
Nur Eins besteht —

Vasco vor sich.

Hm! wird's denn nicht bald Nacht?

Jäger.

Doch nun zu Bett!

Legt Hifthorn, Schwert und Oberkleid auf den Stuhl und wirft
sich aufs Lager.　）

Ich weiß nicht, wie mir ist!
Ich bin recht müd' — und doch auch so befangen.
Wär's wohl ihr Blick, die zarten Rosenwangen?
Ich hab' sie doch nur auf die Stirn geküßt,
Das ist doch wohl verzeihlich —

Vasco vor sich.

— wird sich finden!

Jäger.

Erschien mir nun ihr holdes Bild im Traum,
Dann möcht' er lange, lange nicht verschwinden;
Denn schöner träumen läßt sich warlich kaum! —
Schlaf wohl, mein Kind!

Vasco vor sich.

Nun schnell den Balken vor!
Ein Schlafender ist leicht zu überwinden.
So flieht er nicht!

Er legt einen Stemmbalken an die Pforte, und geht ab.

Jäger,
von dem verursachten Geräusch aufmerksam gemacht, fährt auf.

Wie? täuschte mich mein Ohr?
Was rauschte dort?

Er faßt schnell das Schwert bei der Scheide, daß es heraus fährt.

Wie, Freund, bist du schon blank?
Welch's bist du denn? —

Besieht die Klinge.

Ha, da steht Theuerdank
In Gold — du mocht'st auf seinen Ritterzügen,
In Wald und Hütt', wohl oft bei ihm auch liegen,
Wenn nach der Jagd er auf ein Moosbett sank.
So bleib denn auch bei mir, du Ahnenschwert,
Daß, wenn ich einst als Greis dich einmal wähle,
Mir diese Irrfahrt in's Gedächtniß kehrt,
Und ich — den Freunden — beim Pokal — erzähle — —

Entschlummert.

Dritter Auftritt.

Der Jäger schlummernd. Gabrielle, anfänglich unten.

Gabrielle singt.

„Leise wehte, leise wallte

Ruud der Thau umher, als sich,

Nachts erst dreist, der Mohr Alkanzor

Noch den Pfad der Liebe schlich.“

Man hört sie von außen eine Leiter anlegen; bald darauf
erscheint ihr Kopf vor einem der Gitter. Sie ruft ängstlich:

Lieber Herr! wacht auf! — o wehe,

Er vernahm's nicht, daß ich sang!

O wie schlägt mein Herz so bang! —

Wachet auf, Herr! — ich vergehe! —

Wie? ich sollt' ihn nicht befrei'n? —

Hier ist los ein Mauerstein —

Wirft einen Stein herein, daß er nahe bei ihm niederfällt.

Jäger aufspringend.

Was bedeutet —? wie, ich sehe —

Du, hold Mädchen, schaust herein?

Gabrielle.

Wisset, daß Verrath und Tod,

Von der Hirten Hand Euch droht!

Jäger.

Kind! du träumst wohl?

Gabrielle.

Nein! ich flehe
Euch bei Euerm'ew'gen Heil!
Schon bereit liegt Axt und Beil,
Euch im Schlummer zu erschlagen.

Jäger.

Ha! wer sollte so was wagen?
Aber ist's, so rette du
Du dich schleunig, denn, im Nu,
Stürzt dich leicht ein Bösewicht
Von der Höh' hier, von der Leiter.

Gabrielle.

Nein, für mich, Herr fürchtet nicht;
Oed' ist's hier; die Leiter steht
Ganz von Baumgestripp' umweht. —

Jäger.

Nun so sprich doch! Weiter! weiter!

Gabrielle.

Glaubt es mir, ich traute heut'
Halb nur ihrer Freundlichkeit —
  Die Lampe flackert noch einigemal auf und verlöscht.
Doch, da sie, Euch zu bedienen,
So von Herzen willig schienen,
War ich, ach, wie sehr! erfreut;

Hatte den Verdacht bereut;
Denkt, da säh ich, daß der Hirt
Aus der Lampe Oel vergoß,
Das ich reichlich eingegossen. —

Jäger, sich umwendend.

Warlich, du hast nicht geirrt!
Sieh, das Lämpchen ging schon aus, —

Gabrielle.

Aengstlich lauscht' ich dann im Haus,
Als er Euch nun mit sich nahm,
Hörte, daß er Euch verschloß —

Jäger, der zur Thür geeilt.

Traun! von außen ist's verschlossen!

Gabrielle.

Immer bänger ward es mir.
Als er von Euch wieder kam,
Horcht' ich außen an der Thür,
Bebte, lauschte immer näher —
„Bald wird's Zeit zum Angriff!" — so
Sprach er, als Ambrosio,
Fürchtend einen fremden Späher,
Nach dem Dorf mich eilen hieß.
Ja, ich ging, doch Mitleid ließ
Mich's versuchen, Euch zu warnen.

Glaubt's, sie wollen Euch umgarnen!
Schlaft nicht ein! bleibt stets zum Streit
Mit der Mörderschaar bereit!
Hülfe hol' ich —

Man hört ein gellendes Pfeifen, aus der Ferne beantwortet.

Hört Ihr dort? —
Schützt ihn, Heil'ge! — ich muß fort.

Verschwindet.

Vierter Auftritt.

Der Jäger allein.

Nicht ohne Grund scheint warlich ihr Verdacht.

Versucht aufs neue, die Thür zu öffnen.

Bei Gott! die Thür ist außerhalb verschlossen,
Und sonst — warum der Lampe Oel vergossen?
Sie hofften wohl auf eine dunkle Nacht;
Doch scheint zum Glück die Mondenscheibe hell —
Und wenn ein Schütz', ein rüstiger Gesell,
Die Büchs' noch hat —

Nimmt sie.

Ihr Heil'gen! was ist das?
Der Stein ist abgeschraubt, das Rohr ist naß —
Mein Argwohn schwand, und unter dem Erzählen
War wohl dazu ein Augenblick zu wählen —

Das Schwert fassend.

Theaterschr. II.

Hab' ich doch dich! — Ist wohl ein Riegel da,
So für den ersten Anlauf? Wahrlich, ja!

Verriegelt von innen und lauscht. Man hört ein Geräusch auf
der Treppe.

So kommt, ihr Schurken, wenn ihr mein begehrt! —
Es ist ein gut Ding um ein deutsches Schwert!!

Fünfter Auftritt.

Der Jäger, Vasco, Ambrosio und Pedro,
ersterer mit einem Säbel, die beiden andern mit Beilen und
Aexten bewaffnet. Pedro trägt eine Diebslaterne, die er auf
den hervorragenden Treppen-Ruin setzt, und Stricke. Vasco
legt das Ohr an die Thür.

Pedro leise.

Ist alles still?

Vasco eben so.

Ich höre nichts sich regen.

Pedro.

Auch schnarchen nichts?

Vasco.

Nein, 's rührt sich keine Maus.

Pedro.

Wär' besser! so, die Schling' ihm umzulegen —

Vasco.

Ja, leichter bläst sich, dann ein Leben aus!
Wohlan!

Sie nehmen den Balken weg.

Was Teufel?

Pedro.

Was?

Vasco zu Ambrosio.

Ist drin ein Riegel?

Ambrosio.

Kann seyn!

Vasco.

Wie dumm!

Pedro.

Doch sprich, was ist zu thun?

Vasco.

So kommt man nicht hinein, hat man nicht Flügel,
Und ernster wird die Sache nun.

Pedro und Ambrosio.

So laßt's!

Vasco.

Das wär'! Schweigt! Laßt mich machen!

Pocht erst leise, dann immer stärker an.

He, lieber Herr! wacht auf, und laßt mich ein!
'Wacht auf! wacht auf! 's thut Noth —

Jäger.

Nun, was soll's seyn?

Vasco.

Es hilft schon nichts, Ihr müsset ganz erwachen;
's sind Männer da, gar hübsche, schmucke Leut',
Vom Prinz Regenten —

Jäger.

Hat bis morgen Zeit —
Ihr Schurken!!

Vasco wild.

Aufgemacht! Ich spreng' die Thür —
Zu den Uebrigen.
Haut ein! haut ein!

Jäger.

Kommt nur, Schandbuben ihr!
Doch wer mir naht, den macht mein Eisen kalt!

Vasco.

Nun rührt euch! rührt euch! — Seht, sie springt
schon —

Die Thür stürzt mit Geprassel ins Gemach.

Jäger

tritt mit dem Fuß auf die Thür, und mit gezogenem Schwert den Räubern entgegen.

Halt!

Die Räuber prallen zurück und stehen einen Augenblick unschlüssig.

Noch schon' ich euch! Kniet alle nieder! Gleich!

Pedro,

im Begriff niederzuknieen.

Herr Gott! was thun wir?

Vasco.

Memmen! schämet euch!

Jäger.

Noch einmal! Ich befehl's! Werft euch zur Erden!
Ich bin —.

Vasco.

Gilt gleich!

Pedro ihn zurückziehend.

Hör' doch, wie er sich nennt.

Vasco.

Jetzt kein Gewäsch!

Jäger.

Ich bin der Prinz Regent!

Ambrosio und Pedro weichen.

Wär's wahr?

Vasco,

auch einen Augenblick bestürzt, dann wild lachend.

Nur das? Ha, willst du selbst dein End'?

Jäger.

Ich bin's!

Vasco,

mit verstärkter Wuth.

Und wär's! —

Zu seinen Gesellen.

Wollt ihr geviertheilt werden?

Sie dringen durch die Thür ein. Der Jäger deckt sich durch die
Mauer den Rücken und verwundet Ambrosio.

Ambrosio, schreiend.

Ich kann nicht mehr! Mein Arm —

Taumelt und fällt.

Vasco zu Pedro.

Kerl, brauch die Händ'!

Frisch! er wird matt —

Jäger

haut nach Pedro. Dieser läuft zur Treppe.

Pedro hinabrufend.

Zu Hülf'!

Jäger

ist ihm nachgestürzt und giebt ihm einen Hieb.

Da, Mordgeselle!

Pedro entflieht und verbirgt sich hinter die Treppe.

Vasco,

ereilt den Jäger an der Treppe. Er umfaßt ihn, wirft den Säbel weg und zieht den Dolch. Sie ringen auf Tod und Leben.

Du bist verloren!

Jäger

hat das Schwert weggeworfen, entwindet ihm den Dolch, durchbohrt ihn und schleudert ihn über das Treppengeländer hinab.

Hund! fahr' selbst zur Hölle!

Rafft sein Schwert auf und will die Treppe hinab.

So wär' der Weg ja rein —

Sechster Auftritt.

Jäger. Ambrosio, im Gemach, hat sich den Arm verbunden. Pedro, versteckt. Gomez und Gabrielle, beide außer Athem, kommen herauf.

Gomez,
dem Jäger zurufend.

Zurück! zurück!

Jäger
will nach ihm hauen.

Ha, Bube, du —!

Gabrielle
wirft sich dazwischen.

Laßt ab, Herr, vom Gefechte!

Ein Freund!

Gomez.

Ihr kommt nicht durch die Knechte,
Zwar jetzt betäubt — sie drangen schon herauf;
Des Leichnams Anblick hielt sie auf —

Gabrielle.

Und Hülfe kommt im Augenblick!
Ich lief voraus auf kürzerm Pfade,
Doch — hört, da spricht schon der Alkade!

Jäger.

Du wackre Dirn' —

Siebenter Auftritt.

Die Vorigen. Der Alkade des Dorfs, ein ehrwürdiger Alter, mit Gerichtspersonen und Bauern.
Einige mit Stocklaternen.

Gabrielle.

Da kommen die Gerichte!

Alkade.

Hier also ist's? Hier ist die That gescheh'n?

Zu der Folge.

Habt sorgsam Acht, daß keiner flüchte!
Dort seh' ich was im Dunkeln steh'n —

Es wird hingeleuchtet. Pedro tritt furchtsam vor.

und Pedro.

Ja, das bin ich; der Mörder, der steht dort!

Jäger zum Alkade.

Laßt diesen Buben gleich in Fesseln legen —

Geht ins Gemach. Der Alkade, Gabrielle und Gomez folgen.
Auf Ambrosio deutend, der knieend die Hände aufhebt.

Und diesen hier!

Alkade zu der Folge.

Verwahrt ihn!

Ambrosio wird herausgeführt und zu Pedro gestellt.

Jäger.

Laßt sie binden!

Der Strick war mir bestimmt —

Alkade.

Das wird sich finden.

Jäger.

Wenn ich's befehl' —!

Alkade,
ihn verwundert ansehend.

Wie meinet Ihr?

Jäger.

Sofort!

Alkade.

Ich bin Alkade — hier geschah ein Mord,

Ihr steht vor mir noch mit entblößtem Degen,
Und schreibt mir vor; da werdet ihr erwägen,
Daß dieß nicht ziemt —

Jäger.

Ich bin — von hohem Stand,
Dem Prinz Regenten sehr genau bekannt.

Alkade.

Kann seyn, mein Herr! doch werdet ihr dann wissen,
Daß unser Herr das strengste Recht begehrt,
Und — dem Gerichtsbrauch folgen müssen.
Nur der, der die Gesetze ehrt,
Ist des Regenten Freund —

Jäger.

Hier ist mein Schwert — —
Wollt ihr die drauf geprägte Schrift besehen,
So werdet ihr —

Man hört in der Ferne Hörner blasen.

Alkade.

Wird ohnedieß geschehen!

Jäger lächelnd.

Doch da ich nunmehr euer Arrestant,
So bitt' ich euch, sofern es will gebühren,
Vergönnt es mir, euch Bürgen herzuführen.

Alkade.

Sehr gern!

Jäger

nimmt schnell sein Hifthorn und stößt hinein.

Alkade.

Was soll —?

Die Hörner außerhalb antworten von mehrern Seiten.

Gabrielle.

Was wird das werden?

Tritt mit Gomez ans Fenster. Die Hörner außerhalb antworten immer näher, und näher.

Der Wald wird wach —

Gomez. *freudig.*

Das Thal füllt sich mit Pferden!

Mehrere Stimmen

von unten, wild unter einander.

Hier muß er seyn! Hier ist's! hierher! hierauf!

Achter Auftritt.

Die Vorigen. Graf Otto, in der Rechten ein Schwert, in der Linken eine Fackel, eilig heraufdringend und sich durch die Menge einen Weg bahnend. Bald darauf Don Filippo und mehrere Große, Höflinge und Jäger, einige gleichfalls mit Fackeln. Die Vornehmern eilen ins Gemach, die Geringern bleiben im Vorsaal.

Otto,

mit leidenschaftlichem Feuer.

Ihr seid's! Ihr seid's!

wirft Schwert und Fackel weg und breitet gegen den Jäger die Arme aus. Doch schnell gefaßt, beugt er sich blos über dessen Hand und drückt sie an sein Herz.

Filippo.

Seit Eure Hoheit uns verschwunden,
Ward das Gebirg' mit banger Sorg' durchsucht;
Doch —

Prinz,

beiden die Hand drückend.

Dank! Ich glaub's! Wie habt Ihr mich
gefunden?

Otto sehr freudig.

Ein junger Hirt — ist er denn noch nicht hier? —

Erblickt Gomez.

Da bist du ja; nun, immer näher mir! —
Sprengt' auf uns zu von einem jähen Hügel,

In Todesangst und mit verhängtem Zügel,
Daß von dem Roß der Schweiß in Strömen floß —

Gomez etwas blöd.

Ich fand das Roß am Abend, mit zwei Hunden
Im Felsengrund an einen Baum gebunden;
Sein reich Gezeug' —

Otto.

Ja, Euer war das Roß,
Und blutig, Prinz! —

Prinz.

Nun, durch Gestripp und Dorn
Folgt' ich dem Hirsch mit eingesetztem Sporn —

Otto.

Wir hofften's auch; doch bei dem Allen war
Es nicht gewiß; die deutsche Jägerschaar
War außer sich, besorgt für Euer Leben,
Sprach von Verrath der Fremden, von Gefahr —

Prinz
mit einem fein verweisenden Blick auf Otto, begütigend zu
Filippo und den andern Spaniern.

Ihr werdet das der Treu' vergeben!

Otto.

Jetzt gab's für uns noch eine Hoffnung nur,
Wo Ihr geblieben, zu erkunden; —

Und die beruhte auf den treuen Hunden.
Wir eilten mit dem braven Hirten hin,
Wo er sie bei dem Roß gefunden.
Sie winselten vor Angst, und mit Ergrimmen
Versuchten sie, die Felswand zu erklimmen.
So viele Müh' das treue Paar sich gab,
Vergeblich war's; sie stürzten stets herab!
Da trat der Hirt herzu mit nassen Wangen,
Und sprach betrübt: „Ist er hierauf gegangen,
Sieht er vielleicht nie mehr der Sonne Strahl,
Liegt längst zerschmettert! doch in unser Thal
Kann, wer den Steig kennt, wohl gelangen;
Ein Fremdling kaum —

Prinz zu Gomez.

Mein Freund! da sprachst du wahr!

Zu Otto und den Uebrigen.

Daß ich ihn fand, dazu verhalf ein Aar —
Ein Minnesänger könnt's erzählen. —
Ihr hört's schon noch!

Otto.

Wir fragten nach dem Steg —
„Dort auf der Höh! Doch den könnt' ihr nicht wählen!"
Darauf beschrieb der Hirt uns schnell den Weg,
Am Fels herum in's Thal zu kommen.
„Mich aber" — sprach er — „laßt nur ganz allein,

Die Wand hinauf— 's ist heller Mondenschein!
Ich komm' dort eh'r, die Hirten, die dort hüten,
Das ganze Dorf zum Suchen aufzubieten!"
Und schon umfaßt' er bald Gesträuch, bald Stein,
Und war, dem Eichhorn gleich, hinauf geklommen.

Prinz.

Ein wackrer Bursch!

Man hört von unten kurzen Hörnerruf und Getümmel.

Otto.

Wir folgten nun dem Pfade,
Den er uns wies; wir fanden Thal und Ort,
Wie er's gesagt — „Rasch! wo ist der Alkade?
Und läutet Sturm!" — „Ja, 's ist schon Alles fort!
Ein Mädchen kam, um Hülf' ihn anzuflehen;
Es solle, sagte sie, ein Meuchelmord
Im alten Maurenschloß geschehen;
Des Prinzen Jäger sei's —"

Prinz zu Gabriellen.

Dank, Gabrielle!

Otto.

Von Mund zu Mund ging's nun mit Windesschnelle
„Gott! er ist's selbst! dort liegt das Raubnest! dort."—
„Zu Hülf' und Rache!" war ein Losungswort,
Und alle hätten sich für Euch dahin gegeben —

Mehrere Stimmen von unten.

Laßt uns hinauf! Wir woll'n ihn selber seh'n!

Otto.

Da hört Ihr's selbst — wollt Ihr ans Fenster geh'n?

Prinz ans Gitter tretend.

Willkommen, Kinder! Seht, ich bin gesund.

Stimmen.

Hört! hört Ihr's? — Ja, aus seinem eignen Mund,
Nun glauben wir's! Der Prinz Regent soll leben!

Alkade, Gomez, Gabrielle, Landleute
unter einander.

Es ist der Prinz! — Wahrhaftig, der Infant!
Don Max!

Alkade
läßt sich auf ein Knie nieder und überreicht ihm das Schwert.

Verzeiht mir! — Hätt' ich Euch erkannt——
Geruht nun, was ich thun soll, zu befehlen!

Prinz.

Nichts zu verzeih'n! Ihr seid ein Ehrenmann,
Und könnt auf meine Gnäde zählen.
Sind viel euch gleich, wohl diesem Lande dann!—
Auch ziemt mir nicht, in eigner Sach' zu sprechen;
Nur strafen soll der Richter, niemals rächen;
Drum unterwerft sie des Gesetzes Spruch.

Gabrielle.

Schont meines Oheims! Soll er also enden —?

Prinz.

Man wird zuvor den Urtheilsspruch mir senden;
Besorgt das, Freund Alkade! — Hievon g'nug!

Alkade,

geht heraus, läßt Ambrosio. und Pedro binden und abführen.
Dann kehrt er wieder in den Hintergrund des Gemachs.

Prinz.

Doch nun giebt's noch was Schön'res hier zu schlichten.

Zu Gomez und Gabriellen.

Ich bin gar tief in eurer Schuld,
Und heilig sind mir stets des Dankes Pflichten.

Gabrielle, bittend.

O lieber Herr!

Gomez, eben so.

O gnäd'ger Prinz!

Prinz.

Geduld!

Du, Jüngling, hast dich brav und treu erwiesen,
Drum magst du selbst ein Gütchen dir erkiesen,
Wo du nunmehr den eignen Heerd
Errichten willst; ich hafte für den Werth.

Theaterschr. II.

Gomez.

Vergelt's Euch Gott!

Prinz.

Du aber — Gute! — Schöne!
Die wie ein Schutzgeist über mich gewacht,
Mit mancher Wagniß Rettung mir gebracht,
Wo gäb's den Lohn, der deine Treue kröne?
Du pflegtest freundlich des Verirrten,
Du warntest mich mit eig'ner Tod'sgefahr —
Du bist so hold — Nicht länger bei den Hirten
Blüh' diese Blume zart und wunderbar!

Gabrielle.

O Herr —!

Prinz.

Du tratst vor mich, ein himmlisch Wesen,
Wie ich noch kein's auf dieser Erd' erblickt;
Drum — sei der Schwester zum Geschenk erlesen —
Bring' ihr die Taube — leb' bei ihr beglückt —
Sie wird in dir des Bruders Rett'rin lieben;
Ich selbst —

Gabrielle.

Vergebt! Ich möcht' Euch nicht betrüben,
Und doch —

Prinz.

Sprich frei!

Gabrielle.

Ihr meintet, Ihr wärt gut
Und auch gerecht —
Zu Gomez, der ihr betrübt zur Seite steht.
Verlier' nicht gleich den Muth!

Prinz.

Drum, eben drum! O lies in meinen Augen
Mein dankbar Herz! Ich muß dich immer sehen,
Um täglich dir —

Gabrielle.

Das möcht' uns doch nicht taugen;
Auch muß ich — zürnt mir nicht — Euch frei gestehen,
Daß ich —

Prinz.

Nun was?

Gabrielle.

Ihr wolltet für mich bitten,
Für meinen Freund; Ihr gabt mir drauf die Hand —

Prinz heftig.

Was willst du hier? Hier in der Wildniß? mitten
In diesen Felsen? Nicht für niedern Stand,
Zu eines Edlen Glück bist du geboren. —

Gabrielle.

Doch diesen Hirten hab' ich mir erkohren —

Prinz, schmerzlich lächelnd.

Das ist' der Rechte?

Gabrielle nickt. Dann:

Trennt nicht unſer Band!
Wir woll'n für Euch die Hände fromm erheben —

Prinz vor ſich:

Ich fand mein Glück, und ſoll's dem Fremden geben!

Otto, ſeine Hand faſſend, leiſe.

Herr Max —

Prinz unwillig.

Jetzt laß mich! Warlich, du biſt kühn!

Otto.

Ihr habt mir einſt der Freundſchaft Recht verliehn;
Jetzt mach' ich's geltend!—

Prinz
ſieht ihn ſtarr an und ſteht unſchlüſſig. Dann einige Schritte auf
und ab und ſchnell zu Gabriellen.

Alſo — willſt du ihn?

Gabrielle.

Er hat mein Herz!

Prinz.

Nun, das wollt' ich nur prüfen—

Zu Otto, ihn umarmend.

Dir berg' ich nicht des schwachen Herzens Tiefen —
Mein Freund —!

Laut zu Gomez und Gabriellen, deren Hände er in einander legt.

Lebt glücklich! bleibt auch fern mir hold!

Zu Otto.

Die Pferde vor!

Otto giebt ein Zeichen durchs Fenster.

Als meines Dankes Sold

Nimm jetzt dieß Kettlein —

Hängt Gabriellen seine Halskette um.

aber morgen
Soll für die Mitgift hier — mein Otto sorgen! —
Denkt manchmal mein! Nur dieses sei mein Theil!

Eilt ab.

Gabrielle.

O edler Prinz —!

Alle Anwesende, und Stimmen von unten.

Heil Habsburgs Enkeln! Heil!

Unter lautem Jubel und Hörnerschall fällt der Vorhang.

Anmerkungen.

1) **Fatime**, auch **Morayzela** genannt, war die Gemalin **Abu Abdallah's**, des letzten maurischen Königs in Granada. Die **Zegri**, erbitterte Feinde der **Abencerragen**, machten die Sultanin eines verbotenen Umgangs mit einem der letztern, **Albin Hamet**, verdächtig, und bewogen den König zu dem blutigen Vorsatze, die Abencerragen, einen nach dem andern, in den sogenannten Löwensaal des Alhambra rufen und dort enthaupten zu lassen. Albin Hamet und fünf und dreißig seines Geschlechts wurden hingerichtet, die übrigen, durch einen Pagen gewarnt, riefen das ihrem Stamme günstige Volk zu den Waffen. Fünfhundert Zegri fanden den Tod; der König entging einem gleichen Schicksale nur dadurch, daß er sich in einer Moschee verborgen hielt. Die Vorsprache seiner unschuldigen Gemalin brachte es jedoch dahin, daß er nebst seinem Vater, **Muley Hassan**, dem er früher den Thron geraubt hatte, wieder zur Regierung gelangte; aber kaum sah er seine Macht in etwas befestigt, als er es einleitete, daß Fatime's Unschuld durch einen gerichtlichen Zweikampf erörtert werden sollte. Sie wurde indeß auf einem alten Schlosse im Alhambra, dem Thurm **Comares**, gefänglich aufbewahrt. In diesem Gefängnisse machte eine christliche Sklavin, **Esperanza de Hita**, sie mit den Tröstungen des christlichen Glaubens bekannt, und erregte in ihr den

Entschluß, nach ihrer gehofften Befreiung sich öffentlich
dazu zu bekennen. Durch Esperanza's Verwendung erschienen vier christliche Ritter, Don Juan Chacon,
Herr von Carthagena, Manuel Ponce de
Leon, Alonzo Aguilar und Diego de Cor-
dova, in maurischer Tracht auf dem Kampfplatze;
vier Zegri stellten sich ihnen entgegen. Der Kampf war
langwierig und blutig; die vier Zegri wurden erlegt,
und gestanden vor ihrem Tode die Grundlosigkeit ihrer
Angabe. Aber noch immer war das Feuer der Zwietracht nicht gelöscht; eine große Anzahl der Abencerragen ward späterhin ermordet; der Ueberrest floh zu
dem Könige Ferdinand und nahm den christlichen Glauben an. Auch die losgesprochene Sultanin folgte ihrem
Beispiele, erhielt in der Taufe den Namen Donna
Isabel de Granada, und vermählte sich mit einem
Spanischen Ritter. Abu Abdallah's Reich gerieth in
die Gewalt der Spanier; er selbst starb in Afrika eines
gewaltsamen Todes! In der Folge begab sich die ge-
wesene Sultanin in ein Nonnenkloster, und man findet
noch ihr Bildniß im Nonnenkleide in dem Generaliffe.

2) Maximilian, Erzherzog von Oesterreich, war
geboren 1527., ein Sohn Kaiser Ferdinands I.
und ein Urenkel Maximilians I., welcher Letztere
sich bekanntlich Theuerdank nannte. Ferdinands Bruder, Carl V. nahm den jungen Erzherzog 1544. auf den Feldzügen wider die Franzosen,
und im Schmalkaldischen Kriege wider die Protestanten
mit sich, und schickte ihn 1548. als Statthalter nach

Spanien, wo er bis 1551. blieb. Folglich war Maximilian, der, fpäterhin als der: Zweite, diefes Namens
den Kaiferthron beftieg, zur Zeit diefes Abenteuers
zwifchen 21 und 24 Jahren; muß aber fehr kräftig gedacht werden, indem er nach der wahren Gefchichte
einen der Räuber erfchoß, zwei niederftach, und die
übrigen in die Flucht jagte. —

Der Vollftändigkeit halber mag hier noch der Auf-
faß meines Freundes Platz finden, welcher kurz nach
der Dresdner Aufführung des Stücks, in der Abend-
Zeitung (1818. Nr. 106.) erfchien und einen gegen die
Oertlichkeit erhobenen Zweifel berichtigt.

Ein hiftorifcher Fehlgriff.

Als der heldenmüthige deutfche Jäger, Maximilian,
in Friedrich Kind's Nachtlager in Granada, auf unferer
Bühne erfchienen war, verlautete hin und wieder, man
wundere fich fehr, warum der Dichter die Scene nach
Spanien verlegt habe; der wahre Schauplatz des Abenteuers liege ja uns Deutfchen, und befonders uns
Dresdnern, viel näher; Maximilian habe es im Tharander Walde beftanden. Darüber wunderten fich denn
der Dichter und feine Freunde ihrerfeits nicht weniger;
denn alle Gefchichtfchreiber, die der Begebenheit geden-
ken, nennen einftimmig Spanien. Endlich zeigte fich,
bei näherer Nachfrage nach der Quelle diefer abweichen-

den Erzählung; durch welchen seltsamen Mißgriff sie
entstanden ist.

Herr Schlenkert, der sie in seinem historisch-ro-
mantischen Gemälde von Tharand mittheilt, stützt sich
auf ein, in der hiesigen Königlichen Bibliothek befind-
liches, handschriftliches Gedicht in lateinischen Versen.
Dieses ist allerdings vorhanden *); nur kann Herr
Schlenkert unmöglich selbst nachgesehen haben; denn
sonst hätte er doch gewiß nicht aus dem Dichter Ste-
phan Schirmeister, der seinen Namen ganz deutlich unterzeichnet hat **), einen Naumburger Magister
Schurzfleisch gemacht. Er verließ sich also ohne
Zweifel auf den Bericht eines von ihm für glaubwür-
dig gehaltenen Referenten, durch den er aber sehr
schlecht bedient worden ist.

Als nämlich dieser auf der Handschrift den Titel
fand: Venatio Maximiliani ad Granadam (Maximilians Jagd bei Granada), übersetzte er ihn: Maximilians Jagd bei Granaten, welches der alte, erst
im vorletzten Jahrhundert außer Gebrauch gekommene
Name der Stadt Tharand ist, und verpflanzte sich
durch dieses Quid pro quo die ganze Begebenheit auf
deutschem Boden. Nun sollte man meinen, er hätte
seinen Fehlgriff sogleich entdecken müssen, wenn er das
Gedicht selbst nur mit einiger Aufmerksamkeit gelesen
hätte. Denn schon im dritten Verse wird erzählt, der
Held habe die Jagd auf den Gefilden von Spanien

*) In der Manuscripten-Sammlung unter der Rubrik: J. 128.
**) Und den auch Götz in den Merkwürdigkeiten der Dresdner
Bibliothek, Th. 3 S. 89. richtig angegeben hat.

gehalten *);" bald darauf wird in einer Stelle, die
auch bei Hrn. Schlenkert abgedruckt ist, gesagt: die
Jagd sey zu der Zeit gehalten worden, wo Maximilian
Regent in Spanien und Kaiser Karl der fünfte nach
Deutschland gereist war; weiterhin wird erzählt, Max
habe gefürchtet, in der Nacht von Löwen angefallen zu
werden, die ein Dichter allenfalls in Spanien, aber
doch gewiß nicht im Tharander Walde suchen konnte;
auch da, wo Max von den Hirten verlangt, sie sollen
ihn zu einem Richter führen, kündigt er sich ihnen als
Regenten von Spanien an. Aber jenem heillosen Referenten mußte freilich dieß alles entgehen, da er nur höchst
flüchtig in dem Gedicht herumgeblättert haben kann.
Denn auch das, was nach seinem Berichte Herr Schlenkert von dieser angeblich bei Tharand vorgefallenen Begebenheit erzählt, stimmt mit Schirmeisters Schilderung
gar nicht überein. Von dem Abgrunde, in den Max
mit seinem Pferde zu stürzen in Gefahr war, ist keine
Spur im Gedicht zu finden. Dagegen fehlt bei Hrn.
Schlenkert der Hauptumstand, daß die junge Schwie-
gertochter des alten Hirten Maxen warnt, und daß
dieser hierauf mit einem großen Kasten die Thüre seiner
Schlafkammer verrammelt. Auch dieß fehlt bei Hrn.
Schlenkert, daß Max den alten Hirten erschießt, ehe
noch der Sohn seinen Angriff macht; und ganz verschieden von Schirmeisters Erzählung ist vorzüglich der
Ausgang, wo auf einmal der Churfürst Moritz erscheint
und die Mörder bestrafen läßt. Wie diesen der Refe-
rent in Schirmeisters Gedicht hineingebracht hat, wäre

*) Hispanae gentis in oris.

mir ganz unbegreiflich geblieben, wenn mir nicht einer
meiner Freunde auf die Spur geholfen hätte,) nach
deſſen Conjectur jener, anſtatt: Mavortius heros
(der martialiſche Held, womit nämlich Maximilian gemeint iſt) vermuthlich: Mauritius heros geleſen) hat.

Nach dieſen Beweiſen von der Unzuverläſſigkeit des
Gewährmanns von Hrn. Schlenkert, wäre es wohl überflüſſig, noch mehr dergleichen anzuführen; einige aber
bekannt zu machen, ſchien mir nicht überflüſſig. Herr
Schlenkert ſpricht mit ſo viel Vertrauen von ſeiner
Quelle, daß er ſelbſt vorſichtige Geſchichtſchreiber verleiten könnte, ein ganz unwahres Factum in unſere Geſchichte aufzunehmen; und dieß iſt ihm, der ſelbſt in
ſeinen hiſtoriſchen Dichtungen der geſchichtlichen Wahrheit, wenigſtens in den Hauptſachen, ſo viel möglich,
treu zu bleiben geſucht hat, gewiß nicht gleichgültig.

Auch dem Dichter, der durch ſein Schauſpiel das
Andenken an einen der ehr- und liebenswürdigſten Für-
ſten, die die deutſche Kaiſerkrone getragen haben, ſo
angenehm erneuert hat, könnte es nicht gleichgültig ſeyn,
wenn man bezweifeln dürfte, ob ſein Held jenes Abenteuer in Spanien beſtanden habe. Er hat bei ſeiner dra-
matiſchen Dichtung dieſen Umſtand vielfältig benutzt;
nicht blos für's Auge, durch das ergötzliche Fremdar-
tige der Decorationen und des Coſtüme's, ſondern auch
für's Gemüth, durch den ſtark hervorgehobenen Con-
traſt zwiſchen nordiſchem Heldenmuthe und ſüdländi-
ſcher Banditenmeuchelei. Durch beides iſt das Ganze
romantiſcher, und überhaupt durch die Localität Ton

und Farbe der ganzen Darstellung bestimmt worden.
So sehr nun auch diejenigen, welchen dieß alles Ver=
gnügen gemacht hat, geneigt seyn möchten, dem Dichter
eine Licenz zu verzeihen, so würden sie doch wohl die
Verlegung der Scene aus Deutschland nach Spanien
zu stark finden, und es wird daher auch dem Dichter
angenehm seyn, wenn ihnen der Zweifel benommen
wird, ob Mar bei Granada oder bei Granaten
gejagt hat.

C. A. Semler.

II.

Petrus Apianus,

oder

Achtung der Wissenschaft.

Schauspiel in Einem Aufzuge

Personen.

Prinz von Solmonien, General, Kaiser Karl des
   Fünften, unter dem Oberbefehl des Herzogs von
   Alba. 1)

Toledo, Obrister. 2)

Falkenberg, Hauptmann.

Nicol Bienewitz, Rathmann zu Leisnig. 3)

Lisbeth, seine Tochter.

Gertrud, Magd.

Ein Thorwächter.

Drei Croaten.

Ein spanischer Hakenschütz.

Officiere von mehrern Regimentern, Constabler, Trompeter, andere Soldaten.

Einwohner zu Leisnig.

Ort: Leisnig, ein sächsisches Städtchen, auf einem
   Berge, an der Freyberger Mulde gelegen. Zeit:
   der 22ste April 1547. 4)

Erster Auftritt.

Früher Morgen. — Bürgerliches Zimmer, mit einem Schränkchen und andern Geräthschaften, Alles im Geschmack der angegebenen Zeit. Ein Bogenfenster, in dessen Obertheile sich ein Wappen von buntem Glase befindet, nämlich in goldenem Schilde, ingleichen auf dem Helme, ein schwarzer, doppelter Adler, von sieben blauen, röthlich geschuppten Wolken umgeben; die Helmdecken golden und schwarz. 5) Auf dem Tische Schwert, Handschuhe und Sturmhaube (mit rothen Federn).

———

Falkenberg in gebeugter Stellung, auf den Tisch gelehnt, indem Lisbeth seinen aufgeschlißten linken Aermel vollends zubindet. Hinter dieser Gertrud, ein Körbchen mit Wundwasser und Bindezeug in der Hand.

Lisbeth

lächelnd, mit einem leisen Schlage.

So hält's für heut'!

— Legt ihm eine weiße Armbinde um. Doch will

Falkenberg,

ihr ins Auge blickend.

Habt Dank, mein holdes Kind!

Richtet sich auf. Gertrud auf Lisbeths Wink ab.

Noch nimmer hab' ich's so empfunden,
Wie sanft der Frauen Herzen sind.

Hängt sein Schwert um.

Ihr gießet Oel selbst in des Feindes Wunden — 6)

Lisbeth.

Wen nennt ihr Feind —?

Falkenberg;

im Begriff, die Sturmhaube aufzusetzen, berührt leise mit der
Feder Lisbeths Wange.

Der Helmbusch spricht es aus!
Die Span'schen Farben —

Lisbeth.

Muß ich auch gestehen,
Daß wir wohl andre lieber sehen;
Euch gilt das nicht! — Seid Ihr in unser Haus
Als Feind, als Peiniger gekommen?
Nicht mild und schützend, wie des Himmels Geist? —
Ihr Krieger ahnt wohl schwerlich, was das heißt,
Wird feindlich Volk im Anzug' wahrgenommen —

Lebhaft.

Hoch wirbelt Staub! Gewehr blitzt an Gewehr —
Und glücklich noch, wenn nur in Sonnenstrahlen,
Wenn nicht auch feurig sich die Wolken malen —
Grad' nach dem Städtlein zeigt das Fähnlein her;
Die Trommel dröhnt; es gellt Trompetenruf;

Das Pflaster zittert von der Rosse Huf —
Gott steh' uns bei! Wie wird es uns ergehen?
Ist's eine wackre, eine freche Schaar,
Wehrlose würgend, plündernd den Altar? —
Wird morgen noch das Haus, die Scheuer stehen?

Falkenberg.

Ein Engel halte über Euch die Wacht!

Lisbeth.

Verzeiht mir, Herr! Ich bin nicht oft so schwach;
Wie kam's doch jetzt? Ich wollt' Euch ja nur danken.

Falkenberg
will ihre Hand fassen.

Das ziemt dem Arzt' nicht, das gebührt dem Kranken;
Halb freud- halb leidvoll üb' auch ich die Pflicht,
Zumal, da mir's nicht ganz an Lohn gebricht.

Lisbeth,
sich bescheiden zurückziehend.

Wie meint Ihr das?

Falkenberg.

Der Lohn ist gute Kunde
O wär' ihr doch ein Zusatz Schmerz verlieh'n!
Daß wir noch heut' aus eurem Muldengrunde
Mit Roß und Wagen nach der Elbe zieh'n.

— — — Lisbeth,
die Augen niederschlagend.

Noch heute, sagt Ihr?

Man hört in der Ferne einen Todtenmarsch.

Falkenberg,
noch ohne darauf zu achten.

Eure Augen senken
Sich hold und trüb. —

Lisbeth.

Oft werd' ich Eurer denken —
Wie eines Bruders, der in fernem Land
Manch glänzend Guth, doch — keine Schwester fand —

Falkenberg,
feurig ihre Hand an sich ziehend.

O Lisbeth —!

Lisbeth, sich losmachend.

Horcht doch! dumpfes Trommelrühren!
Was zeigt das an?

Falkenberg,
am Fenster, sehr ernst.

Des Kriegers Erdenloos;
Er findet nur, um wieder zu verlieren,
Und Liebe, — kränzt oft nur des Hügels Moos.

Lisbeth.

Warum so düster?

Falkenberg, (mit tiefem Gefühl.)

Seht die Blütenfülle!
Wie weiß und rosig, jeder Baum, sich schmückt,
Wie Lenz und Hoffnung jedes Herz erquickt! —
Doch seht Ihr auch, was dort in schwarzer Hülle,
Dort — bei den Zelten — langsam vorwärts rückt?

Lisbeth.

Zwei Bahren sind's, die Helm und Degen zieren,
Und hinterdrein seh' ich zwei Rosse führen,
Gesenkten Haupts —

Falkenberg.

— Der Zug naht ernst und schwer;
Die Kameraden laufen schnell zusammen,
Es scheint der Anblick Alles zu entflammen —

Lisbeth.

Wer muß es seyn?

Falkenberg.

Lang wär' es still beim Heer; 7)
Drum sind's Blessirte, deren früh're Wunden
Wohl keine Samariterin verbunden;
Doch, wie es scheint, von nicht geringem Rang;
Denn immer ärger wird der Lärm und Drang, —
Ganz in der Nähe Jubelruf.

Falkenberg mit einem Gebet.

Lisbeth.

Was giebt's denn wieder? Freudiges Getöse!

Falkenberg.

Dort winkt des Todes Bild, hier ird'scher Größe!
Der Kaiser hält am Zwinger — 8)
Dort — bei den Seinen —

Lisbeth.

Laßt mich schau'n!
Denn solch ein Anblick stärkt oft das Vertrau'n,
Wenn Angst und Kleinmuth auf der Seele lasten.

Falkenberg läßt sie vor.

Sein Kriegsschmuck zeigt: nun gilt's nicht länger

Lisbeth.

Sagt, welcher ist's?

Falkenberg.

Der Zelter glänzend braun,
Castilian'scher Art —

Lisbeth.

Ob ich ihn finde? —
Ist Majestät doch großer Seelen Sold!
Ha! dieser ist's; so Helm, als Harnisch Gold,
Und roth, mit Gold durchwirkt, die Waffenbinde; 9)
Sein Antlitz blaß; der blonden Locken Zier

Läßt ihm recht fürstlich; doch — sein Aug' ist stier;

Er scheint sehr ernst —

Falkenberg, der wieder vortritt.

Wir kennen diese Miene.

Wenn er den Helm so in die Brauen zieht,

Verkündet es, daß rasche That geschieht,

Sei's blut'ge Schlacht, sei's schweren Frevels Sühne.

Lisbeth.

Wohl nicht umsonst verlor die Sonn' den Schein

Und hüllte sich in dichte Nebel ein; [10]

Der Himmel selbst verkündet Trauerzeiten —

Falkenberg.

Er sieht die Bahren, bräuet nach dem Thor —

Lisbeth.

Das wird doch uns nicht neue Angst bedeuten?

Falkenberg, etwas bestürzt.

Wie so? — O nein! — Er ruft Duc d'Alba vor —

Seid nur nicht bange. —

Emporschauend und ablenkend.

Längst wollt' ich Euch fragen —

Schon oft beschaut' ich dieses Fensterbild —

Woher der Adler hier in goldnem Schild?

Lisbeth.

Ihr seid recht gut, wollt meine Furcht verjagen! —

Von meinem Oheim, denk ich nie gekannt!
Ihr wißt ja, daß wir Bienewitz genannt!
Drum pflegt der Vater oft zu sagen,
In seinem Bruder sei der Biene Fleiß
Vereint mit ihrem wohl noch höhern Preis,
Mit ihrem Witz, nach scharfem Maas zu bauen;
Der hab' als Knab' schon Meß-Geräth erdacht,
Und, um der Sterne Lauf zu schauen,
Oft bis zum Morgenroth gewacht;
Hab' oft vergessen Trank und Speise
Und sich vertieft in Linien und Kreise;
Sei hochgelahrt nun, groß in seiner Kunst,
So daß er stets gar sonderlicher Gunst
Bei Königen und Fürsten selbst genossen —

Falkenberg.

Ich möcht' ihn kennen!

Lisbeth.

— O der ist wohl weit!

Falkenberg.

Krieg, werthe Jungfrau, reis't mit Flügelrossen.

Lisbeth, wehmüthig lächelnd.

So grüßt ihn schön!

Falkenberg.

Wohl! — Jetzo mahnt die Zeit —

Auch sie hat Flügel! — zum Befehl zu gehen. —
Lebt wohl!—

Lisbeth.

Ich werd' Euch doch noch sehen?

Falkenberg, sehr bewegt.

Noch einmal! ja! — Noch einen Druck der Hand,
Noch einen Blick in diese frommen Blicke —
Entgegen dann dem waltenden Geschicke,
Und Wiedersehn — vielleicht im Sternenland!

Schnell ab.

Zweiter Auftritt.

Lisbeth allein.

Noch einmal! — dann hienieden schwerlich wieder! —
Umweht vielleicht noch dieses Lenzes Grün
Den Staub des Edlen, der so hehr und kühn,
So tapfern Muths; und doch so mild und bieder,
Gleich einem Cherub schirmend uns erschien? —

Wohl, Fremdling! reis't der Krieg mit Flügelrossen,
Weit schwingend seiner Schreckenfackel Brand;
Doch, glimmt sie dunkler, wird manch Band
Der Herzen, sonst getrennt durch Meer und Land,
Auch für die Erde noch geschlossen —

Weh! weh! "Wenn neu die Fackel lohet —
Sie leuchtet vor zu Trennung oder Tod! —

Still, still, mein Herz!" Darf jetzt der Wehmuth
Stimme

Für das sich regen, was den Einen trifft?
Die Länder zittern vor des Schwertes Grimme;
Hier würgt der Hunger, dort der Seuchen Gift —
O! kann nur Blut das Wohl der Brüder retten,
Dann mag sich's schön in's Grün des Frühlings betten!

Dritter Auftritt.

Lisbeth. Gertrud, die ihr einige Veilchen bringt.

Gertrud.

O nicht doch! nicht das Köpfchen so gehängt,
Wie Rosen, die im Sonnenstrahl' verschmachten.
Seht, Lenzes Gruß! — Sind wir jetzt auch bedrängt,
Bald geht's wohl besser, als wir Alle dachten —

Lisbeth.

Was hast du denn?

Gertrud.

Die beste Neuigkeit,
Die's geben kann in so betrübter Zeit,
Daß unsre Gäste, die wir gern entbehren,

Bei uns nicht länger Küch' und Keller leeren:
Sie müssen weiter —;

Lisbeth.

Ich vernahm es schon.

Gertrud.

Ah, vom Herrn Hauptmann! hätt' es denken sollen;
Drum sagt Ihr's auch beinah im Klageton;
Den hätten wir wohl noch behalten wollen —
Gelt, werthe Lisbeth? Wahrlich, der ist gut! —
Doch weil's nun einmal sich nicht fügen thut,
So müßt Ihr auch — mir nur die Freude machen,
Und nicht so sinnen, nein! ein wenig lachen.

Lisbeth.

Das Lächeln selbst verlernt jetzt das Gesicht.

Gertrud.

Nun, beim Verbinden merkt' ich das doch nicht!

Lisbeth.

O laß mich, Gertrud! Kannst auch du mich quälen?

Gertrud.

Ihr Herzenskindchen! — Säh' ich Euch als Braut
Mit solchem Herrn, vor Freuden weint' ich laut.
Doch 's kann nicht seyn; drum — laßt Euch was
        erzählen!

Lisbeth.

So fang' nur an!

Gertrud.

Nun Lisbeth, hört einmal!
Sonst heißt's im Krieg doch: Sel'ger ist das Neh-
men;
Auch unsre Gäste übten's; doch bequemen
Sie vor der Abreis' sich zum Gratial.

Lisbeth.

Du sprichst in Räthseln —

Gertrud.

Nun, Ihr müßt nicht denken,
Daß sie gerade Rock und Wamms verschenken;
Sie lassen uns nur ihren Ueberfluß —

Lisbeth.

Und der besteht —?

Gertrud.

Nach allem Anschein muß
Sie irgend was zum eil'gen Aufbruch dringen;
Nun fehlt's an Pferden, Alles fortzubringen;
Drum hat der böse Span'sche Obrist so
An vierzig Wagen scharf erpreßtes Stroh,
Die sich bepackt am Niederthor erheben,
Um's Gotteslohn den Bürgern Preis gegeben.

Ei, das ift feltfam! Aus Toledo's Hand
Erfchrickt man faft vor einem Gnadenpfand!

Gertrud.

Nun dießmal mag er doch wohl denken: Leben
Und leben laffen! — Spaßhaft ift's zu feh'n,
Wie Jung' und Alte, um das Stroh fich raufen!
Fuhrknechte werfen einzeln und in Haufen
Die Schütten runter; wie Kameele geh'n
Die Bürger — und felbft welche von den Reichen —
Am ganzen Leib' Strohmännern zu vergleichen,
Vom Thor nach Haus, dann wieder leer zum Thor;
Ein jeder drängt fich fchnell dem Andern vor;
Es rafchelt allenthalben auf den Gaffen,
Die ganze Stadt fcheint Magazin zu faffen —

Lisbeth, für fich.

Was ift es doch, das mir die Bruft beklemmt!

Laut.

Es läßt fich denken! Arg ward's ja getrieben,
Wohl manchem ift die Streu kaum übrig blieben.

Gertrud.

Ihr folltet's feh'n, wie Eins das Andre hemmt!
Die Schlauern wiffen fich noch mehr zu rathen;
Für ein'ge Heller bieten fich Croaten,
Mit weiten rothen Mänteln angethan

Und halb schon trunken, zu Gehülfen an.

Nein! was die für Gesichter schneiden!

Fast hat's den Schein, sie thun es recht mit Freuden!

Lisbeth.

Ist denn der geiz'ge Nachbar auch dabei?

Gertrud.

Der Seiler Schopp? das will ich meinen! ei!

Der macht den Boden und die Trepp' zur Scheuer;

Der schleppt und keucht — !

Lisbeth.

Bewahr' uns Gott vor Feuer!

— Vierter Auftritt.

Die Vorigen. Falkenberg stürzt mit bleichem
Gesicht und starrem Blick herein. Er fährt zurück, als er Lisbeth
erblickt, und bleibt unbeweglich stehen.

Lisbeth.

Gott! Falkenberg!

Gertrud.

Was ist ihm?

Lisbeth.

Seid Ihr krank?

Gertrud.

Gieb mir den Arm! Mir zittern alle Glieder —
Ich bin so schreckhaft jetzt. —

    Falkenberg.

     Nein! Nichts! Habt Dank!
Ich bin erhitzt nur! — So was giebt sich wieder!

    Lisbeth.

O sagt, was ist Euch?

    Falkenberg.

     Nichts — als ein Verdruß,
Der mich nur angeht —

  — — — Lisbeth, ...

   Wüßt Ihr mir's verschweigen?

    Falkenberg.

Seid mitleidsvoll! Ich muß, bei Gott! ich muß!

    Lisbeth.

Nichts müßt Ihr jetzt, als mir Vertraun bezeigen.
Ihr seid noch immer in des Arztes Huth —
Verdruß bei Kriegern heißt oft Blut um Blut!

    Falkenberg.

Ihr irrt! Gewiß! Ihr habt das fälsch genommen —

    Lisbeth.

So ist wohl sonst —?

Falkenberg.

Laßt Euern Vater kommen!
Ich muß ihn sprechen! — eiligst — und allein!

Lisbeth.

O welche Angst! — Träf meine Ahnung ein?

Mit Gertrud ab.

Fünfter Auftritt.

Falkenberg allein.

Nein! Wie vermöcht' ich, Ihr es anzukünden?
Und doch ist Warnung und Berathung noth! — —
Weh', weh' euch armen, arg bethörten Blinden!
So gar nichts ahnend, was euch nah' bedroht,
Lockt ihr Verderben in die eigne Kammer,
Hofft einen Ruhepfühl und mehrt den Jammer!

Auch euch, des Friedens und des Gastrechts Mauern,
Wo ich der Erde hold'ste Rose fand,
Dich Heiligthum der Sitte — ha! mit Schauern
Ergreift's mein Inn'res! — bricht des Schicksals Hand.
Verwüstung bald — und Molch und Eule waltet,
Wo Lisbeth schlief, die Hände fromm gefaltet. —

Und nichts, so gar nichts, weiß ich abzuwenden,
Kann wohl ihr selbst kaum Sicherheit verleih'n;

Ich muß vielleicht die wilden Schaaren senden,
Die der Zerstörung diesen Tempel weih'n —

Heftig, die Hand gen Himmel.

Nur Eines, Herr! Laß retten mich und schützen,
Und dann mein Blut im höchsten Kampf versprützen!

Sechster Auftritt.

Falkenberg. Riebl Bienewitz.

Bienewitz, etwas gespannt.

Ihr wollt von hinnen, edler, werther Gast?

Falkenberg,
sich mit Gewalt fassend.

Als solchen nur schient Ihr mich zu betrachten.

Bienewitz.

Das ward uns Pflicht. Wir mußten stets Euch achten;
Wir sind kein Volk, das wack're Feinde haßt.

Falkenberg.

Es gilt, Herr Rathmann! auch von meiner Seite!
Doch sagt mir jetzt — man kennt oft kaum das Heute —
Wärt Ihr wohl auf noch größern Drang gefaßt?

Bienewitz.

Mir ward manch stilles Glück in frühern Tagen,
Doch wird ein Mann im Unglück nie verzagen.

Falkenberg.

Seid Ihr Euch keines Unrechts, nicht Verraths
bewußt?

Bienewitz, fast beleidigt.

Verrath, Herr Hauptmann! in des Sachsen Brust?
Nicht fester steh'n am Firmament die Sterne,
Als Treu' in unserm Volk —

Falkenberg.

Ich glaub' Euch gerne;
Doch scheint der Kaiser — Mann denn gegen Mann!
Habt Ihr dem Feind nicht Geld und Frucht ge-
sendet? ¹¹)

Bienewitz, betroffen.

Wie? welchem Feind?

Falkenberg.

Nun, dem in Acht und Bann! ¹²)

Bienewitz.

Ja so — Ihr meint — Wohl! ward's erkundet, dann
Sagt mir ins Aug', ob diese Untreu schändet?

Falkenberg.

Ihr seid doch jetzt in unsers Kaisers Hand —

Bienewitz.

Zwang thut Gott leid! Man wechselt das Gewand,

Doch nicht den Sproß, von altem Stamm geboren,
Der lang und mild beschattet hat das Land,
Doch nicht das Haupt, von Gott uns auserkohren,
Doch nicht den Eid, von uns zu Gott geschworen,
Und — Schmach dem Mann', wüßt' er den Herrn in
Noth,
Und theilte nicht mit ihm sein letztes Brod,
Und folgt' ihm nicht zum Kerker, in den Tod!

Falkenberg umarmt ihn.

Brav, wackrer Mann!

Bienewitz.

Herr! für gerechte Sache!

Falkenberg.

Glaubt nur, der Kaiser hält die Treue werth,
Hat euch verschont mit Feuer und mit Schwert,
Doch — Meuchelmord erfodert Straf' und Rache.

Bienewitz erschrickt.

Was sagt Ihr, Herr? O Gott! was ist gescheh'n?

Falkenberg.

Ich hab' es hier zum Theil mit angeseh'n —
Zwei Leichen wurden dort im Thal getragen,
Die man zur Nacht im nächsten Dorf erschlagen,
In einem Haus, das mit zur Stadt gehört!

Theaterschr. II.

Bienewitz.

Weh! so weit kam's! — Man hat dort eingebrochen,
Geraubt, gequält — die Tochter ward erstochen —
Ist's Wunder, wenn, zu blinder Wuth empört,
Das Volk sich rottet, wenn zu Todeswaffen
Die Männer, was der Faust sich beut, erraffen!

Falkenberg.

Zu größerm Unstern für euch Alle war
Der Plündrer Haupt ein vornehm Brüderpaar,
Zwei Spanier, in voller Jugendschöne,
Des Obersten Toledo Schwestersöhne,
Im ganzen Heer absonderlich geliebt —
Nun könnt Ihr selbst vielleicht das End' errathen.

Bienewitz.

That das die Stadt, was Einige verübt?

Falkenberg.

Beim Einmarsch schon verwies man die Soldaten
Auf Plünderung, auf Eurer Güther Raub;
Des Kaisers Ohr blieb Alba's Antrag' taub;
Doch, als sie heut' das Todtentuch enthüllten,
Die Luft mit wildem Rachgeschrei erfüllten,
Da flammt' er auf — Genug, der General
Erhielt Befehl, die Stadt mit Brand zu strafen.

Bienewitz
hält sich an einen Stuhl.

Daher Toledo's Gabe? — welch ein Wetterstrahl! —
Gott! das ist hart! Ha! diese Worte trafen — —!

Falkenberg.

Drei Schüsse werden fallen, — merkt auf diese Zahl —
Der Dritte giebt zum Aufbruch' das Signal,
Jedoch — zuvor die Stadt an allen Ecken
Bei offner Plünderung in Brand zu stecken.

Bienewitz
wankt und muß sich setzen.

Entsetzlich! o!

Siebenter Auftritt.

Vorige. **Lisbeth,** die man schon früher an der Thür
wahrgenommen, stürzt herein und eilt zu ihrem Vater.

Lisbeth.

Mein Vater —!

Bienewitz.

Hörtest du,
Was uns bevorsteht —?

Lisbeth.

Unsers Freundes Worte —

Die bängste Ahnung ließ mir nirgends Ruh',
Und so vernahm ich, lauschend an der Pforte,
Die Schreckenspost —

Falkenberg.

Wohl mir, daß Ihr sie wißt!
Doch — da ein Gott nur Euer Loos kann lenken,
So sammelt Euch, und laßt uns schnell bedenken,
Wie? was? zu retten und zu schützen ist? —
Sind Eure Keller feuerfest —?

Bienewitz.

Wir haben
Schon früher, als des Kaisers schneller Zug
Weit vor sich her Furcht und Bestürzung trug, [13])
An sicherm Ort manch werthes Stück vergraben.

Falkenberg.

So packt das Andre — doch nur leichte Last —
Geschwind zusammen, aus der Stadt zu fliehen.
Hält man Euch an, so ruft alsbald gefaßt:
Hispania! — Vielleicht läßt man Euch ziehen.
Ich nahm am Thor ein einsam Haus gewahr —

Bienewitz.

Des Todtengräbers —

Falkenberg.

Flieht denn zu den Todten!

Komm' ich nicht selbst, send' ich Euch einen Boten —
Doch, hoff' ich's wohl — auch hält dort eine Schaar
Der deutschen Truppen —

Bienewitz.

Lisbeth! nimm die Kette,
Die damals in der Eil vergessen war,
Und harre mein —

Will ab.

Lisbeth, ängstlich.

Wohin?

Bienewitz.

Gilt's da noch Wahl?

Falkenberg.

Sie soll allein —?

Bienewitz.

Ich muß zum Hospital,
Daß ich zuvor die Kranken rette —

Falkenberg

giebt ihm schweigend die Hand, dann mit besorgtem Blick auf
Lisbeth.

Weckt, holde Jungfrau, nicht der Habsucht Lust.
Nehmt diese Silberhacken von der Brust,
Hüllt dieses blühende Gesicht in Linnen —

Lisbeth.

Ich folg' Euch gern! — Doch was zuerst beginnen? —

Sie öffnet das Wandschränkchen und nimmt eine Halskette heraus.

Falkenberg

erblickt an selbiger ein Gemälde und fährt darnach.

Von Kranach! [1]) Ja! — — Gott! wessen ist

dieß Bild?

Lisbeth.

Des Oheims.

Falkenberg.

Dessen, dem dieß Wappenschild

Gegeben ward? dem in des Kaisers Reichen

An edler Forschgier keiner zu vergleichen,

Der allgeehrt —

Bienewitz.

Ja freilich! Kennt Ihr ihn?

Auch mir ward's seinetwegen mit verlieh'n — [15])

Hier ward er jung, hier spielten wir zusammen —

O Vaterhaus — nun bald ein Raub der Flammen!

Falkenberg, *immer dringender.*

Wie? Apian! — [16]) Doch trifft der Nam' nicht ein —

Bienewitz.

Er übersetzt' ihn also in Latein —

Falkenberg,

entreißt Lisbeth fast gewaltsam die Kette und hält sie mit heftiger
Bewegung gen Himmel.

Du starker Gott! Wie vormals, so noch heute! —
Die Kett' ist mein! Auch ich begehre Beute!

Stürzt schnell ab. Bienewitz und Lisbeth sehen sich verwundert an.

Bienewitz.

Begreifst du das —?

Lisbeth.

Wie sollt' ich, Vater? Nein!

Bienewitz.

Mich ruft die Pflicht —

Die Hand gen Himmel.

Du bleibst nicht ganz allein —
Und — sollte mir — der Menschheit Loos begegnen —
Der ewig wacht, will fromme Kinder segnen!

Er legt ihr die Hand auf und umarmt sie. Als sie sich getrennt,
kehrt er noch einmal zurück. Es fällt ein Kanonenschuß hinter der
Bühne. Der Vater ab. Lisbeth sinkt auf die Kniee und erhebt
die Hände im Gebet. Gertrud, mit gerungenen Händen, tritt in
die Thür. Lisbeth springt auf und wirft sich an ihren Hals.
Beide ab.

Achter Auftritt.

Platz vor einem der Stadtthore, 17) welches mit einem viereckigen Thurme versehen ist. An den Seiten felsige Erhöhungen. Soldaten hie und da gelagert. Im Vordergrunde auf einer Seite **drei Croaten** um einen Kessel, auf der andern ein in voller Blüthe stehendes Apfelbäumchen. Man sieht von Zeit zu Zeit flüchtende Einwohner, die mit Kindern und Habseligkeiten aus dem Thor kommen und sich furchtsam fortschleichen.

Alter Croat. Junger Croat. Dritter Croat.

Alter.

Schafft Holz! das Zicklein wird nimmer gahr —

Junger.

Ist leicht geredt! hm, Holz! woher?
's steht weder Zaun, noch Wegsäul' mehr —

Alter,
nach dem Bäumchen deutend.

Was schwätz'st du, Büble? häst den Staar?

Junger.

Die Kreuze haben sie weggebrochen —

Dritter, lachend.

Die Särg' zumal haben schlecht gerochen!

Alter, zu dem Jungen.

Schau' dort! siehst nit das Bäumelein?
's steht noch ganz mutterseel. allein.

Dritter.

Recht, wie im weißen Hembd' ein Kind,
Das man im leeren Neste find't,
Wenn ringsum Mauer und Giebel rauchen; —
Was thut man mit? 's ist nit zu brauchen.

Alter, zum Jungen.

Na, spude dich!

Junger,

im Begriff, es umzuhauen, hält inne.

's steht voller Blüthen!
Taugt nicht zum Feuer; ist saftig und grün —

Alter.

Mag's immer prasseln, zischen und sprüh'n;
Wir sind nit hier, die Frucht zu hüten! —

Dritter.

Mein's auch! Und eh' die Aepflein gereift,
Wer weiß, wem da der Wind noch pfeift!

Alter.

Hast recht!

Junger.

'Nun nieder, Waislein! nieder! 'r
Haut es um und schleppt'es aus Feuer.

Dritter
zerbricht es und legt es an.

Mir sind halt alle Bäum' zuwider.

Junger.

's sind auch Geschöpf'! hab' ich nit Recht?

Dritter.

Halt's Maul, Gelbschnabel du! 's ist schlecht,
Nach ungelegtem Ei' zu fragen.

Alter.

Ei was! Kannst's schon dem Büble sagen;
's ist keine Schand' — Ihm ward einmal
Eine Weide schier zum Galgenpfahl;
Der Nagel war schon eingeschlagen —

Dritter.

Der Steckenknecht hielt mich am Kragen —
Ich seh' ihn recht noch vor mir steh'n;

Alter.

Nun kann er keinen Baum erseh'n;
Es spielt ihm immer ums Genick
So wunderlich, als wär's ein Strick —

Alter und Junger lachen.

Dritter.

Hol Euch —! Ihr werdet auch nit ersaufen! ꝛc

Neunter Auftritt.

Vorige. Ein Spanischer Hakenschütz, einen
bloßen Stoßdegen unterm Arm, das Gewehr in der Hand. Bald
nachher ein Commando Constabler und flüchtende
Einwohner.

Hakenschütz.

Croaten! he! hät keiner etwa
Einen Sack gestohlen? Ich will ihn kaufen.

Alter Croat, vor sich.

Schau doch, wie pfiffig! —

Laut.

Herr Camerad, ja
Ich hab' da einen — seht mal, seht! —
Aus Weiberhemden zusammgenäht;

Weißt einen buntgestreiften Sack vor.

Doch sagt mir erst, wozu ihn brauchen?

Hakenschütz.

Narr! nu, wenn wir die Ketzer schmauchen,
Steck' ich die goldnen Becherlein
Und, was mir sonst bescheert, hinein. —

Alter.

Das macht Ihr schlau —

Hakenschütz.

Was gilt der Sack?

Alter.

Den brauch' ich selbst —!

Croaten lachen.

Hakenschütz,

schlägt ihn mit der flachen Klinge.

Ihr Lumpenpack!

Alter,

zieht ein großes Messer, das ihm an der Seite hängt.

Mord Element!

Hakenschütz nimmt das Gewehr und bläst die Lunte auf.

Dritter,

nach dem angelegten Gewehr deutend.

Hinweg das Messer!

Hakenschütz, immer zielend, ab.

Alter.

Mord! solch ein Span'scher Eisenfresser
Der dünkt sich gleich um vieles besser,
Als wir —

Es fällt der zweite Kanonenschuß [*], dießmal wegen veränderter Scene, etwas näher. Sämmtliche Soldaten springen auf.

Alle drei.

Halloh! der zweite Schuß!

Dritter, horchend.

Der dritte auch?

Alter, da er nicht erfolgt.

Auch gut! Man muß
Halt erst genießen Trank und Speiß;
Da drinn wird's heut' ein wenig heiß —

Dritter.

So kommt! — Ich habe Stroh zugetragen,
Beim Teufel: schier einen halben Wagen —

Sie setzen sich um den Kessel und essen. Kurzer Trommelwirbel.

Junger.

Was ist's?

Alter.

Krümmt dir und mir kein Haar!

[*] Wenn der Raum des Theaters es gestattet, kann auch das Geschütz, womit das Signal gegeben wird, folglich auch der zweite und dritte Schuß, sichtbar seyn. Das Feldstück mit den Constablern steht dann entweder selbst auf einer Anhöhe, oder doch einer der letztern, welcher ein Signal in der Ferne zu beobachten scheint und es mit ausgestreckter Hand den übrigen andeutet. — Es versteht sich, daß nach dem zweiten Schuß das Geschütz sogleich wieder (dem Anscheine nach) geladen wird.

Das gilt Toledo's Feuerschaar.

Hör', wo man die zum Tanz thut führen,

Wächst bald das Gras hoch vor den Thüren.

Ein Commando Constabler, in dunkler Uniform, mit Pech-
kränzen, Wurfgabeln, Zündruthen u. s. w. marschiren, zwei Mann
hoch, schweigend und eilig zum Thor hinein. *)

Dritter.

Nun schenk' der Himmel nur was Sturm,

So brennt bald im Städtel Kirch' und Thurm —

Alter,

auf die Flüchtenden deutend.

He! schaut dort, wie sie schleppen und laufen!

Junger,

in die Culisse sehend.

Alle Blitz! dort kommt ein Jungferle,

Schmuck, schlank, und weiß, wie frischer Schnee!

Dritter.

Kommt! 's läßt sich da was wohlfeil kaufen!

Alter,

hängt den Kessel auf sein Gewehr.

's ist noch verpönt, und ohn' Pardon.

*) Es gab damals bei den Armeen besondere Brandknechte,
die unter der Anführung eines Brandmeisters standen. S. die
Abbildung derselben, die ein reitender Brandmeister anführt, in
Frohnsbergers Kriegsbuch 3. Buch Bl. 51 und vergl. 1. Buch
Bl. 116.

An den Hals zeigend.

Verstehst mich?

Dritter.

Pah! das macht sich schon!

Zehnter Auftritt.

Die Vorigen. Bienewitz sehr ermüdet und abge-
spannt, kommt mit **Lisbeth**, die einfacher gekleidet ist und
ein weißes Regentuch um sich geschlagen hat, mit **Gertrud**
und einem **Diener** seitwärts vor.

Lisbeth.

Wohin entflieh'n?

Bienewitz.

Das Todtenhaus ist nieder,
Die Sparren, Thür' und Fenster ausgebrannt —

Lisbeth.

So finden wir auch Falkenberg nicht wieder,
Den Edlen, der vielleicht uns Hülf' gesandt!

Gertrud.

O werthe Lisbeth!

Bienewitz.

Suchen wir im Thale,

Ob's irgendwo ein einsam Plätzchen hat.
Komm, liebes Kind!

Nach dem Thore blickend.

!!(... , ; ... O meine Vaterstadt!
So seh' ich dich nun wohl zum letzten Male
Noch unversehrt, und nur ein Wanderstab
Bleibt übrig auf dem Weg' zum Grab' —

Lisbeth.

Mit Lisbeth! Ja!

Bienewitz.

Mein Kind! — doch laßt uns eilen;
Hier scheint der Haufen etwas sich zu theilen.

Dritter Croat, sie anrufend.

Woher? wohin?

Alter.

Was wollt Ihr da?

Lisbeth,

erschrocken an den Vater und Gertrud sich anklammernd.

O Himmel!

Bienewitz.

Wir sind Freunde.

Dritter Croat höhnisch.

So?

Bienewitz.

. . . . ! . Hispania!

Dritter, bey Seite.

Verdammt! ein Schätzel von 'nem Officier!

Alter,
mit Pantomime des Hängens.

Hör', Camerad! . . .

Dritter.

's Wörtlein kennen wir,
Croat weiß gut, was Kriegsmanier;
Ihr sollt über uns Euch nit beklagen,
Croat will Euch nur helfen tragen.

Bienewitz.

Dort ließ ich Alles, was ich einst besaß.

Alter.

Ei was! hier gilt's nit Kurzweil und Spaß!
Und schonen wir Eu'r Guth und Leben,
Müßt Ihr für Salvegard' was geben.

Bienewitz.

Da, Freund!

Giebt ihm Geld.

Alter.

Hm! alte, verschimmelte Gulden!
Doch sei's!

Dritter.

Halt! müſſet Euch noch gedulden!
He! halt! du zartliches, ſchmuckes Ding!
Gieb auch! — ein Kettlein, ein Löfflein, ein'n Ring!
Greift ihr nach den Händen.

Bienewitz.

Rühr' ſie nicht an! Ehrt Ihr nicht auch den Greis?
Mit Ehren ward mein Scheitel weiß —

Dritter.

Iſt eitel Geſchwätz! ein Kleinod her!

Junger.

Laß ſie —!

Dritter
zieht den Pallaſch.

Ihr ſetzt Euch noch zur Wehr? —

Junger *desgleichen.*

Ei laß! — Hab' auch ein Bräutl zu Haus,
Das weint ſich jetzt die Aeuglein wohl aus —

*Dritter Croat will auf ſie eindringen. Bienewitz, ſein Diener
und der junge Croat wehren ihn ab.*

Eilfter Auftritt.

Die Vorigen. Prinz Solmonien mit Toledo, vielen andern Officieren und sonstigem Gefolge. Späterhin der Thorwächter.

Solmonien.

Was giebt es hier?

Zu den Croaten.

Wer hat Euch das erlaubt,
Daß Ihr die Flüchtenden beraubt?

Dritter Croat,
der mit den beiden andern niederkniet.

Nit so! Habt die Gnad', sie selbst zu fragen —

Alter.

Wir wollten ihnen halt helfen tragen —

Solmonien.

Aus meinen Augen! Treff' ich so Euch wieder,
So hängt Ihr!

Alle drei ab.

Toledo, vortretend.

Immer noch, Herr General!
Wehrt Ihr der Rache — lief's doch durch die Glieder,
Was des Herrn Kaisers Majestät befahl!

Solmonien.

Wem, wem, Herr Obrist! wurden die Befehle?

Und streng bind' ich's Euch auf die Seele:
Nicht eh'r — ich sandte zum Herrn Kaiser noch ein=
mal —
Fliegt einer Eurer Feuerbrände,
Bis ich dazu Euch Ordre sende!

Toledo, tückisch.

Es zeigt sich wohl, daß Eurer Neffen Schlaf
Nicht dieser Ketzer Mordart traf!

Solmonien.

Schweigt von den Todten, daß sie nicht erröthen;
Ziemt's Span'schen Rittern, daß sie die Jungfrau'n
tödten?

Toledo.

Kalt ist der Mann, doch heiß braust Jugendblut —

Solmonien.

Gehorcht, daß Ihr nach Mannes Sitte thut! —
Toledo unwillig mit einigen andern Officieren ab.
Ihr aber, sagt, wer seid Ihr, gute Leute?
Bienewitzen ins Auge fassend.
Irr' ich nicht ganz, so sah' ich Dich schon heute —

Bienewitz.

Ganz kürzlich, Prinz! Es war im Hospital;
Die Kranken, die ich Eurer Huld empfahl,

Die nun die Flammen nicht verzehren,
Sie segnen Euch —

Solmonien giebt ihm die Hand.

Die Hand, du Mann der Ehren!
Mehr galt dir Pflicht, als eignes zeitlich Guth;
Hast du doch nicht geraſtet und geruht — —
Doch Ihr vergaßet es, Euch mir zu nennen,
Und Namen ſolcher Männer muß man kennen.

Bienewitz.

Mein Näm' iſt Bienewitz —

Solmonien, freudig.

Gewiß? Gewiß?
Das freut mich innig — und ſo iſt wohl dieß
Auch Eure Tochter?

Bienewitz.

Meines Alters Freude,
Durch die ich reich — von Haus und Habe ſcheide.

Solmonien.

Brav, Lisbeth!

Lisbeth
läßt das Regentuch herabſinken, und tritt furchtſam vor.

Wie? wer hat mich Euch genannt?

Solmonien.

Mein Falkenberg, für Euch in Dank entbrannt!

Zu Bienewitz.

Auch bin ich Eurem Bruder eng' verbunden,
Dem, eingeweiht in edler Forschung Kunden,
Den eignen Adler Kaiser Karl vertraut,
Weil er, gleich dem, keck in die Sonnen schaut.
Faßt Muth —

Lisbeth.

Die eigne Wohlfahrt gilt uns minder —
Ihr seid so menschlich — o so wehrt dem Brand'! —
O denkt des Jammers, schont der Greis' und Kinder —

Solmonien.

Zum Kaiser hab' ich Euren Freund gesandt.

Es fällt der dritte Schuß.

Lisbeth

sinkt auf die Knie und ringt die Hände bald zu ihm, bald zum
Himmel empor.

Erbarmung!

Solmonien, heftig.

Nur zu Gott erhebe deine Hände,
Daß bald, ja bald er seinen Engel sende!

Auch Bienewitz und Gertrud sind hinter Lisbeth niedergekniet.
Solmonien geht sehr unruhig auf und ab, und blickt immer seitwärts in die Gegend.

Was bleibt mir noch? — Der Kaiser war schon fort —
Er hört' ihn nicht — sein Zorn war nicht zu stillen.
Ich darf nicht zögern — dennoch stockt das Wort —

Schon hör' ich wild die gier'gen Schaaren brüllen,
Schon seh' ich Dampf und Rauch das Licht verhüllen —
Entzügelt rasen Raub und Brand und Mord —!

Die Feuerschelle wird, auf einer entgegengesetzten Seite der Stadt
einigemal angezogen.

Dort stürmts! — die Buben, sollten sie wohl wagen?

Zu Bienewitz, eilig.

Sucht, wo das Feuer aufgeht, zu erfragen —

Bienewitz.

Sogleich, mein Prinz!

Winkt dem mehr im Hintergrunde stehenden Diener, dieser zieht
eine Klingel am Thore; der Wächter erscheint an einem Fenster
des Thurms.

Wo ist die Feuerstelle?

Wächter.

Vorm Niederthor! 's ist nur die kleine Schelle;
Es qualmt und raucht, die Flamme flackert so —
Ein einzeln Haus, mit Schindeln oder Stroh —

Solmonien

sendet zornig einen Offizier ab. Dann:

He, Wächter! Schaut mal auch nach jener Seiten?
Hebt sich nicht Staub? Seht Ihr nicht Jemand reiten?

Wächter.

Nein! Nichts! — doch ja! jetzt! wahrlich, dort am
Bruch)
Kommts wie auf Wolken — schwenkt ein weißes Tuch.

Solmonien zu **Lisbeth.**

Er ists! er ists!

Lisbeth

springt auf und eilt nach einer Anhöhe.

O so laßt mich ihn sehen!

Wächter.

Dort, Jungfrau! Seht Ihr nicht das Tüchlein wehen?
O seht nur! seht! das scheint kein Menschenkind!
Der sprengt und setzt, als ritt er auf dem Wind' —

Lisbeth.

Gott! Falkenberg! Er sieht den Rauch — die Flammen,
Reißt's Roß zum Sprung —

Schreiend.

Gott! Gott! er stürzt zusammen!

Sie sinkt mit dem Haupte auf ein Felsenstück.

Bienewitz,

mit Gertrud ihr zueilend.

Erhole dich —

Lisbeth,

erhebt sich ein wenig, wagt es aber nicht wieder, in die Gegend
zu schauen.

Zu ihm! nur das ist noth!

Tief war der Sturz —

Starrt hin und sinkt aufs neue.

Erbarmen! er ist todt!

Kurze Pause.

Zwölfter Auftritt.

Die Vorigen. Falkenberg. — Zuletzt mehrere
Adjutanten, Soldaten und Einwohner.

Falkenberg,
noch außerhalb der Scene.

Mein General!

Solmonien.

Was ist?

Falkenberg

mit bloßem Haupte, die Armbinde schwenkend, über und über
bestäubt, stürzt athemlos herein.

Ich bringe Gnade!

Solmonien, feurig.

Willkommen!

Bienewitz,
noch bei Lisbeth, faltet die Hände.

Wunderbar sind deine Pfade!

Falkenberg.

Mir fehlt der Athem — aber zaudert nicht —
Hier dieses Schreiben macht es Euch zur Pflicht —
Ueberreicht es ihm.

Solmonien,
es aufschlagend, dann zu einem Obertrompeter.

Trompeter! vor! Eilt! laßt in Berg und Gründen
Die kaiserliche Huld verkünden!

Obertrompeter bläst. Ein zweiter, näher am Thor, tritt in selbiges und thut ein Gleiches. Bald darauf hört man von mehrern Orten daſſelbe Zeichen, das immer entfernter und entfernter bis zu Solmoniens dritter Rede forttönt.

Lisbeth,
sich an Gertrud langsam aufrichtend.

O guter Gott! Er lebt! er athmet noch!

Falkenberg.

Ja, holde Jungfrau! froh und freudig, doch —
Wohl galt es Eil; die Friſt schien schon entschwunden —
Mein treues Roß, das hat den Tod gefunden!

Lisbeth
springt auf, will mit offnen Armen auf ihn zu fliegen, bleibt stehen, umarmt ihren Vater, eilt zu Gertrud und verbirgt das Gesicht lange an derselben Bruſt.

Solmonien,
mit fast väterlicher Milde zu Falkenberg.

Wie's scheint, fehlt Lohn der schönen Eile nicht;
Doch gebt nun auch ausführlichern Bericht —
Mehrere Adjutanten und Einwohner mit Weib und Kindern sammeln sich nach und nach auf der Bühne.

Falkenberg,
immer noch schwer athmend.

Es glückte mir, den Kaiser aufzufinden,
Und kaum zeigt' ich ihm Bild und Kette vor

Da neigt' er gnädiglich zu mir sein Ohr;
Ich sah der Stirne Fälten schwinden.
„Nicht also!“ — sprach er — „nicht so! das seicferne!
Das las mein Freund wohl nicht im Lauf der Sterne,
Daß seines Schülers zorniges Gebot
Dem Ort, wo er das Licht sah, Brand gedroht!“
Er hieß den Dolmetsch dieses schreiben,
Und ruhte nicht, ihn stets zur Eil zu treiben —

Solmonien,

in die Schrift sehend, laut:

So sagt' der Schutzbrief: [18]) der Herr Kaiser hat
Nicht sonder tiefem Schmerz vernommen,
Daß gegen Apiani Vaterstadt.
Sein, obwohl schwer gereizter, Zorn erglommen;
Er denkt mit Hulden, wie seit frühster Zeit
Sein werther Freund der Wissenschaft der Sterne,
Der Kenntniß von der Länder Näh' und Ferne,
Mit hohem Ruhm den klugen Geist geweiht;
Er weiß den Würd'gen nach Verdienst zu achten,
Deß Riffe bei Belagerung und Schlachten
Er und die Seinen stets mit Nutz' gebraucht;
Deshalb ist schnell der Rache Glut verraucht;
Bei schwerer Ungnad, Straf an Leib und Leben —
Dieß ist des Kaisers ernstliches Gebot —
Verschont von nun des Kriegs Gewalt und Noth

Die Stadt, die Apian das Licht gegeben!
Selbst nach dem Abzug mit dem Heere beut
Ein Fähnlein von des Kaisers Leibhatschieren —
Ein wackrer Deutscher soll sie führen —
Dem Städtlein und dem Umkreis Sicherheit —

Bienewitz.

Preis Gott, dem Kaiser und den Wissenschaften!

Solmonien,
zu den Offizieren.

Wir brechen auf! — Was dieser Brief verleiht,
Dafür, Ihr Herren, werdet Ihr mir haften!

Mehrere Adjutanten und Offiziere ab. Zu Falkenberg.

Ihr, Falkenberg! seid noch nicht ganz geheilt;
Drum sei zum Schutz' Euch der Befehl ertheilt —
Wohl ungern werd' ich Eurer Näh' entbehren,
Doch —

Falkenberg,

*der schon seit einiger Zeit blaß worden ist und sich auf den Degen
gestützt hat, sich mit Heftigkeit aufreißend.*

Herr! ist es möglich! Wollt Ihr mich entehren?
Zurück ich bleiben — und es geht zur Schlacht?

*Er kann sich nicht länger erhalten und sinkt einem neben ihm
stehenden Offizier in die Arme.*

Solmonien.

Seht! Ihr seid kränker, als ich selbst gedacht!

Falkenberg.

Ich — hatte blos die Binde abgebunden — O ....
Man mußt ihn auf eine Rasenerhöhung bringen.

Lisbeth, zu ihm eilend.

O Himmel! aufgegangen sind die Wunden —
Die ganze Achsel röthet Euer Blut —

Falkenberg.

Wohl mir! es wendete von Euch die Glut —

Hinter der Bühne entfernte Feldmusik der abziehenden Regi-
menter.

Solmonien,
zu Lisbeth.

Ich übergeb' ihn Euern sanften Händen,
Und — mögt Ihr ihn als Bräutigam,
Wohl gar vermählt — wie schön läßt Euch die
Schaam! —
Was meint Ihr, Jungfrau! — mir zum Heere
senden!

Falkenberg drückt Lisbeths Hand zärtlich an seine Brust. Solmoniens Regiment fängt an vorüber zu ziehen.

Bienewitz
und mehrere Einwohner zu Solmonien.

Gott lohn' Euch, Herr! was Ihr an uns gethan!

Solmonien.

Dankt Gott, dem Kaiser, dem (auf Falkenberg deutend)
.... und Apian! —
So lange dort die goldnen Sterne brennen,
Wird man so gut als groß, den Kaiser nennen;
Zwiefacher Lorbeer schmückt des Helden Schwert,
Der Menschheit, Freundschaft, Wissenschaft verehrt!

Er zieht das Schwert. Volle Feldmusik hebt an. Unter dieser und
reicher Gruppirung der Zurückbleibenden, welche sich aus der
Handlung von selbst ergiebt, fällt der Vorhang.

Anmerkungen.

1) Er wird in den über diese Anekdote vorhandenen Nachrichten größtentheils Prinz von Uranien genannt, und war sonach vielleicht der bekannte Wilhelm von Oranien, der als Jüngling von Carl V. erzogen, von demselben sehr geachtet und zu wichtigen Staatsdiensten gebraucht wurde. Da jedoch dieser 1433 geboren, folglich damals erst 14 Jahr alt war, müßte ihm der Kaiser etwa nur die Ehre des Oberbefehls gegönnt und einen ältern Anführer beigegeben haben. Es ist daher hier ein unbestimmter Name beibehalten, womit auf dem Rathhause zu Leisnig derjenige benannt wird, dem sich dieß Städtchen, nach beschehener Aufforderung, ergab. S. Kamprads Leisniger Chronik S. 417. Schneiders Leisniger Ehren= und Gedächtniß=Säule. S. 2. Heine's historische Beschreibung von Rochlitz S. 338.

2) Anton von Toledo führte 4 Fahnen Fußvolk und 3 Geschwader leichter Reiterei. S. Samml. verm. Nachr. z. Sächs. Geschichte. B. 3. S. 107.

3) Nicol. Bienewitz ward Rathmann zu Leisnig im J. 1546. S. Kamprad S. 138.

4) S. über diese ganze Begebenheit Kamprad S. 421. Schneider S. 2 Fiedlers Müglische Ehren= und Gedächtniß=Säule S. 114.

5) Den hieher gehörigen Wappenbrief vom 20. Jul. 1541 s. bei Kamprad S. 359 vergl. Schneider

S. 2ᵇ und Käſtners Geſchichte der Mathematik B. 2 S. 551.

6) Daß Leisnig damals wirklich als dem Churfür= ſten Johann Friedrich angehörig betrachtet und von den Kaiſerlichen feindlich behandelt wurde, beweiſen hin= länglich die eignen Worte Carl des V. b. Kamprad S. 418 und ſonſt. Auch blieben ſpäterhin Colditz und Leisnig Leibgedinge der Churfürſtin Sybilla, Ge= mahlin Johann Friedrichs. Kamprad S. 528.

7) Seit der Uebergabe von Adorf, wo die Kai= ſerlichen, nach einem leichten Geſecht mit den Churfürſt= lichen, am 13. April 1547 einrückten.

8) Der Kaiſer kam den 21. April Nachmittags 1 Uhr nebſt dem Könige Ferdinand in die Stadt. Beide übernachteten daſelbſt, ſo, daß der Kaiſer mit den Spa= niern zwei Stadtviertel, und der König mit den Böh= men die zwei andern einnahm. S. Kamprad S. 418.

9) In dieſer Tracht commandirte Carl V. am Tage der Schlacht bei Mühlberg (24. April.) S. Zieglers Schauplatz S. 457. Als er in Leisnig einzog, trug er ein ſchlichtes graues „Kemler=Kleid" und einen weißen „Kemler=Hut"; als er Tags darauf abzog, ein ſchwarz= ſeidenes Kleid ohne Gebräme, einen weißen Kemler= Hut und einen weißen Stab in der Hand. S. Kam= prad S. 418. 419.

10) Auch dieß iſt geſchichtlich. S. Nachr. z. Sächſ. Geſch. 3. B. S. 106. Ziegler S. 456.

11) Als der Churfürſt Johann Friedrich im Anfange des Jahrs 1547 Leipzig belagerte, ſandten ihm die

Leisniger Geld, Vieh, Hafer und andere Lebensmittel.
S. Kamprad S. 416.

12) Alle Schmalkaldischen Bundsgenossen wurden
von Carl V. im Jahr 1546 in die Acht erklärt. S. eben=
daf. S. 89 u. a.

13) „Der Zug des Kaisers drang so eilig vor, daß
man bei den Churfürstlichen den Nachrichten, welche
dießfalls der Rath zu Altenburg sandte, keinen
Glauben beimaß, vielmehr die Abgeordneten übel be=
handeln wollte. Siehe Samml. verm. Nachr. a. a. O.
S. 115.

14) Diese Angabe läßt sich verantworten, weil
Apian nicht nur mit Cranach gleichzeitig, sondern
auch, wie Kästner a. a. O. S. 334 u. 572 wahr=
scheinlich macht, Luthers Lehren sehr geneigt war. Bei
strengerer Gewissenhaftigkeit könnte es heißen: „Von
Jacob Woyt!“ denn Carl V. hatte einen Mahler,
M. Jacob Woyt, auf diesem Kriegszuge bei sich.
S. Samml. verm. Nachrichten p. S. 114.

15) Nach dem, schon im Obigen angeführten Wap=
penbriefe ward nicht nur Petrus Bienewitz, sondern
auch, „um seines Verdienstes willen“ seine Brüder,
Gregor, Nicolaus und Georg, in den Adelstand erho=
ben. Nicolaus scheint jedoch hievon keinen Gebrauch
gemacht zu haben. — Das Bienewitzische Haus war
am Markte gelegen und hat späterhin (1753) An=
dreas Liebig angehört. S. Kamprad S. 363 u.
364, welcher im J. 1752 von einem Vetter des Apians
eine Abbildung des Wappens erhalten, auch das Wap=

Theaterschr. II.   9

pen, am Haufe noch felbft gefehen hat. Das Haus ift
noch dermalen vorhanden.

16) Peter Bienewitz, genannt Apianus,
(von Apis, die Biene) ward geboren zu Leisnig 1495,
ging auf die Univerfität Leipzig 1516, würde 1524 Pro=
feffor der Mathematik zu Ingolftadt, und ftarb als
folcher am 21. April 1552. Ueber fein Leben und feine
Verdienfte, wohl würdig, der undankbaren Nachwelt
wieder ins Gedächtniß gerufen zu werden, f. Kampd
S. 358 — 364 und den in diefem Fache vollgültigen Rich=
ter, Käftner a. a. O. S. 331 548 756.

17) Auf den Fall, daß man das Stadtwappen an
felbigem anbringen wollte, ift zu wiffen, daß diefes in
einem fchwarzen, fchräg liegenden Balken, auf jeder
Seite mit 6 dergl. Rauten, im goldenen Felde, befteht.

18) Den wirklichen Schutzbrief, datirt vom 1. Mai,
1547 im Feldlager vor Wittenberg, f. bei Kamprad
S. 420. Auch fcheint dieß weit fpätere Datum,
als der Einzug in Leisnig erfolgte, die Wahrheit diefer
Anekdote, die, von fo vielen erzählt und durch manches
beftätigt, gleichwohl von Heine a. a. O. S. 341 mit
unzureichenden Gründen bezweifelt wird, nur noch mehr
zu beftärken.

III.

Der Weinberg an der Elbe.

Bei Vermählung der Königl. Prinzessin Maria Anna Carolina von Sachsen, mit dem Herrn Erbgroßherzoge Leopold von Toscana.

Ländliches Lust = und Festspiel in Einem Aufzuge.

1 8 1 7.

Perſonen.

Hainau.

Wilhelm,
Anna, } ſeine Kinder.

Florentin.

Peter Bunkel.

Wall.

Gäſte. Schnitter- und -Winzer mit ihren
Frauen und Mädchen.

Nebenperſonen.

Das Stück ſpielt auf einem herrſchaftlichen Weinbergs-
grundſtück am Tage der Vermählung durch Pro-
curation.

Erster Auftritt.

Saal mit drei Thüren. Zwei davon sind verschlossen.

Anna legt Kränze und Blumengewinde in den vor ihr stehenden Korb. **Florentin**, neben sich Farbentöpfe und anderes Malergeräth, beschäftigt sich in ihrer Nähe mit der letzten Säule der späterhin vorkommenden Decoration, kniet dazu nieder, reicht Annen vom Boden Guirlanden zu u. s. w. **Wilhelm** guckt von Zeit zu Zeit, ein Taschenbuch in der Hand, aus dem offenen Cabinet.

Anna.

Es sei genug!

Florentin.

Gewiß, wir reichen so.
Die Kränze sind recht schön!

Anna.

Wie bin ich froh,
Daß dieser Herbst solch frisches Grün den Reben,
Den späten Blumen Frühlingsschmelz gegeben!

Florentin.

Wer fühlt es nicht, es ist ein Segensjahr!

Anna.

Es gab uns Ueberfluß — für ärm're Brüder —
O welche Bruſt wär' nicht ein Dankaltar!

Florentin.

Die Freude kehrte auf die Erde wieder!

Anna.

Und doch — bin ich nicht ganz von Wehmuth frei —

Florentin.

Auch Sie? darf ich die Urſach' wiſſen?

Anna, ablenkend.

Ei,
So ſchön die Blumen mir entgegen winken,
Sie wollen doch nicht ſchön genug mir dünken;
Denn, wenn den Kranz ein Herz voll Liebe flicht,
Dann gnügen ihm ſelbſt Maienroſen nicht.

Florentin.

Ein Herz voll Liebe —?

Anna.

Ja, dieß Feſt zu ehren,
Das mit der Liebe ſchönſtem Roſenband
Zwei Länder und zwei Herzen eng' umwand,
Möcht' ich Armida's Zaubergärten leeren!

Florentin.

Sie wollen meine Frage nicht versteh'n!

Anna.

Wer heißt Sie auch, mit Doppelsinn zu fragen!

Florentin.

Kann ich Sie so — als Blumengöttin seh'n,
Und Ihnen nicht, was ich empfinde, sagen?

Anna.

O —! Seh'n Sie nur der Malv' und Aster Pracht,
Der Sonnenblume Gold —

Florentin.

             Wär's wohl erdacht,
Daß die sich nach der Sonne wenden?

Anna, lächelnd.

Nun, wenn's, wie sie, auch der Herr Mäler macht,
Wird er die eil'ge Arbeit schwerlich enden.

Florentin.

Das hat er schon! Nur trocknen muß es noch.

Anna.

So, steh'n Sie auf! mein Bruder ist ein Spötter —

Florentin.

Dazu hab' ich nicht Lust.— Die guten Götter

Verleih'n die Gunst des Augenblickes, doch
Man muß sie nutzen! Nur noch auf den Bühnen
Darf man getrost des Fußfalls sich erkühnen;
Im Leben wird man damit ausgelacht.
Jetzt bin ich ex officio dazu gebracht,
Jetzt soll'n Sie, wie ich Sie verehre, wissen —

Anna
hält sich die Ohren zu.

So nicht! Nur auf erst! Warlich, ich bin taub!

Florentin.

Und ich, ich weiche nicht von Ihren Füßen,
Um keinen Preis!

Aufspringend.
Sie müßten denn mich küssen!

Anna,
sich ihm mit Grazie entziehend.

Warum nicht gar?

Er küßt zärtlich ihre Hand.
Auch dieses war ein Raub —

Florentin.

Den mir gewiß die Grazien verzeihen,
Und drum auch Sie! — Hinweg jetzt mit dem Scherz!
Geläng es mir, Gefühlen Ton zu leihen,
So warm und wahr — Sie schenkten mir Ihr Herz!

Anna.

O schweigen Sie! — wir handeln unbesonnen —

Florentin.

Ich mein' es treu! — Wie? hätt' ich's schon gewonnen?

Anna, ernst.

Das Herz ist mein, des Vaters ist die Hand!

Florentin, feurig.

So fühl' auch ich — doch Liebe dir zu schwören,
Sei mir vergönnt! — Er liebt den Künstlerstand,
Er ist so gut — er segnet unser Band!

Anna.

O nicht so laut! Der Bruder wird es hören —

Florentin.

Mein Wilhelm weiß es schon —

Zweiter Auftritt.

Die Vorigen. Wilhelm (mit dem Buche) schnell
eintretend.

Wilhelm.

Und hofft drum, nicht zu stören.

Anna, verlegen.

Doch störten wir wohl dich?

Wilhelm.

Worin?

Anna.

Nun, beim Gedicht!

Wilhelm.

Da brauſt ein Wehr umſonſt —

Anna.

Du wollt'ſt auch memoriren —

Wilhelm.

Ich denk', es ſteckt im Kopf! Auch braucht's das
warlich nicht;
Denn heute wollt's ich wohl, thät's noth, improviſiren!

Florentin.

So biſt du fertig?

Wilhelm.

Ja! Seht, hier iſt das Sonett,
Das noch im Chaos lag! — Nun, iſt's auch nicht
ſo, nett,
Als jene, die Petrark, nicht dichtete, nein! herte,
Es kommt doch aus der Bruſt —

Steckt das Taſchenbuch ein.

Drum fahrt nur fort im Terte!

Anna.

In welchem Terte denn —?

Wilhelm.

Je nun, dein Blick, dein Mund,
That, irrt' ich mich nicht, ganz, ein süß Geſtändniß
kund.

Anna,
mit ſanftem Vorwurf.

Du biſt —

Wilhelm.

Ei, was du willſt! Nur nicht ein Menſch
in Proſe!
Doch — Schweſter! iſt das recht? da ſteht ſie da und
glüht,
Wie die am Morgenſtrahl erſt aufgegang'ne Roſe,
Und — dankt's dem Bruder nicht, der nur für ſie
ſich müht,
Birgt nicht an ſeiner Bruſt der Liebe Erſtlingszähren —

Anna.

Der nur für mich ſich müht?

Wilhelm.

Das läßt ſich leicht erklären!
Eh's völlig dunkel wird, iſt ſchon dazu noch Zeit,
Und — ſchwerlich winkt ſo hold Euch je Gelegenheit —

Florentin, ihn umarmend.

Mein Freund!

nun Was habt Ihr denn?

Wilhelm.

Geruh', mich anzuhören!
Hier, unser Florentin, kam mit den Lerchenchören —
Denn, mit den Schwalben, nein! das klingt zu platt
und matt —
Voll edler Künstlerglut in unsre Königsstadt,
Und, wie an einem Strahl zwei Fackeln sich ent-
zünden,
Gelang's der Galerie, Bekanntschaft zu begründen.

Anna.

Du sagtest mir davon —

Florentin.

Ich stand nicht mehr allein;
Wir wallten Hand in Hand durch Felsengrund und
Hain —

Wilhelm.

Und mit dem Morgenroth ließ mich in Feld und Garten
Mein theurer Florentin nie lange auf sich warten.

Florentin.

Wie fühlt' ich mich beglückt, daß mich dein Herz
erkohr!
Wie schnell entfloh die Zeit!

Wilhelm.

Wir lasen uns was vor;
Er stahl sich einen Baum, versteht sich, in die Mappe;
Ich sann, auf Moos gestreckt, ob auch mein Reim
       recht klappe;
Wir stritten über Kunst — genug, mit Hand und Mund
Besiegelten wir bald der Freundschaft heil'gen Bund.

Anna.

Davon schriebst du mir nichts —

Wilhelm.

      Ei ja, 's kam bald auch mehr!
Der sieb'nte Junius (*) zog dich vom Weinberg
      her —

Anna.

Es ließ mich hier nicht ruh'n an diesem Freudenfeste —

Wilhelm.

Laut scholl das Jubellied im Kreise froher Gäste —

Anna.

Es gab nur ein Gefühl! —

Wilhelm.

      Mein Freund hier kam erst nach,
Obschon er mir vorher, mein Gast zu seyn, versprach.

*) Tag der Rückkehr des Königs und seiner Familie
nach Dresden, alljährlich ein Freudentag.

Florentin.

Du haſt es mir verziehn? Es trieb mich, das Entzücken
Des treuen Sachſenvolks im Bilde auszudrücken —

Wilhelm, zu Anna.

Du kennſt den Genius, der auf zum Himmel ſchwebt
Und nach dem Sonnenſtrahl die Hände betend hebt.

Anna,
Florentin mit Innigkeit die Hand bietend.

Ja, lieber Florentin —!

Wilhelm.

Ich hatte zu dem Haufen,
Der unter Linden ſaß, mich weit von dir verlaufen.
Dort traf mich Florentin; er faßte meine Hand
Und zog mich ſtürmiſch fort bis an der Elbe Strand.
„Komm, komm!" ſo rief er ſchnell —, ich ſah ein
     Mädchen ſtehen,
Ein wahres Engelsbild, wie ich noch kein's geſehen!"
Ich fragte: „die im Hut?" — „Nun freilich!" rief
     er warm,
Und ich — und ich — je nun, ich ſchlang um ihn den
     Arm —
Vor allen Leuten, ja — und jauchzte: „Liebſter, beſter,
Charmant'ſter Florentin — ja, das iſt meine Schweſter!

Anna.

O ſchön! Nur wendeſt du zu helle Farben an;

Doch — wenn ein Dichter spricht, wird Alles zum
Roman!

Florentin,

Anna's Hand fans Herz drückend. Jad —
O nein! er malt zu matt —

Wilhelm.

Ich konnte kaum mich fassen;
Ich konnte ihm doch nicht die Freude merken lassen —

Anna.

Herr Bruder —!

Wilhelm.

Wie ich dann, halb toll, und halb gerührt,
Dir den Herrn Florentin gar stättlich vorgeführt,
Ist dir wohl noch bekannt —

Florentin.

Es waren sel'ge Stunden;
Doch mit dem schönen Fest war auch mein Glück
verschwunden.

Wilhelm.

Beim Dichter, der mit Macht in's Rad des Schick-
sals greift,
Ist kaum der Halm gekeimt, so ist er auch gereift!
Bald stand mein Florentin beim Vater hoch in Gnaden,
Indem mit jedem Brief ich von dem Maler schrieb,

Der stets — das zieht bei ihm! — Originelles
trieb!
Bald wurden wir vereint zur Landlust, eingeladen,
Und — daß dann beinerseits, was ich gehofft,
geschehn; u. s. w.! u. s. w.
Hab' ich, wenn du erlaubst, nun deutlich gnug gesehn.
Darum —

Es wird an einer der verschlossenen Thüren gepocht.

Dritter Auftritt.

Die Vorigen. Bunkel noch vor der Thür.

Wilhelm.

Wer Geier kommt! Ich war so recht im Zuge —

Anna.

O ja —!

Florentin

geht an das Decorationsstück.

Die Zeit verstreicht auch heute wie im Fluge —

Wilhelm, an der Thür.

Wer da?

Bunkel.

Ich, ich!

Wilhelm.

Ei was! so heißen viele Leute,
Und hier in diesen Saal, darf keine Seele heute —

Bunkel.

's ist auch Herr Bunkel nur —

Florentin, zu Wilhelm.

Gut Freund! Nur aufgemacht!

Bunkel,

eine Schmiege in der Hand, tritt mit einigen Zimmerleuten ein.

Wo ist das letzte Stück? 's wird schon von Weitem

Nacht.

Florentin.

Hier ist's! Du weißt, wohin —

Bunkel,

den Trägern aufhelfend.

Da sehn Sie außer Sorgen!
Wer sich auf mich verläßt, der ist und bleibt geborgen,
Indem ich, ohne Ruhm, nun drei und vierzig Jahr
Bald Stuben schön bestrich, bald auf der Bühne war!
's giebt drum in Dunkelheit mitunter gute Köpfe —

Florentin.

Das hab' ich längst gehört! Ei mach nur fort jetzt!
schnell!

Bunkel.

Ich sag's auch Ihnen nicht! Ich sag's hier der Mamsell!

Florentin.

Rasch! Alles aufgeräumt! — Die Blumen hier —
die Töpfe —
Fein alles accurat, ganz wie der Riß es weist —

Bunkel.

Spaß! Unser einer fühlt wohl auch, was Ehre heißt!

Mit den Trägern, die alles mit sich nehmen, ab.

Vierter Auftritt.

Vorige, ohne Bunkel und die Träger.

Anna

will die eine noch verschloßne Thür öffnen.

So könnten wir ja wohl —

Zu Wilhelm, der die zweite wieder verschließt.

Warum aufs neu verriegeln?
Hier giebt's nichts mehr zu seh'n —

Florentin.

Der Weg ist völlig rein —

Anna.

Der Vater kann gewiß die Ungeduld kaum zügeln;
Bald kommen Gäste an —

Wilhelm.

Nein, sag' ich, Kinder! nein!
Ich habe nicht umsonst den Kopf mir fast zersonnen;
Doch — seid Ihr selbst gescheidt, ist auch das
Spiel gewonnen!

Anna.

Was, Wilhelm, hast du vor?

Wilhelm.

Geschwind hört meinen Plan!
Und drum wird noch zur Zeit die Thür nicht aufgethan.

Anna.

Vermuthlich kreißt ein Berg —

Wilhelm.

Ich kenne unsern Vater,
Besuchte nicht umsonst tagtäglich das Theater;
Die Probe sei gewagt, ob ich auch selbst was kann!

Mit Wärme.

Der Vater — o Ihr wißt's! er ist ein Ehrenmann,
Und, was die Nachwelt auch vom ganzen Volk
wird sagen,
In keinem Busen kann ein treuer Herz doch schlagen,
Ein redlicher Gefühl in keiner Sachsenbrust —

Anna.

Gewiß!

Florentin.

Er war auch heut' erfüllt mit Jünglingsluſt!

Wilhelm.

Nun ſeht! drum winden wir dem Kranze goldner
Aehren,

Dem friſchen Winzerkranz die Königsmirte ein;

Ein luſtbeſtürmtes Herz pflegt auch geneigt zu ſeyn;

Anna's und Florentins Hand faſſend.

Was ihm das Liebſte iſt, dem Würd'gen zu gewähren.

Anna.

Mein Wilhelm —!

Florentin.

O mein Freund! wie biſt du lieb und gut!

Wilhelm, *zu Florentin.*

Ich habe dich erprobt! — Drum, Kinder, faßt nur
Muth!

Sagt, läßt ſich ſchöner wohl die heut'ge Feier ehren,

Als wenn um Glückliche die Glücklichen ſich mehren?

Noch iſt ein Sturm zurück auf unſers Vaters Gunſt.

Anna.

Was meineſt du damit?

Wilhelm.

Wie Keinem auf der Erde,

Fehlt's auch dem Väterchen nicht ganz am Stecken-
pferde,
Und sein's ist, kurz und gut, nun — die Erfin-
dungskunst!

Florentin.

Ha, nun versteh' ich ganz —

Wilhelm.

Giebt's irgendwo zu lesen
Von einer Festlichkeit, so heißt's: „Schon da gewesen!
Copien von Copie'n!" — Doch dünkt ihm etwas neu,
Dann schmeckt das Gläschen ihm, dann spricht er:
„Sieh doch — ei!
Lies doch dieß Blatt einmal! Ein Künstler muß
erfinden,
Sonst ist und bleibt er stets ein Künstler nur mit
Sünden!"

Florentin.

So wird's auch mir ergeh'n!

Wilhelm.

Getrost! ich denke, nein! —
Riegelt die eine Thür auf.
Jetzt, Schwester, ist es Zeit, den Vater zu befrei'n!
Anna öffnet die zweite und geht durch selbige ab.

Fünfter Auftritt.

Wilhelm. Florentin.

Wilhelm.

Nun noch ein Wort mit dir! Gewiß, du darfst nicht
                              zagen —
Nun, unerhört ist nichts im Reich der Endlichkeit;
Das sagt schon Salomo —

Florentin.

                    Ich bin so ängstlich heut' —

Wilhelm.

Bring' deinen Antrag an —

Florentin.

                    Ach, Bruder, soll ich's wagen?
Verdien' ich auch dieß Glück?

Wilhelm.

                    Nur frisch! Wer wagt, gewinnt:
So übergütig trifft man Väter nicht gesinnt,
Um: Wollen Sie mein Kind? gefälligst uns zu fragen.

Florentin.

Du scherzest grausam.

Wilhelm.

Freund!

Florentin.

— O Keiner noch betrat
Den Weg so bang', als ich, jetzt, da Entscheidung
naht.

Dieß, Wilhelm, bürge dir —

Wilhelm.

Du Guter! — Still! sie kommen!
Der Vorhang rollet auf! Hübsch dich zusammenge-
nommen!

Florentin.

Nun, gutes Glück, so hilf dem zagenden Acteur!

Wilhelm.

Getrost, ich helfe ein! Spiel' nur auf den Souffleur!

Sechster Auftritt.

Die Vorigen. Hainau. Anna.

Anna.

Jetzt, Väterchen, steht's frei —

Hainau.

Lang habt Ihr warten lassen —

Wilhelm.

Gelobten Sie doch an, sich in Geduld zu fassen,

Nicht in den Malersaal, nicht nach dem Berg' zu seh'n,
Kurz, weil's so dienlich war —

Hainau.

In Hausarrest zu geh'n.

Anna, schmeichelnd.

Wie haben Sie indeß Sich denn die Zeit vertrieben?
Nicht wahr, ich fehlte stets?

Hainau.

Ein wenig erst geschrieben;
Dann lauscht' ich recht mit Lust der Winzer frohem
Sang,
Der mir noch nie so mild, so herzergreifend klang.
Ich sah die Trauben an, worin du auf dem Tische
Der Goldmelone Netz recht malerisch versteckt —

Wilhelm.

Die wuchsen am Geländ —!

Hainau.

Welch liebliches Gemische!
Die braunroth, diese blau —

Wilhelm.

Und die vom Fuchs geleckt!

Hainau.

Ich brach ein Träubchen ab. Ich sag' Euch, süß,
wie Zucker,
Das Schälchen dünn und zart, das Beerchen weich
und voll —

Anna.

Wahrhaftig, Väterchen?

Wilhelm, wie vor sich.

Nun wart', du alter Mucker!

Hainau.

Ich prieß recht dankerfüllt den Sachsen-Noah,
Knoll —

Wilhelm.

Wart' nur!

Hainau.

Wem drohst du denn?

Wilhelm.

Dem achtzigjähr'gen Bauer,
Dort, hinter unserm Berg. Der schalt die Trauben
sauer!

Hainau.

Er — Junker Nirgendsan! Er hat davon Verstand!
Ja, ja, bei ihm geht's zu, wie in Schlaraffenland;

Da wachsen über Nacht rubinenklare Trauben,
Die Musen tragen zu, und Amors dreh'n die Schrauben!

Anna.

Nun, wär' das denn so schlimm?

Hainau.

Mehr gilt mir der, der früh
Und spat im Weinberg schwitzt! Es lohnt sich wohl
der Müh'!
Pflegt nur des Mosts mit Fleiß — umsonst ist nichts
auf Erden —
So kann der heur'ge Wuchs ein wahrer Eilfer werden!
Und würd' ers auch nicht ganz, man denkt beim Glas
zurück
An dieses reiche Jahr, an dieser Lese Glück;
Wir trinken Lebehoch dem Paar, das heut'
verbünden!
Den Hochzeitvätern Heil! Gewiß, dann
wird er munden!

Anna.

Mein Vater!

Wilhelm.

Sind Sie bös?

Hainau.

Ei, nicht doch!

Florentin.

Wackrer Mann!

Hainau.

Den heurigen Ertrag, den überschlug ich dann;
Ich trat an's Fenster hin, die Gegend zu besehen.
Die Sonne nahte sich bereits dem Untergehen —
Hier hob sich Rebengrün, dort dunkle Tannenwänd —
Die Elbe schlang sich durch, ein silberflornes Band —
Gold und Violenblau verschmolz sich in den Lüften,
Rechts lag die Königsstadt in rosenfarbnen Düften;
Die Thürme winkten mir; der Kuppeln Schatten
       fiel —
Ich sah's genau durchs Glas — ins rege Wellenspiel.
Links kam von fern ein Schiff auf lichterhellten Wogen
Mit stiller Majestät, recht wie ein Schwan gezogen;
Ein Feuer brannte drauf; das Seegel blähte voll,
Bis — diesem Seegel gleich mein Herz im Busen
       schwoll!
Da wünscht' ich mir das Schiff, daß ich's hinauf zur
       Brücke,
Mit Kränzen reich verziert, um dort zu ankern, schicke,
Daß mit dem Blumenschmuck es nach dem Schlosse
       hin,
Und nach dem Altan zu mit Flagg' und Wimpeln
       wehe,

Daß wohl mein König Selbst, wie wir Ihn
lieben, sehe —
Und nun — ich sag' Euch frei — 's ist nicht nach
meinem Sinn,
Daß ich durch Müssiggehn mein Frohseyn soll ver=
künden,
Daß Ihr allein hier sorgt —

Wilhelm.

Ei, da wär' Rath zu finden!

Hainau.

Sprich, wie?

Wilhelm.

Ein guter Sohn erräth den Vater gern,
Kommt seinem Wunsch zuvor —

Hainau.

Nun, du beginnst von fern;
Vermuthlich ein Prolog.— ?

Wilhelm.

Wie trefflich Sie doch rathen!
Ich sah es leicht vorher, daß Sie auch heut' durch
Thaten —

Hainau.

Das ganze Sachsenland ist ja ein Vaterhaus:

Drum! — scheidet auch von mir das holde
Bräutchen aus,
Und ganz ist mir's zu Muth, als hätt' ich für den
Gatten,
Dem theuern Prinzen gleich, ein Kind
mit auszustatten

Wilhelm.

Drum folgen Sie auch heut' dem Beispiel an dem Thron,
Die Herzen zu erfreu'n

Hainau.

Gern, gern, du wackrer Sohn!
Fehlt Vorwort? Geld? Fehlt Korn? Nichts, nichts
soll mich gereuen!
Verlange, was du willst! Heut' muß sich Jeder freuen!

Wilhelm.

Das thaten Sie ja längst, und Alles ohne mich;
Doch mehr noch wird verlangt —

Zu Florentin.
Jetzt, blöder Schäfer, sprich!

Hainau, verwundert.

Was kann —? Herr Florentin —

Florentin.

— Die Glut auf meiner Wange

Verrathe, daß ich's weiß, wie Theures ich verlange.
Mich zog nicht blos der Wunsch in dieses Paradies,
Der Lüfte reines Blau, den Baumschlag abzulauschen,
Nein! um den höchsten Schatz mir liebend einzu-
tauschen,
Den Sie —

Hainau.

Ihn nur genannt!

Florentin,

Anna's Hand fassend.

Und wenn er Anna hieß?

Anna's? —
Mein Vater —

Wilhelm.

Tritt Florenz mit Anna zum Altare,
So paßt auch Florentin und Anna schön zum Paare,
Die Feier zu begeh'n —

Florentin.

O seyn Sie liebevoll!

Hainau.

Ihr überrascht mich da —

Beiseits zu Wilhelm.

Ich glaube, du bist toll! —

Laut.

Das ist mir doch fürwahr im Traum nicht eingekom-
men —
Das heißt — die ganze Hand statt Fingers hinge-
nommen —

Zu Anna.

Was sagst denn du dazu? du stehst so schweigend da —

Wilhelm.

Dieß Schweigen ist beredt, beredter, als ein Ja!

Anna.

Mein Vater — Bruder — !

Hainau, vor sich.

Ja, das kann man leichtlich sehen,
Auch ohne Brillenglas, wie hier die Sachen stehen;
Doch — nein! es ist zu arg! Wo hatt' ich das
Gesicht? —
's ist freilich — so was — nein! entgeht mir sonst
doch nicht!

Zu Florentin.

Freund Maler! wissen Sie, daß Sie mir wohlgefallen —
Ein lieber junger Mann — jedennoch — bei dem Allen,
Seh'n Sie wohl selber ein, das geht nicht so ge-
schwind —
Die einz'ge Tochter ist's, mein liebes, sanftes Kind;

Da werd' ich nicht so leicht des Umgangs mich ent-
wöhnen;

Selbst nur mit der Idee mich gänzlich auszusöhnen,
Erfodert manchen Mond — doch Rosen bringt die
Zeit —

Wilhelm.

Giebt's dann auch just ein Fest, ein Namenspiel, wie
heut?

Hainau.

Geht nicht! — Herr Florentin! ich weiß den Wunsch
zu ehren;
Ob ich erfüllen kann, das wird die Zukunft lehren.
Genug!

Florentin.

So geben Sie doch meiner Hoffnung Raum?

Hainau.

Florentin.

O Dank!

Hainau.

Genug!

Wilhelm, vor sich.

Je nun, fällt auch der Baum

Nicht auf den erſten Schlag, man kommt zum zwei‐
ten Male.

Reißt die Uhr heraus.

Ei was! wie eilt die Zeit!

Zu Hainau.

Sie führ' ich ſelbſt zum Saale,

Wo unſre Gäſte ſind —

Zu Florentin und Anna.

Doch Eurer harrt man dort!

Die Abgehenden begleitend, leiſe.

Das Eiſen iſt recht warm; ich ſchmiede wacker fort.

Florentin und Anna ab. Wilhelm bleibt lauſchend ſtehen.

Siebenter Auftritt.

Hainau,

ſich allein glaubend.

Hm! hm! — Ja, hätt' ich ſelbſt dieß Plänchen mir
erfunden —

Hübſch wär das Namenſpiel — ich hätte ſie verbunden;

Doch daß nun der Herr Sohn ſich das ſo ausgedacht,

Daß er den Dichter ſpielt, und mir die Rolle macht —

Nein! das behagt mir nicht. — — Ganz artig wär'
die Rolle!

Er iſt ein wackrer Mann, dem gern ich Achtung zolle,

Er iſt nicht eben arm, und ehrenvoll ſein Stand,

Sein Geist erfinderisch und kunstreich seine Hand. —
Mein Wilhelm auch ist brav, und schwer wird mir's
gelingen,
Sein dicht'risches Genie um diesen Stoff zu bringen. —
Das Mädchen — ist verliebt! — — Sie wohnten in
der Stadt,
Im Sommer hier bei mir — hm! wenn man Pferde
hat —
Je nun, kommt Zeit, kommt Rath! wer weiß auch,
ob's nicht glücket,
Daß sich's zusammenstellt, als hätt' ich sie berücket —
Als hätt' ich's längst gewußt, und nur nach meiner Art
Die Katastrophe noch ein wenig aufgespart. —

Achter Auftritt.

Hainau. Wilhelm, sich wieder nähernd.

Wilhelm, vor sich.

O das soll gern gescheh'n!

Laut.

Hier, Vater, bin ich wieder;
Doch mit dem Florentin — er ist so brav und bieder —

Hainau,
sich verdrüßlich stellend.

Mach' mir den Kopf nicht warm, und denk' mir nicht
daran;

Ich hab' schon lange Zeit ganz einen andern Plan.
Laß uns hinunter geh'n —

Wilhelm.

Noch nicht! man wird uns rufen.
Es ladet uns Musik hin zu des Tempels Stufen —

Hainau, aufhorchend.

Ein Tempelchen! So, so? — Nun ja, ich dacht' es
gleich;
Du und dein Florentin sind auch nicht eben reich —

Wilhelm.

Das ist nur Nebenwerk! Ihr Vorwurf wird verschwin=
den —

Hainau.

Ich wette meinen Kopf —

Wilhelm.

Daß Sie was Neues finden?

Hainau.

So? — Neugier plagt mich nicht; doch wüßt' ich
dießmal gern —
Denn sieh' nur! 's ist oft gut, so was voraus zu wissen;
Ich könnte doch vielleicht was dazu sagen müssen —

Wilhelm.

Wenn Sie's errathen, gut!

Hainau.

Nun, etwa so ein Stern,
Ein flammend Sonnenrad, mit einem Namenszuge?

Wilhelm.

Da irren Sie gar sehr!

Hainau.

Ein Engelchen im Fluge,
Das einen Zettel trägt, ein Vivat —

Wilhelm.

Das ist's nicht.

Hainau.

Ein Altar, schön bekränzt, mit einer Opferflamme?

Wilhelm.

Auch nicht!

Hainau.

Ein Schäferzug mit Taubenpaar und Lamme?

Wilhelm.

's ist noch was sinniger —

Hainau.

Ah, nun errath' ich's schon!
Ein Ehrenbogen ist's mit Chronodistichon —

Wilhelm.

Geirrt!

Hainau.

So strebt Ihr wohl gar nach Thaliens Kranze?

Wilhelm.

So viel auf uns beruht, das haben wir gethan,
Und nehmen Sie am Schluß sich auch des Dichters an,
So wird durch Ihre Huld ein Luſtſpiel noch das
Ganze.

Hainau.

Ei rede — !..

Wilhelm.

Nimmermehr, Sie gäben denn die Hand,
Wenn unſer Florentin was nicht Errathnes fand —

Hainau.

Bleib mir vom —

Man hört Muſik.

Wilhelm.

Hörten Sie der Pauke Wirbel ſchallen?
Fort! fort! hinunter nun!

Pathetiſch.

Kommt, kommt zu Fingals Hallen!

Beide ab.

Neunter Auftritt.

Das ganze Theater wird durch einen Tempel und zwei, hinten
geschloffene Weinlauben von dem Hintergrunde geschieden. Alles
ist mit Blumenvasen und gehöriger Beleuchtung verziert. Die
Lampen des Tempels mit den Toskanischen, die der Lauben mit
den Sächsischen Farben. Das Innre des Tempels mit einem Vorhange (rother Sammet mit goldnen Franzen) bedeckt. An den
Seiten, Rebenbögen.

Bunkel. Wall, mit einem Spazierstock, ein Paquet
unterm Arm.

Bunkel, zurückweisend.

Herr Florentin und Wilhelm sind jetzt nicht
Zu sprechen —

Wall.

Nun, so muß ich warten.

Bunkel.

Ja, eigentlich darf Niemand in den Garten —

Wall.

Ich heiße Wall, und bringe ein Gedicht.

Bunkel,
höflich die Mütze ziehend.

Ah so — ah so — da können Sie spazieren!
Vergebung! ei, da macht man Unterschied!

Vor sich.

Jetzt blüht mein Waizen!

Laut.

Sind Sie nicht zu müd',
Beehr' ich mich, Sie selbst herumzuführen.

Wall.

Sehr angenehm! Was ist denn hier zu seh'n?

Bunkel.

O Wunderdinge! und ich muß gesteh'n,
Ich sag' es nicht, um mit Verdienst zu prahlen,
Doch nahm auch ich hier Antheil mit beim Malen.

Wall.

Ihr Name?

Bunkel.

Peter Bunkel, zu Befehl!
Seyn Sie mir günstig! Denn ich hab's kein Hehl,
Daß große Männer ich nach Würden achte,
Nach ihrem Beifall, so zu sagen, schmachte!

Wall.

Wer wollte die nicht schätzen!

Bunkel.

Ei ja wohl! —
Es bleibt so mancher gute Kopf im Dunkeln,
Wohl werth, der Welt als ein Komet zu funkeln!

Wird man gedruckt, dann ist's ein andrer Kohl.
O! seyn Sie ein Mäcen für Peter Bunkeln! — !

Wall.

Wie? ich?

Bunkel.

Ja, Sie! — d e n Daum wollt' ich drum geben,
Ständ' beim Bericht mein Name mit daneben;
Nun mein' ich, da sich's just so glücklich trifft —

Wall.

Ja, freilich hat man so was untern Händen;
Man könnte auch sich allenfalls verwenden;
Doch zweifl' ich fast —

Bunkel.

Sind Sie denn nicht ein Schrift=?

Wall.

Schrift=Setzer, Freund! doch keineswegs ein

Steller.

Bunkel,
setzt die Mütze wieder auf.

Für einen Setzer geb' ich keinen Heller!
Das fiel mir nicht im Schlafe ein —

Wall.

Nu, nu!

So weisen Sie mir nur den Herrn Hainau zu.

Bunkel.

Da, nur g'rad aus! Sie werden schon ihn finden;
Mir fehlt's an Zeit; sie brauchen mich dort hinten.

Wall ab.

Wenn du das Setzen, nicht das Stellen, treibst,
So sieh getrost nur selber, wo du bleibst!

Ab.

Zehnter Auftritt.

**Musik. Hainau. Vornehmere Gäste und Land-
leute**, alle festlich gekleidet, unter ihnen auch **Wall.** Sie
werden von **Wilhelm** eingeführt und ordnen sich zu beiden
Seiten. **Wilhelm** und **Wall** vertheilen den späterhin vorkommenden Gesang. Dann

Wilhelm.

Mir sei's vergönnt, andeutend zu verkünden,
Was diese Feier auszusprechen strebt.
Heut', da aufs neu' die Völker sich verbünden,
Vereinte Wonne jedes Herz belebt,
Da ein Gebet, der Liebe Glück zu gründen,
Empor am Arno und der Elbe schwebt,
Geziemt's auch wohl, in anspruchlosen Spielen
Das abzuschatten, was die Herzen fühlen.

Drei Segenskränze flechten wir zusammen.
Der Acker bot, der Aehren reiches Gold; —
Die Ranken, die dem fernen Ost entstammen,
Bewährten sich auch unsern Freuden hold;
Der Liebe Glück verschmilzt zwei edle Flammen
Zu einer Glut. — Anna und Leopold!
Wir seh'n die Herrscher sich die Hände reichen;
Der Lorbeer grünt; nie wird die Raute
bleichen!
Doch, wie die Braut zum Lebewohl begrüßen,
Der Sachsenros', die Tuscia entreißt,
Die Fluren zeigen, die Sie trauernd missen,
Die werth wohl sind auch Ihrem edlen Geist?
Der Trennung Schmerz, wie durch Gebild versüßen,
Das nach dem Lande Ihrer Liebe heißt? 1)
Wie die Erinnrung deß genau verbinden,
Was Sie verläßt, und was Sie dort wird finden.

Erscheint denn ihr, versunkner Zeiten Gaben,
In Rebenbergen, die das Mondlicht hellt,
Ihr theuern Schätze, tief dem Schutt entgraben,
In zwei Florenzen glorreich aufgestellt! 2)
Ihr Bilder, die mit dem Gedanken laben:
Die Liebe folgt selbst in die Unterwelt!
Und an die Brust beglückter Schatten dränge
Sich froher Schall der Vaterlandsgesänge!

Vier Stimmen singen *)

Hold ist der Cyanenkranz
In der Schnitt'rin Locken,
Dreht sie sich beim Aerndtetanz
Oder spinnt am Rocken;
Aber schöner ist es noch,
Spendet Huld die Garben —

Chor.

Friedrich August lebe hoch!
Der läßt Keinen darben!

Der Tempelvorhang hebt sich und das erste, durch lebende Personen dargestellte Vasengemälde: **) **Die Erscheinung des
Triptolemus, 3) zeigt sich im Innern des Tempels.**

Wilhelm spricht:

Triptolemus eröffnet unsern Reigen!
Ihn, der des Pflugschaars Segensschwert erfand,
Nach dem sich aus der blonden Ceres Hand
Des goldnen Waizens Aehrenbüschel neigen,

Ihn hieß den Drachenwagen sie besteigen,
Hat ihn wohlthätig auch in unser Land
Zu wonnekündendem Triumph gesandt,
Auf reiche Frucht und gutes Glück zu zeigen.

*) Die Composition hiezu, so wie das Allegro am Schlusse,
von Carl Maria von Weber.
**) Die Figuren feuerroth mit etwas Weiß und Gelb, auf
bräunlich-schwärzem Grunde!

So mög' er denn in jedem Jahr erscheinen;
Den Brüdervölkern, die sich jetzt vereinen,
Mit jeder Sonne Heil und Segen bringen!

Er deutet auf Gedeihen und Gelingen; 4)
So zieh' er denn dem neu vermählten
Paare
Heilkündend vor zum häuslichen Altare!

Der Tempel-Vorhang fällt.

Vier Stimmen singen:

Mag der Winzerin der Wein
Holde Kränze leihen,
Trägt sie amsig Trauben ein,
Oder schwebt im Reihen;
Schöner um die Ulme hin
Winden sich die Reben —

Chor.

Hoch soll unsre Königin,
Hoch Augusta leben!

Das zweite Gemälde: Ein bacchischer Tanz 5) wird eben
so sichtbar.

Wilhelm spricht

Daß sie im bacchischen Tanze hier springen,
Frohsinn im Herzen und Glut im Gesicht;

Daß sie die Fackel, das Tamburin schwingen;
Davon erlaßt ihr mir gern den Bericht.

Gab uns doch Evan noch edlere Freuden,
Edlere Stärkung beim labenden Wein!
Nimmer von Recht und von Treue zu scheiden,
Wollen dabei das Gelübd' wir erneu'n!

Und wie die Rebe den Ulmbaum umwindet
Dort in dem schönen hesperischen Land,
Also auf Liebe und Treue gegründet
Bleibe des Brautpaars geheiligtes Band!

Der Vorhang fällt.

Vier Stimmen, singen:

Wie so schön das Mirtenreis
In den Locken thronet,
Wenn es, edler Herzen Preis,
Reine Liebe lohnet!
Kronen weichen diesem Sold,
Hat es Lieb' gewunden —

Chor.

Anna Heil und Leopold.
Die Sich so gefunden!

Das dritte Vasengemälde: Die Griechische Braut 6), wird
in gleicher Maaße sichtbar. Anna und Florentin stellen dabei
die Braut und den mit Mirten bekränzten Jüngling vor.

Wilhelm spricht:

Hier müht sich alles, eine Braut zu schmücken,
Ein Fürstenkind, erzeugt im Glanz der Kronen,
Wohl werth, ein edles Fürstenherz zu lohnen.
Der Liebbeglückte schaut ihr übern Rücken

Und sieht mit Lust und zärtlichem Entzücken
Die Liebliche auf goldnem Sessel thronen;
Den Flügelknaben aus Olymp'schen Zonen,
Das Bad darreichend, dienend ihr sich bücken.

Des heil'gen Bades silberklare Welle
Entfloß der Schönheit ewigreiner Quelle. — 7)
O wohl versetzt mit ahnendem Entzücken

Des Fernen Geist sich an des Jünglings Stelle,
Sieht uns die Braut mit Liederkränzen
schmücken —
Heil, Ferner, Dir! Sie wird Dich reich
beglücken!

Der Vorhang fällt.

Vier Stimmen singen:

Heil Dir, Ferner, und der Braut,
Die für Dich geboren,
Die Du liebend Dir erschaut,
Liebend Dir erkohren!

Immer soll der Liebe Kranz
Blühend Euch umschlingen —

Chor.

Jedes jungen Morgens Glanz
Soll Euch Segen bringen!

Hainau,
in höchster Fröhlichkeit zu Wilhelm.

Mein lieber wackrer Sohn! — Ihr habt das gut
gemacht.
Das heiß' ich brav und gut, kurz, wie ein Sachs',
gedacht.
Doch wo ist Florentin? Darf ich heraus sie rufen
Als —

Laut.

Braut und Bräutigam!

Wilhelm
öffnet schnell den Vorhang wieder, wohinter man nur noch Anna
im Sessel und Florentin, zärtlich ihre Hand fassend, erblickt.

Herunter von den Stufen!

Hainau zu Wilhelm.

Nicht wahr, du Kraftgenie! Der Einfall auch ist neu?
Vor, Braut und Bräutigam!
Zu Anna und Florentin, die sich schnell genähert haben.

Seid glücklich, brav und treu!
Ihr sollt am selben Tag im Hochzeitkranze prangen,

Den glorreich Leopold, ein theurer Name, schmückt,

An dem die holdste Braut das erste Licht

erblickt,

Wo sich die Glücklichen, nun Aug' in Aug',

umfangen! 8)

Kurze Umarmungen und Freudensbezeugungen. Zwei als Genien
gekleidete Kinder mit brennenden Fackeln lauschen hervor.

Wilhelm,
sie zurück winkend.

Zu früh, ihr Genien! Wird euch die Zeit zu lang?

Es fehlt ja noch der Schluß von unserm Rundgesang!

Vier Stimmen singen:

Immer bleibe dieses Band,

Wie am Traualtare,

Ein geheiligt Unterpfand

Reicher Friedensjahre!

Maximilian und Ferdinand!

Kinder, Schwestern, Brüder!

Chor.

Tuscia und Sachsenland!

Segen auf Sie nieder!

Die Genien kommen auf Wilhelms Wink hervor und wollen das
Brautpaar mit einer Guirlande umschlingen.

Florentin.

Nein! nicht für uns! — Ihr heute alle Kränze!
Nur Sie allein erhebe dieses Fest!

Anna.

O gern umwänd' ich Sie mit einem ganzen Lenze,
Die tief Ihr Bild in Aller Herzen läßt —

Sie wenden sich beide nach dem Tempel. Kurzer Trompeten-
und Pauken-Wirbel. Der Vorhang erhebt sich wieder, die Hin-
terwände der zwei Seiten-Lauben öffnen sich. Im tiefsten Hintergrunde der Prospect von Dresden in mondlicher Beleuchtung, an
den Seiten Weinbergserhöhungen. Im Tempel die Büste der huld-
reichen Braut, um welche weißgekleidete Mädchen, im Costum
der Grazien, Gewinde von weißen und rothen Rosen halten. In
der Seitenlaube rechts Gruppen von Schnittern und Schnitterin-
nen, in der Seitenlaube links Winzer und Winzerinnen. Die
erstern sind mit Feuermohn und Kornblumen, die letztern mit
Epheu und herbstlichen Blumen bekränzt. Florentin und Anna
nähern sich der Büste, mit ihren Blumengewinden, knien davor
nieder; die Genien, in der Mitte bleibend, halten die Fackeln
kreuzweis über einander.

Florentin.

O nichts jetzt von der bangen Trennung Klage!
Heil den Vermählten! Heil dem schönen Tage,
Wo nicht allein zwei Völker sich verbanden,
Nein! wo Ihr Glück zwei edle Herzen
fanden!

Anna.

Heil Ihr, und Ihm! — — o, denk', in heitern
        Stunden
An uns zurück — was wir für Dich empfunden!
Dein Muttervolk entläßt Dich still mit Segen,
Dein künft'ges Volk jauchzt freudig Dir ent-
        gegen —

Die Winzer und Schnitter, gleichfalls mit Blumenschnuren, haben
sich in den Vorgrund gezogen. Alles bildet eine einzige Blumen-
kette. Alle wiederholen des Gesanges letzte Strophe: "Immer
bleibe dieses Band u. s. w." Unter Trompeten- und Pau-
kenschall fällt der Vorhang.

Anmerkungen.

1) Das nach dem Lande Ihrer Liebe heißt.
Dem Verf. war bekannt, daß die früherhin von den
berühmtesten Alterthumsforschern für Etrurisch gehaltenen, und auch jetzt noch gewöhnlich so genannten
Vasen, nunmehr von Kennern für Alt-Griechisch
gehalten werden. Indeß sagt die Ueberlieferung, daß
die im Großherzogl. Museum zu Florenz befindlichen
Vasen im Toskanischen ausgegraben worden sind; es
wird auch zugegeben, daß sich auf einigen Etrurische
Schrift befinde, und die Etrurischen Künstler bei Grie-
chischen gelernt haben möchten. Vergl. Hamiltons
Einleitung in das Studium der antiken Vasen, in
„Böttigers Griechischen Vasengemälden“ Band I.
Heft 1. S. 13. ff. und Stollbergs Reisen Th. 3.
S. 7. — Ein dramatisches Spiel ist keine antiquari-
sche Abhandlung.

2) In zwei Florenzen glorreich aufges
stellt. Sowohl in Florenz, als in Dresden
befindet sich eine Vasensammlung. Ueber erstere s. eine
Abhandlung des Prof. Meyer in Weimar b. Böttiger
a. a. O. 1. Bd. 2. Heft. S. 1. ff. über letztere Böttiger ebendaselbst 1. Bd. 3. Heft. S. 1. ff.

3) Die Erscheinung des Triptolemus.
(Vergl. Ovids Verwandlungen Buch 5. v. 642. ff.)
Die Vase, von welcher dieses Gemälde entlehnt ist, war
ohnweit Bari in der Puglia ausgegraben worden.
Der kunstliebende Fürst Stanislaus Poniatowski
in Rom erkaufte sie für 24 Zechinen, und Visconti
erläuterte sie in einem besondern Commentar. S. Böttiger a. a. O. 1. Heft. S. 14. und 2. Heft S. 203. ff.

ingleichen **Millin** Peintures des Vases antiques 2. Bd.
Taf. 30. (Hier Taf. I.)

4) Er deutet auf Gedeihen und Gelingen.
Die Römer verwandelten den Triptolemus in den Gott:
Bonus eventus (guter Erfolg).

5) Ein bacchischer Tanz. S. bei **Millin**
Peintures des Vases antiques 1. Band Taf. 27. (Hier
Taf. II.)

6) Die Griechische Braut. S. die Hamil-
ton-Tischbeinische Sammlung Theil 1. Taf. 2. und
Böttiger a. a. O. 1. Heft S. 139. ff. (Hier Taf. III.)

7) Entfloß der Schönheit ewig reiner
Quelle. In Athen hieß die Quelle, woraus ein
Knabe aus der Familie der Braut einen Krug Wasser
zu diesem heiligen Bade schöpfen mußte, Kalirrhoe
(die Schönfließende). Vergl. Böttigers Aldobran-
dinische Hochzeit S. 159.

8) Der 15. November, an welchem die persönliche
Zusammenkunft des h. Ehepaars statt fand und dieß
Festspiel zum ersten Male aufgeführt ward, ist zugleich
der Namenstag des Herrn Erb-Großherzogs
und der Geburtstag der Frau Erb-Großherzo-
gin. Tags darauf, am 16. erfolgte der feierliche Einzug in Florenz.

IV.

Das Morgenstündchen.

Lustspiel in Einem Aufzuge.

1 8 0 6.

Personen.

Der Prinz.

Hermann, sein Leibjäger.

Röschen.

Henri, erster Marqueur.

Heinrich, Kellnerpursche.

Karl, dessen Bruder, Schorsteinfeger.

Bediente und Aufwärter.

Die Scene in einem Hotel.

Erster Auftritt.

Ein kleines Zimmer im obersten Gestock des Hotels.

Röschen sitzt bei einem Lämpchen, emsig mit Nähen beschäftigt. Einige Bierflaschen stehen auf dem Tische. Karl, mit der Hand auf den Besen gestemmt, steht ihr gegenüber, und ißt aus einem töpfernen Suppennapf.

Röschen.

Nun? schmeckt's, armer Junge?

Karl. Ei, ei, liebe Jungfer Muhme! das wollt' ich meinen. — Hab' ich doch immer gedacht: Wenn ich nur einmal auf ein Viertelstündchen ein recht großer, vornehmer Herr wäre!

Röschen. Du? ein vornehmer Herr?

Karl. Nun ja — nur so zum Spaß, mein' ich — und ein wenig im Ernste dazu!

Röschen. Und wenn nun; was wolltest du dann?

Karl. Ei, ich habe drei Wünsche! — Vor allen Dingen, dacht' ich, wollt' ich mir dann so eine recht tüchtige Biersuppe machen lassen, so recht extra gut, gerade wie diese! — Deshalb brauch' ich nun schon kein großer Herr mehr zu werden.

Röschen. Und sodann?

Karl. Sodann — hör' sie wohl zu, Jungfer
Röschen! — dann wollt' ich sagen: Jungfer Röschen
und Christian Heinrich Fest! kommt, her! Da habt
ihr eine Mütze voll große Thaler, und nun lauft mir
über Hals und Kopf zu meinem Supertend, laßt euch
aufbieten — und damit Holla!

Röschen. Das wär' nicht uneben. Aber das
dritte?

Karl. Ja, das dritte — — Christian Karl Fest,
wollte ich sagen, es ist Schade, daß aus dir nichts
rechts werden soll. Aber komm her — da hast du eine
schöne blaue Jacke mit silbernen Schwalbennestern; du
bist von Stund' an Ober-Leib-Queerpfeifer bei mir!

Röschen. Du bist nicht gescheidt, Karl, mit
deiner Queerpfeife! Setz' dir doch nicht solche Sachen
in den Kopf!

Karl, legt den Löffel weg. Ach, sie mag wohl recht
haben, liebes Röschen! aber ich kann ihr gar nicht
sagen, wie mir manchmal zu Muthe ist. Wenn ich so
des Morgens recht lustig und curios zum Schornstein
herausgucke, weit über die Dächer hinüber, und
in alle Winkel und Höfe von oben hinein, da denke
ich wol manchmal: heisa, lustig, Karl! Klingt es
aber, ehe ich michs versehe, unten von der Straßen-
ecke herauf: Dari, dari, da la la :c. Er ahmt die

Musik der Scharfschützen nach, da wird mirs schön brüh=
warm. Nun kommts aber immer dicker und dicker;
die Gewehre flimmern in der Sonne; der Regiments=
tambour voran mit dem ellenhohen Federbusche und
langen Stocke, nun hinterdrein Pickelflöten und Hör=
ner, lange und kurze, gerade und krumme Pfeifen —
und nun geht's — — Er marschirt, mit dem Besen figuri=
rend, und pfeift den Anfang eines Marsches, ja, lieber Jungfer
Muhme, sie mags glauben oder nicht, da kann ichs
nicht länger oben aushalten. Husch, ziehe ich den
Kopf ein, und denke im Herunterfahren: Du bist doch
ein recht armer Junge!

Röschen. Nun, laß dir nur die Suppe nicht
drüber verkühlen! —

Karl. Es ist wol wahr, Röschen! aber bei
alledem, Biersuppe hin, Biersuppe her —

Es wird leise gepocht. Er geht wieder zur Schüssel.

Zweiter Auftritt.

Die Vorigen. Heinrich.

Röschen. Wer da?

Heinrich, noch von außen. Ists erlaubt, Jungfer
Röschen?

Röschen. Nur herein, wer ein gut Gewissen hat!

Heinrich, tritt ein. Das hab' ich, liebes Röschen! heute wie gestern, und gestern wie heute! —
Zu Karl. Du auch schon da, und läßt dir's schon
schmecken?

Röschen. Laß ihn! Er sagte gestern das Kehren an, und der arme Schelm friert manchmal so
sehr. Da habe ich dem Gesellen ein gut Wort gegeben, und von den Neigen, die du mir bringst, ein
Süppchen für ihn gekocht. —

Karl. Ja, und ich habe mich, der Jungfer
Muhme und der Biersuppe zu Ehren heute so
schmuck gewaschen, wie beim Neujahrgratuliren —

Heinrich. Du gutes Mädchen!

Karl. Ach ja wol, ja wol! — Vivat! Er trinkt
den Rest aus.

Röschen. Auf das gute Gewissen zurück zu
kommen, Vetter Heinrich —

Heinrich. Nun, du denkst doch nicht etwa? —

Röschen. Warum hast du dich denn gestern
Abends mit keinem Auge sehen lassen? Warte, ich
will dir in Zukunft Respect lehren —

Heinrich. Je, liebes Röschen, hast du denn
nicht gehört, was es gegeben hat?

Röschen. Ich? kein Wort! Woher soll ich denn
was erfahren? Ich komme ja nicht aus der Stube.

Heinrich, die Augen niederschlagend. Der Musje

Henri schleicht dir doch auf allen Schritten und Tritten nach!

Röschen. Mit deinem Musje Henri! Gewiß, du machst mich noch einmal böse damit! —

Heinrich. Nun; ich habe doch Augen im Kopfe, und weiß es, daß er mich Deinetwegen nicht ausstehen kann, und mich bei dem Herrn unaufhörlich anschwärzt —

Röschen kehrt ihm den Rücken zu.

Heinrich. Und ein hübscher Mensch ist er auch; ein Mensch, wie gedrechselt, gewandt, verschlagen, in alle Sättel gerecht — weit hübscher, als ich, — kann parliren, pointiren, die Volte schlagen, trägt Werkeltags, wie Feiertags, seine seidnen Strümpfe, riecht nach Bisam, hat Dosen, Ringe, zwei Uhren mit Schellengeläute —

Röschen, läuft ans Fenster.

Heinrich. Dazu — verdenken kann ichs ihm auch nicht; denn — — hübsch bist du doch einmal, wie ein Engel, und — — halbweinerlich, wenn ich nur nicht müßte, ich hätte gewiß nicht das Herz, dich zu lieben.

Karl, zu Röschen. Nun, sey sie nicht gärstig, Jungfer Mühmchen!

Heinrich zu Röschen. Sey nicht böse, daß du sogar hübsch bist, und daß ich mich unterstehe

Röschen, dreht sich lachend um, und reicht ihm die Hand. Nun, laß nur gut seyn. Es ist nicht so böse gemeint! — — Aber, ich weiß immer noch nicht, was gestern — — — —

Heinrich. Nun, es ist ein großer, vornehmer Herr bei uns abgestiegen.

Karl. Der könnte mirs gleich auf ein Viertelstündchen abtreten!

Heinrich. Da ward uns befohlen, immer bei der Hand zu seyn. Abends um 7 Uhr langte er an; dann wurde gespeißt; dann um 11 Uhr an den Farotisch; dann um 1 Uhr auf die Redoute, und punct 4 Uhr ins Bett.

Röschen. Wer ist er denn eigentlich?

Heinrich. Ja, das ist nicht bekannt. Sein Reisewagen ist zum Gehen und Stehen, Sitzen und Liegen — ich glaube gar, auch zum Schwimmen und Fliegen, eingerichtet; seine Leute starren von Golde und tragen Backenbärte wie die Bärführer.

Röschen. Da ists wol gar ein König oder ein Prinz?

Heinrich. Wer kanns wissen! Jetzt reißt ja alles die Kreuz und Quer, wie beim Schattenspiel an der Wand! — Doch, was den Herrn Fremden anlangt — — steinreich muß er wenigstens seyn! Der eine, junge Jäger — der alte ist dir ein Griesgram —

rief mich zu Hülfe, weil er einen großen röthen
Kasten — ach, Röschen, der Kasten war so schön,
wie ein Gesangbuch — nicht allein fortbringen konnte;
der wär' voll Ducaten, sagte der Jäger!

Karl. Poß, der kann Biersuppen essen!

Röschen. Nun, das ist ja schön! Wenn der
fortgeht, da wirds Trinkgelder setzen!

Heinrich. Je nun, es ist dir ein schöner, junger, allerliebster Herr, lauter Feuer und Leben —
warlich, man denkt kaum, daß man auch ein Mensch
ist, neben so einem! — er sieht gar nicht darnach aus,
als ließ er sich schimpfen. Ich bin nur erst ein paar
Jährchen hier, aber man kriegt das bald weg. —
Wenn die vornehmen Herrschaften so gar abscheulich
große Menschenfreunde sind ——— Nachahmend. „Lieber
Sohn! bring' mir doch ein Glas frisches Wasser" —
„Meine gute Köchin, was gilt denn hier zu Lande die
Butter?" — wenn sie unser einen lieber gar nicht
bemühen möchten; da suchen sie's gewiß hinter den
Ohren, wenn die Rechnung gebracht wird! Springt
aber so einer aus dem Wagen — „Heda! Pursch,
das Felleisen hinauf! — Du dort, eine Flasche Aus-
bruch! — Was sperrst du das Maul auf, Kerl! greif
den Koffer an!" u. s. w. oder, ist er dazu zu vornehm, wenn er einem wenigstens so recht munter und

hell in die Augen guckt; da setzt's bei der Abreise gewiß
keine Schimmel, sondern Füchse!

Röschen. Nun, wie fällt denn deine Taxe bei
diesem aus?

Heinrich. O, der hat ein paar Augen! —
Wenn nicht etwa der Herr Haushofmeister oder Kammerdiener mit ins Erbe geht, so kommt auf mich wenigstens ein Thaler!

Röschen. Da wären bei dir die zwanzig Thaler
bald voll! Wenn ich nun die funfzig Thaler Brautgeld,
aus meinem Familiengestift, die ersparten zehn Thaler.
und meinen Sophien-Ducaten von der Comteß dazu
rechne —

Karl. Was gilt denn so ein Ding?

Heinrich. Drei Thaler — weißt du das nicht?

Karl, zählt geschwind an den Fingern. Sind drei und
achtzig Thaler!

Röschen. Richtig! Sonach fehlen an dem
Böttchermeister nur noch siebzehn Thaler!

Heinrich, traurig. Ja, liebes Röschen — —

Röschen. Nun? wie kommst du mir denn vor?
du machst ja ein Gesicht, wie ein armer Sünder! Ich
will doch nicht hoffen, daß du deine Meinung gegen
mich —

Heinrich. Wie du auch gleich sprechen kannst!
— Nein doch, nein doch! Wenn ich denke, daß ich.

vielleicht in einem Jahre Meister werden und dich heirathen könnte, da möchte ich ja gleich auffpringen und
Juchhe fchreien vor Freuden! — Aber — ich habe
da wieder eine Sorge auf dem Herzen — und weil
ich mir doch einmal einen Muth faffen muß, und wir
auch alle drei gleich beifammen find —

! Karl. „Alle drei beifammen! — Das klingt;
da hab' ich doch auch einmal ein Wort drein zu fprechen.

Rö s chen. Siehft du, Heinrich, daß du falfch
bift? Du haft eine Sorge auf dem Herzen, und ich
erfahre kein Sterbenswörtchen davon!

— Heinrich. Nun, fo höre nur, liebes Röschen!
— Siehft du, ich habe fchon oft daran gedacht, daß
der Bruder Karl mir von den Aeltern gleichfam als
Sohn hinterlaffen ift, und daß er am Ende doch kein
Schorfteinfeger bleiben kann, weil er nichts hat. Soll
ich ihn nun fo mit der wilden Gans um die Wette
hinein leben laffen, und er wird älter — —

Rö s chen. Da haft du vollkommen recht —

Heinrich. Nun habe ich gedacht, wenn ich ihn
bei einem andern Handwerke aufdingen ließ — funf-
zehn Thaler würden dazu reichen — und wenn wir
auch noch zwei, drei Jährchen länger warten müßten
— — Ach, es ift freilich fchlimm; aber — er ift
doch mein einziger Bruder, und die Mutter hat mir
ihn noch auf dem Sterbebette übergeben, und gefagt —

Karl. Rede doch nicht davon, Heinrich, oder ich muß heulen. Nein, Schorſteinfeger mag ich ſelbſt nicht bleiben; aber, da giebt es wol noch andern Rath! Wie? ſo ein reicher, vornehmer Herr hätte die Duca= ten in Metzen; und du ſollteſt dein ſchönes, ſauer zuſammengeſpartes Geld ſo um nichts und wieder nichts nun, auf einmal weggeben? — Nein, nein! da giebts wohl noch andern Rath.

Heinrich. Andern Rath? Und der wäre?

Karl. Bruder, ich laſſe mich anwerben! Zum Steckenjungen nehmen ſie mich doch gewiß; und wenn ich nun recht gut thue und groß genug werde — Hahaha! der Tambour entgeht mir nicht! Gebe ich aber dem Herrn General ein recht gutes Wort, heiſa! da bring' ich's wol auch zum Queerpfeifer!

Heinrich. Wie oft ſoll ich dirs noch ſagen, daß — —?

Dritter Auftritt.

Die Vorigen. Henri, zwei Weinflaſchen unter der Schürze.

Henri, mit affectirter Flüchtigkeit. Ah, guten Mor= gen, ſchönes Kind! Wohl geſchlafen, wohl geruht, ma belle Rosette? — — Aber, was Teufel!

Hier giebt's ja ordentlich ein honettes Gesellschaftchen! Das wär's mir so! — Heda! was steht er da, Heinrich! was steht er hier, als wär' das Hotel so leer, als die Kirche? — Was sollen die Flaschen hier? — Wieder was bei Seite geschleppt? wieder was unter die Schürze practicirt — Den Augenblick fort damit! Marsch, in den Keller, Bouteillen gespült!

Heinrich: Ich muß wol gehen, weil Sie hier das Commando führen; aber — diese Neigen haben mir die Gäste gegeben, und mit dem unter die Schürze practiciren — — Er hat die Bierflaschen genommen und stößt damit an die Weinflaschen des Henri, daß eine davon zerspringt, solche Vorwürfe verbitte ich mir! Verstehn Sie mich, Musje Henri?

Henri, mit Reinigung seiner Strümpfe beschäftigt und sehr verlegen. Diese Bouteillen sollten zu Mylord —

Heinrich. Sind also zwei Treppen zu hoch gestiegen. Ab.

Henri. Tölpel —

Eine Stimme von außen ruft: Karl! bist du bald fertig?

Karl. Gleich! Nimmt seine Leiter. Zu Henri. Ja, so was verbittet sich mein Bruder, und Sie — Sie sind ein recht schlechter Mensch! Wissen Sie's, Musje Henri?

Henri. Du willst auch reden? Du bist auch noch hier? Zu Röschen. Ich wollte Ihnen doch rathen,

Theaterschr. II.

Mamſell Röschen, daß Sie ein wenig auf Ihre
Sachen Acht hätten; immer fehlt etwas in der Küche,
wenn die ſchwarzen Teufel — — Zu Karl, der ihm droht.
Den Augenblick packe dich aus ehrlicher Leute Stube,
oder ich will dem Geſellen befehlen, daß er dir den
Pelz wäſcht!

Karl. Er? meinem Geſellen befehlen? Hahaha!
das iſt luſtig! — Adieu, und recht ſchönen Dank,
liebes Röschen! ab. —

Vierter Auftritt.

Röschen. Henri.

Henri, nachdem er die Scherben zuſammengeſucht hat,
ſetzt ſich einen Stuhl und wirft ſich vornehm hinein. Nun wären wir ja allein, Röschen, und könnten einige ver-
traute Wörtchen ſprechen! Das muß ich Ihnen vor
allen Dingen geſtehen, daß ich, ohne Nachtheil meiner
Ehre, künftig mit ſolchen Menſchen, wie der Heinrich
und die ſchwarze Brüderſchaft, unmöglich mich treffen
kann.

— Röschen, die ihren Unwillen längſt kaum unterdrückt
hat, und Henri gar nicht anſieht. Auch ich muß Ihnen vor
allen Dingen ſagen, daß ich nur eben um dieſes Hein-
richs willen Ihren Beſuch, Ihre Zudringlichkeit bis-
her —

Henri. Keinen Groll, allerliebste Kleine! Es
ist wahr, ich bin exact im Dienste; das weiß der Herr
auch, und —

Röschen. Und mein Vetter Heinrich nicht
minder!

Henri, vornehm die Achsel zuckend. Wie mans treibt,
so gehts! — Sehen Sie, schönes Kind, unser eins
geht mit großen Männern um; da habe ich mir so
nach und nach ganz eigne, ganz vortreffliche Senti-
ments gesammelt. Eines meiner liebsten darunter —
ich hört' es immer von einem gewissen sehr berühmten
Grafen, der fast nicht ohne mich leben konnte — mein
Gott! wie hieß er doch gleich? — Wa — Wal —
Waltron! richtig, Waltron hieß er, hat auch Comö-
dien geschrieben, war ein Gourmand der ersten Größe
— „Du mußt fallen“ — sagte dieser immer zu mir —
Nimmt Tabak. „Du mußt fallen, lieber Henri! oder
siegen, oben oder unten liegen, Ambos oder Hammer
seyn!“ — Ist das nicht excellent?

Röschen. So, so? — Darum hämmern und
hacken Sie wol auch immer auf den Heinrich los?

Henri. Ich? und ein solcher Mensch? — Wahrhaftig, da verkennen Sie mich; dazu denke ich viel
zu nobel! — Freilich, auf Ordnung muß ich halten
im Hause; wozu wär' ich sonst da, warum ließ mich
der Herr schalten und walten nach Belieben? —

Röschen. Diese Scherben wenigstens machen
das nicht glaubhaft.

Henri. Kleinigkeit das! Hahaha! Kleinigkeit!
Und wenns Dutzende, wenns Hunderte wären! —
Der Herr, wenn er an der Thür ständ; würde sich auf
den Bauch klopfen und sagen: Für das Schätzchen,
Henri? Nun, prosit, Herr Bruder!

Röschen. Ja, wer so einfältig wär', es zu
glauben!

— Henri. Auf Ehre, englisches Mädchen! Und
wenns tausend wären, hätte ich sagen sollen! O Er
weiß, daß Genie in mir ist; Er weiß es! — Diese
hier — setzt die andere Flasche auf den Tisch, nimmt Gläser aus
der Tasche und breitet einen Bogen mit Confect aus — würde
kein Domherr verschmähen — auf Ehre! — Sie erlauben mir doch, in ihrer Gesellschaft mein Frühstück
einzunehmen? Will einschenken.

Röschen. Verschonen Sie mich damit; schon
zehnmal habe ich es Ihnen gesagt! Uebrigens, wenn
Sie Ihre gute Meinung gegen mich aufs höchste treiben wollen —

Henri. O mein Gott! reden Sie, sprechen
Sie! Ich selbst erwarte von Ihrer guten Meinung,
von ihrer Gewogenheit gegen mich, so unendlich viel —

Röschen. In der That — Ich verstehe Sie
nicht.

Henri. Glaub's, glaub's, süße Kleine! Eben das schmerzt mich, hat mich schon lange geschmerzt! Aber eben darum will ich mich nun bestimmter erklären. Sie sind so ein artiges, allerliebstes Mädchen, und wenn Sie nur ein wenig von gewissen Vorurtheilen abgehen wollten —

Röschen. Und die wären?

Henri. Allerliebst! charmant! Sie nehmen Lehre an, Sie hegen Zutrauen zu mir! O, da werden Sie bald Progressen machen, auf Ehre! — Sie sind nun schon so ein siebzehn Sommer — he? — wenns hoch kommt, achtzehn alt, und noch die liebe lautere Unschuld — eine wahre Seltenheit in einer so großen Residenz! — wahrhaftig, das Gesichtchen schon roth, wie Zinnober! — Da fehlts Ihnen nun freilich an Erfahrung, an Welt — —

Röschen. Es mag seyn.

Henri. Und gerade die habe ich! Wenn Sie nun ein wenig nachgiebiger, gefälliger, zuvorkommender werden wollten — hier im Hotel giebts täglich so viele schöne, vornehme, reiche Fremde — o mein Himmel, welch Sümmchen ließ sich durch eine Alliance zwischen uns zusammen bringen! Ich wär' dann immer ihr Rathgeber, ihr erster, vorzüglichster Freund, und hätten wir unsre Schäfchen ins Trockne.— wer weiß,

macht der Herr nicht einmal Banquerot? — — Sie
verstehen —

Röschen. Ja, vollkommen, und damit auch
bei Ihnen kein Mißverständniß möglich bleibt, so muß
ich Ihnen sagen —

Henri. Sie entzücken mich! Sprechen Sie,
sprechen Sie, ma belle Rosette!

Röschen. Daß ich die Miethe für diese Dach-
stube Ihrem Herrn vierteljährig mit dem Tage bezahle —

Henri. Weiß! Brauchen's aber nicht mehr,
brauchen's in Zukunft nicht mehr! Wir wollen andre
bezahlen lassen, wollen einige Zimmer nehmen —

Röschen. Daß mithin diese Stube mein ist —

Henri. Wer zweifelt daran, liebes Närrchen?
aber wozu — —?

Röschen. Und daß Sie jetzt, diesen Augenblick,
Ihre Flasche und Ihr Confect nehmen und mich verlassen sollen!

Henri. Mon dieu! Ich falle aus den Wolken!
Spaß oder Ernst? —

Röschen. Werden Sie augenblicklich gehen, oder
soll ich Leute herbeirufen?

Henri, packt ein. Seht das Jüngferchen! —
Nun wahrhaftig, unter den Wachsfiguren sollten Sie
sich sehen lassen, als Lucretia! — Aber schon gut,

schon gut, Mamsellchen! Was Sie nicht seyn mögen
— Boshaft. wenns der Ernst ist — — dafür sollen
Sie doch in wenig Tagen bei der ganzen Stadt gelten.
Auf so etwas versteht sich unser einer, und manchmal
ists eine Cur, die vortreffliche Dienste thut! — —
Ein siebzehnjähriges, vater und mutterloses Waischen — ein Lärvchen, wie von Wachs — der Name
Röschen — lebt von Nähen und Waschen — Adresse
im Hôtel d'Angleterre 4 Treppen hoch No. 3. — —
Hahahaha — Adieu, Adieu, mein schönes Röschen!

Ab.

Röschen. Abscheulicher Mensch! — Ab.

Fünfter Auftritt.

Ein prächtig meublirtes Gastzimmer mit einem Kamin. Seitwärts im Hintergrunde zwei Nischen, mit Vorhängen. Weiter vor zwei Pfeilerspiegel. Darunter Consolen. Auf einer derselben zwei goldne Uhren, ein Officiershut, ein paar Damenhandschuhe; auf der andern zwei Pistolen und eine saffianene Chatoulle, unverschlossen. Im Vorgrunde zwei Cabinetsthüren. Eine Uniform mit Stern, ein Officiersdegen, Schärpe, Domino, Maske und Redoutenhut ꝛc. auf Stühlen zerstreut. Es schlägt eine Uhr.

Der Prinz zieht den Vorhang einer Nische zurück. Man sieht ihn, noch halb angekleidet, auf einem Bett mit seidnen Matratzen.

Prinz. Fast heller Tag! — Ei, wer in die Nacht hineinwacht, darf auch in den Tag hinein schlafen. Drum immer noch ein wenig gelauscht, bis das Rosenmädchen des Morgens mir selbst die Vorhänge aufzieht! — Eine Göttin mag Aurora immerhin seyn, aber — so schön, wie das Rosenmädchen des Balls ist sie doch nicht! Läßt den Vorhang zurück fallen.

Sechster Auftritt.

Der Prinz in der Nische. Karl.

Karl kommt in dem Kamin heruntergefahren. Er bleibt einige Augenblicke erstaunt kauern, und erhebt sich dann mit Be-

hutſamkeit. Pok tauſend! wo, hin ich? Iſt denn das eine Küche, oder iſt mir die Bierſuppe zu Kopfe ge=
ſtiegen? Reibt ſich die Augen. Nein, wahrhaftig, ich bin irre gefahren! Ach du mein Himmel, ſo ein prächtiges Zimmer häb' ich in meinem Leben noch nicht geſehen! Was das für Tapeten ſind; und überall klebt Gold darauf fingersdick; alles ſo ſchön, wie eine Kanzel! Er tritt einige Schritte vor, ſchaut ſich furchtſam um. Man bemerkt in der Folge dann und wann das Geſicht des Prinzen an den Vorhängen. Es iſt kein Menſch zu hören und zu ſehen; ob ichs wage, ein bischen hier zu bleiben? — Warum nicht? Kommt ja eins, huſch in den Kamin! Noch einen Schritt vor. Da liegt ja eine recht ſchöne Montur. — Wetter! was der Stern flimmert! — und hier — was der Geier! ein Mohrengeſicht! Auf den Stern deutend. Du da? — ah, Karl iſt nicht ſo dumm — du gehörſt dem Herrn König! Tritt noch einen Schritt vor, daß er ſich in den Spiegeln erblickt. Ei, ſieh da! — ei, gehorſamer Diener, mein lieber Karl! Kehrt ſich um. Gehorſamer Diener, mein lieber Karl noch einmal! Macht ſich hin und her Complimente u. ſ. w. Was man nicht alles erlebt, wenn man in die große Welt tritt! Ganze Wände von Glas — nein, wer mir das erzählt hätte, dem hätte ich ins Geſicht ge=
lacht! — Aber hübſch iſt es bei alledem, ſich ſo von Kopf zu Fuße begucken zu können, zumal wenn man

sich einmal recht rein gewaschen hat! Wenn ich nur meinen Hut mit der blanken Zinnschnalle hier hätte! — Da sind ja zwei Hüte auf einmal; noch was schöner, als meiner! Der hier — sackerlot! da liegen ein paar Weibshändschchen drauf! — Né, ist die Frau Königin auch mit? — Was ich für Ehre erlebe, — die Händschchen der Frau Königin — ich möchte die niedlichen Dingerchen gleich küssen, wenn sich das für einen armen Jungen schicken thät! Bläst sich die Finger, wischt sie an seinen Haaren ab, und legt dann die Handschuhe mit vielem Respect auf den Tisch. Né, allerliebste Frau Königin, Karl ist gar nicht so dumm!

— — Aber der Hut da, o! der ist gar zu prächtig! Jemine, wie mir der stehen müßte! — — Er sieht sich wieder furchtsam um, läuft dann schnell ans Kamin, legt dort Besen und Kappe ab, und setzt dann behutsam den Officiershut auf. O Sie allerliebster Herr Christian Karl Fest! — Nein, 's ist doch kaum zu glauben, was gleich so ein Hut für Autorität giebt! Nun, eine Queerpfeife dazu — mit der Pantomime des Blasens, marschirend — Alle Wetter! der Herr General von den Queerpfeifern, wie er lebt und leibt! — Präsentirt's Gewehr, Pursche! Nachläſſig. Schön Dank! — — Kommt man dann von der Parade — Er beguckt die Uhren. Ach! du mein Himmel! das sind ja die puren Brillianten und Diamanten — Kommt man dann von der Parade,

Er hält die beiden Uhren an sich, daß die Ketten herumbaumeln, und geht gravitätisch — so geht man, mir nichts, dir nichts, in den ersten Beckerladen. — Legt alles sehr behutsam wieder hin, wie es gelegen hat. Halbtraurig. Ja, ja, wer schon so weit wär'! Geht zu dem andern Spiegel. Nun muß ich mir doch auch die andere Bescheerung ein bischen besehen! — Ein paar Pistolen! — Ne, mit euch hab' ich nichts zu thun; ihr könntet losplatzen! — Aber der schöne Kasten hier — ah, das ist gewiß der Gesangbuchskasten, von dem der Bruder erzählte — Er öffnet den Deckel. Ich bin des Todes! lauter Gold, als wenns erst vom Goldschmidt käm, und Rolle bei Rolle, wie die Orgelpfeifen! — Ach, wer da nur mit zwei Fingern eine Prise nehmen dürfte, der wär' glücklich zeitlebens — und den Bruder ließ ich noch diesen Vormittag mit Röschen trauen, und nach Tische kauft' ich mir eine Queerpfeife, die müßte nur so seyn! — — Ihr wollt mich wol locken, ihr blanken Dingerchen? Ja, guten Morgen! Macht den Deckel zu. Mein Schulmeister hat mir das siebente Gebot rechtschaffen eingebläut, und die Mutter sagte beim Abschiede: Dein lebelang — — Er verschluckt das übrige. Dann wieder heiterer: Nein, nein! Oeffnet noch einmal. Seht, ich kann euch getrost unter die Augen sehen, und so schön ihr mich anlacht, ich empfehle mich bestens! Schlägt den Deckel zu.

Siebenter Auftritt.

Die Vorigen.

Prinz, der ihm bis jetzt mit froher Laune zugesehen, im Ueberrock, tritt plötzlich auf ihn zu. Was machst du hier, Junge?

Karl stürzt erschrocken vor ihm nieder, und hebt zitternd die Hände auf. Ach, allerliebster Herr König, Barmherzigkeit! Ich bin ein armer Junge, aber — ich bin ehrlich! ich bin ehrlich!

Prinz. Wahrhaftig, Pursche, das scheinst du mir! Steh' auf! Ich habe dir zugehört, und ich muß dir sagen —

Karl. Sie haben mich behorcht? Ach, du mein Himmel! — Nun, so nehmen Sie's nur ja nicht ungütig, wenn ich was dummes zu Markte gebracht habe. Meine Meistersfrau spricht immer: Horcher an der Wand — — Schlägt sich aufs Maul. Ach, wenn ich nur gerade dasmal nicht so entsetzlich dumm wär!

Prinz. Laß gut seyn! Du gefällst mir, Musje Karl —

Karl dreht sich auf dem Beine herum. Musje Karl! Der König hat mich Musje Karl geheißen! Heisa!

Prinz. Ich bin nur Prinz.

Karl, vertraulich. Nun, das ist wol eins? Werden's doch einmal, wenn der Papa stirbt! Nicht?

Prinz. Du gefällst mir recht wohl! Du bist
ehrlich, lustig —

Karl, mit Pantomime. Wenns nichts Warmes
setzt!

Prinz. Hast mir gleich mit frühem Morgen
einen Spaß gemacht. — — Ich bin selbst gern lustig,
Musje Karl! habe die lustigen Leute gern — — kurz
und gut, bitte dir was von mir aus!

Karl. O! — Eine Gnade soll ich mir ausbitten! eine Gnade!

Prinz. Ja doch, wenn du's so nennst — Nur zu!

Karl, überlegend. Eine Gnade! eine! — —
Schnell. Herr Prinz! könntens nicht zwei Gnaden
seyn?

Prinz. Immerhin! Nur frisch, frisch! Nicht
lang besonnen!

Karl. Nun Sie, allerliebster Herr Prinz, wenn
Sie denn einmal so gar gut seyn wollen, so machen
Sie doch fürs aller Erste meinen Bruder und meine
Jungfer Muhme auf der Stelle zu Mann und Frau.

Prinz, lächelnd. Ich? — — Wer ist dein
Bruder?

Karl. Christian Heinrich Fest, gelernter Faßbin-
dergesell, und jetzt Kellnerpursche hier im Gasthof.

Prinz. Ist er auch wie du? ist er brav?

Karl. Sie können drei solche Jungen dazu nehmen, wie ich bin, 's wird noch keiner draus, wie Er! Denken Sie nur einmal — Meinen Vater habe ich gar nicht gekannt; die Mutter ist auch lange todt — — da hat mich Heinrich zum Meister gebracht und immer für mich gesorgt —

Prinz. Und wer ist denn die Jungfer Muhme?

Karl. Wir sind nur von Methusalem verwandt; sie heißt Maria Rosina Wernerin, macht Manschetten und solchen Kram, und wohnt auch hier, unterm Dache! Ach, Herr Prinz, die ist erst gut, und, zwar arm, aber fleißig! — Ich und mein Bruder nennen sie nur das liebe Röschen.

Prinz, sehr heiter. Auch ein Röschen! Auch eine Emilia! — Nun da — — Ist sie hübsch?

Karl. Wie ein Röschen!

Prinz, lachend. Du sprichst gescheidter, als du wol denkst! — Ich glaube, du bist selbst in die Jungfer Muhme verliebt?

Karl. Wenn ich älter wäre, wer weiß!

Prinz. Und das Röschen will deinen Bruder?

Karl. Ei ja wohl will sie! — Mein Bruder ist aber auch kein garstiger Mensch; das dürfen Sie gar nicht denken; ich — werde wol auch noch einen Kopf größer wachsen —!

Prinz. Warum haben sich die Leutchen noch nicht geheirathet?

Karl. Ja, wenn's blos auf den Willen ankäm! Aber sie brauchen noch siebzehn Thaler, daß der Bürger und Meister fix und fertig wird — — Wär's was drüber, so könnt's auch nicht schaden!

Prinz. Dazu könnte Rath werden.

Karl, springend. Kann Rath werden, kann Rath werden! Hab' ichs doch gleich gesagt!

Prinz. Das wär also die eine Gnade!

Karl. Ja! Aber die zweite — allerliebster Herr Prinz! ich wachse wol auch noch einen Kopf größer — Er richtet sich.

Prinz. Was meinst du damit?

Karl. Nicht wahr, Herr Prinz, Sie sind Soldat?

Prinz. Von der Wiege an! — bin's selbst, und habe ein Regiment.

Karl, springend. Prächtig! Prächtig! — Nun sehen Sie, Sie haben vorhin gesagt, daß ich Ihnen gefiel, und Sie gefallen mir auch recht wohl —

Prinz. Das freut mich.

Karl. Wahrhaftig, ganz ausnehmend, ganz extra! Nun — und so dächt' ich, die Sache wäre richtig!

Prinz. Was meinst du eigentlich?

Karl. Wissen Sie was, Herr Prinz? die Ruß-Kappe gefällt mir gar nicht; ich möchte gern eine bunte — so, Sie verstehen mich schon — mit besetzten

Näthen — — Wissen Sie was? Werben Sie mich
an, Herr Prinz!

Prinz. Was willst du werden?

Karl. Wenn man bei Ihrem Regiment ganz
von unten auf dienen muß — —

Prinz. Allerdings!

Karl. Wenns aber angehen thäte — — Sie
könnten mich doch wohl gleich zum untersten Leibqueer-
pfeifer machen! Zum General wollt' ich's dann selbst
bringen.

Prinz. Das läßt sich hören. — Nun, weißt
du was, Karl! ich werde mich nach dir und deinen
Leutchen erkundigen, und wenn sich alles in Wahrheit so befindet —

Karl. Das befindet sich, ich kann nicht lügen.
— Nun, wenn sich also alles in Wahrheit so befindet —

Prinz. So sollen deine Wünsche in Erfüllung
gehen.

Karl. Ists wahr? — Ich kanns kaum glauben
vor Freuden! — Geben Sie mir die Hand drauf!

Prinz. Du sollst alles gleich mit ansehen; denn
vermuthlich bin ich in einer Stunde nicht mehr hier
— — *Nach einigem Besinnen.* Jetzt Marsch! wieder
dahin, wo du hergekommen bist! Dort kannst du

dich verbergen — aber, komm nicht eher zum Vorschein, bis ich rufe!

1. **Karl.** Ich bleibe drin, wie eingemauert! — Heiſa! *Fährt in das Kamin. Der Prinz zieht die Klingel.*

Achter Auftritt.

Der Prinz. *Karl im Kamin. Nachher* **Henri** *mit ſilbernem Coffee-Service, das ihm an der Thür von einem Aufwärter gereicht wird.*

Prinz, *geht einige Schritte auf und ab, ſtößt auf die Handſchuhe und läßt ſie.* Ach, dießmal wird mir die ſchnelle Abreiſe ſchwer werden. Alles erinnert mich an die Holde; ſelbſt der Zufall! — Röschen heißt die Kleine? Auch ein Röschen, aber doch gewiß keine Roſa Hohenthurn — auch eine Emilia, aber keine Emilia Galotti!

Henri, *eintretend.* Monseigneur —

Prinz. Taſſen!

Henri, *zeigt auf die ſchon vorhandene.*

Prinz. Ich wünſche Geſellſchaft. Zwei Taſſen, mein' ich!

Henri, *geht an die Thür und läßt durch den Aufwärter eine zweite holen. Ehe dieſer zurückkommt, ſchenkt er ein und präſentirt dem Prinzen.*

Prinz. Dient er ſchon lange in dieſem Hotel?

Henri. Unterthänigſt — ſeit meiner Zurückkunft aus Frankreich — volle ſechs Jahr!

Prinz. So kennt er wol auch die Bewohner der Stadt, und beſonders dieſes Hauſes?

Henri. Durchlaucht! — ohne Ruhm zu melden — Einheimiſche und hier Durchpaſſirende, wie mich ſelbſt!

Prinz. Hat auch Bekanntſchaft unter den hieſigen Schönen?

Henri, aufmerkſam. Ich bin erſter Marqueur im erſten Hotel. — Erkundigen ſich Monseigneur bei allen Herrſchaften, die uns beehrt haben, nach Henri, ſo — der Reſpect erlaubt mir nicht, mehr zu ſagen.

Prinz. Es ſoll ja hier im Hauſe ein gewiſſes Röschen logiren?

Henri, immer geſpannter. Durchlaucht meinen vermuthlich — Mit boshaftem Lächeln — das ſogenannte ſchöne Röschen?

Prinz. Man ſagt wirklich, ſie ſey ſchön!

Henri. Schön! ſehr ſchön!

Prinz. In der That? — Wovon nährt ſie ſich?

Henri, gezogen. Sie — näht, wäſcht Manſchetten, ſtrickt Börſen, macht Putz, Monseigneur!

Prinz. Iſt ſie — ehrlich?

Henri, wie erſtaunend. Ehrlich —? Durchlaucht

erlauben; in dem Wörterbuche der eleganten Welt
scheint das Wort ehrlich —

Prinz. Nun!

Henri. Von mancherlei Bedeutung und —

Prinz. Heraus!

Henri. Und mit: „schwach an Verstande" —
ziemlich gleichbedeutend — Wahrhaftig, es wär' Ver-
läumdung, so etwas von dem sogenannten schönen Röschen —

Neunter Auftritt.

Die Vorigen. Hermann.

Hermann, einen Brief in der Hand, durchaus finster.
Diese Depesche ist eben angekommen.

Prinz, nachdem er erbrochen und hineingesehen. Wie
ich vermuthet! — Zu Hermann. Wir reisen! Die
Postpferde sind doch bestellt!

Hermann. Der regierende Herr sendet Züge
aus dem Marstall! Sie stehen bereit.

Prinz. So? Sehr verbunden! Zu Hermann.
Die Douceurs nach dem höchsten Ansatz! Zu Henri. gewandt. Man hat mir von der bewußten Person das
Beste sagen wollen. Es scheint, als ob der weit und
breit berühmte Henri ein wenig lüge —

Henri, achſelzuckend. Monſeigneur, wenn ein
ſiebzehnjähriges, unverheirathetes Frauenzimmerchen, im
erſten Hotel wohnt und in der ganzen Stadt ſchön
Röschen genannt wird — — — —

In dieſem Augenblick ſtürzt Karl mit Gepolter aus dem Kamin, und will auf Henri zu. Dieſer erſchrickt, faßt ſich aber wieder, da er Karl erkennt.

Zehnter Auftritt.

Der Prinz. Henri. Hermann. Karl
wieder in der Kappe.

Henri, halblaut. Was willſt du hier, Junge?
was unterſtehſt du dich? — Willſt du den Augenblick —!

Prinz. Der Burſch bleibt, und — Er beſorgt
die Rechnung! — Henri ab. Du mußt gehorchen lernen, Karl! Habe ich dir nicht befohlen zu warten,
bis ich rufe?

Karl. Ach, Herr Prinz! ich konnt' es wahrhaftig nicht länger aushalten. Ich habe mir faſt die
Nägel abgebiſſen, aber, es mit anzuhören, wie ſo
ein ſchlechter Menſch —

Prinz. Gut! zu Hermann. Ankleiden nachher!

Hermann. Wird nicht lang aufhalten.

Prinz. Murrſt du wieder, Alter? Hab' ich

dir nicht befohlen, deinen Sohn auf mich warten zu
lassen, und dich niederzulegen —

Hermann. Der junge macht's doch nicht so,
wie der alte —

Prinz. Hast recht!

Hermann, will die Kleider zusammennehmen.

Prinz. Laß das noch! Geh' erst einmal in die
vierte Etage zu — — Zu Karl. Wie heißt sie?

Karl, Henri nachäffend. Unterthänigst — Rosine
Wernerin!

Prinz. Zur Jungfer Wernerin; sie solle herun=
terkommen.

Hermann. Hieher?

Prinz. Ja, hieher, sogleich! Meine Gemälin
habe von ihr gehört, und wolle sich etwas aussuchen.
Verstanden?

Hermann. Gemälin?

Prinz. Gemälin!

Hermann. Gut! Kopfschüttelnd ab.

Prinz. Du, Karl, gehst wieder auf deinen
Posten, und kommst mir nicht, bis ich commandire!

Karl. Zu Befehl! Ab.

Eilfter Auftritt.

Der Prinz. Karl, im Kamin. Nachher Hermann. Später Röschen.

Prinz. Bin ich doch ordentlich unruhig, das Röschen zu sehen! Ist sie wirklich so schön, als sie der eine gut, und so gut, als sie der andre schön schildert, so — möcht' ich immer den Küraß um- schnallen! — — Ach, am Ende ists doch nur Täu- schung eines geliebten Namens und Widerschein von dem schönen Gestirn dieser Nacht — —

Hermann. Wird gleich kommen, wollte sich nur erst ein bischen in Staat werfen, weil sie vor der Frau Prinzessin Hoheit. — Schüttelt den Kopf.

Prinz. Laß mich allein!

Hermann, schüttelt den Kopf und geht an die Cha- toulle. Vor sich. Da hat wieder König Pharao — Will verschließen.

Prinz. Hast du noch?

Hermann. Genug!

Prinz. Ich nicht! Gieb!

Hermann. Fünf und zwanzig? fünfzig?

Prinz. Hundert! wollt' ich sagen!

Hermann, legt kopfschüttelnd eine Rolle auf den Tisch, und verschließt.

Röschen, in einem seidnen, doch bürgerlichen, Habit-chen, ein Spitzenkästchen unterm Arm, öffnet schüchtern die Thür.

Hermann. Nur herein, Jungfer! Läßt sie ein, und geht kopfschüttelnd ab.

Zwölfter Auftritt.

Der Prinz. Karl, im Kamin. Röschen.

Röschen, bleibt ganz an der Thür stehen, und sieht zur Erde.

Der Prinz, vor sich. Nun bei allen Liebesgöt-tern und Grazien! haben denn die Röschen sich zu meinem Untergange verschworen?

Röschen, sieht sich überall um; dann furchtsam einige Schritte näher. Ich bitte gehorsamst um Verzeihung; vermuthlich bin ich fehl gegangen —.

Prinz. Wen suchen Sie denn, gutes Kind?

Röschen. Die Frau Prinzessin in dieser Etage — hat befohlen —.

Prinz, nimmt mit einer leichten Wendung die Hand-schuhe, als ob er damit spielte. Ganz recht, ganz recht! Ich hörte, daß meine Gemalin —

Röschen, auf die Handschuhe sehend, etwas beherzter. Wo finde ich die gnädigste —?

Prinz. Nur Geduld! Meine Gemalin wird

kommen! Sollte sie aber auch nicht, so habe ich selbst
Kenntniß, und, wie ich mir schmeichle, Geschmack
genug, um mit einem, so allerliebsten Kinde einig zu
werden. Sucht sich Röschen zu nähern. Sie weicht aus. Karl
guckt dann und wann ein Augenblickchen aus dem Kamin.

Röschen, ängstlich. Ich befürchte — ein Mißverständniß. — Ich bin arm, und verkaufe nur eigne
Arbeit, Petinet, gestickte Halstücher, Haubenstreif-
chen — für eine so hohe Dame würde meine Arbeit —

Prinz. Doch! doch! Meine Frau ist ökono-
misch — Zeigen Sie nur! Zu Negligees, Dormeu-
sen, Matins wird's gewiß angehen! — Ich muß
Ihnen sagen, daß meine Gemalin ihren ganz eignen
Geschmack hat! — Zudem, was von so allerliebsten,
niedlichen Fingern gefertigt ist —

Röschen. Befehlen Sie, daß ich wiederkomme,
wenn die gnädigste Frau —?

Prinz. Nicht doch, mein Kind! — Wahrhaftig, diese kunstreichen Hände — zwar ich kann nicht
läugnen, daß Ihro Liebden in der That ein Händchen
haben zum Küssen! Auf die Handschuhe deutend — aber
auch diese Händchen sind so zart, und ich liebe sanften,
weiblichen Umgang so sehr — Wollten Sie wol indessen, bis meine Gemalin kommt, auf den Koffee deutend,
ein wenig die Wirthin machen? — O setzen Sie ab,
setzen Sie hieher! Sie fürchten sich doch nicht vor mir?

Röschen. Ach nein, gnädigster Herr! *Sie schenkt ein, und reicht ihm die Taffe.*

Prinz. Herzlichen Dank, mein schönes Kind! — Wollen Sie sich nicht auch bedienen? Die Taffe ist für Sie da!

Röschen. Das würde unschicklich seyn —

Prinz. Das sehe ich nicht ein! Und — wenn ich Sie nun darum bitte —? — Nun, wenn Sie lieber süßen Wein wollen, so soll den Augenblick — *Stellt sich, als wollte er schellen.*

Röschen. Ich schenke mir ein! *Schenkt zitternd ein, nimmt die Taffe an den Mund, bläst, fühlt sich ins Gesicht —*

Prinz. Was ist Ihnen?

Röschen. Die — Taffe ist noch so heiß!

Prinz *vor sich.* Sie ist doch allerliebst — aber — auch gut! *Laut.* Ich muß Ihnen offenherzig gestehen, daß meine Gemalin — mich jetzt gar nicht begleitet, daß ich aber zu viel Schönes und Gutes von Ihnen gehört habe, um nicht den Wunsch, Sie kennen zu lernen —

Röschen. Doch scheint es mir — *Mit einigem Stolze, als könnte hier nur von Verkennen die Rede seyn —* Will fort.

Prinz, *mit aufrichtiger Wärme.* Sie sind gut, liebes Mädchen! weit besser! als man wünschen möchte, aber — *Mit Laune.* Glauben Sie mir aufs Wort, ich

bin nicht von den Schlimmsten, und — warum wollten Sie am Ende nicht eben so gern an mich verkaufen, als an jeden Andern? Ich bezahle baar, ohne
zu handeln, verlasse mich auf dieß ehrliche Gesichtchen —

Röschen, verschämt. Ich habe auch Einiges für
Herren —

Prinz. Sehen Sie! — Zeigen Sie doch!

Röschen. Gestickte Halstücher, Geldbeutel,
Brieftaschen — Zeigt ihm zwei Brieftaschen.

Prinz. Diese rosenfarbne hier mit Mirten —

Röschen. Und mit der Devise: Die Rose welkt,
doch meine Liebe nicht!

Prinz, faßt sie unters Kinn — schnell. Deine Liebe?

Röschen, sich zurückziehend. Das sagt nur der
Dichter, und — der künftige Käufer!

Prinz. Gut gesprochen! Nach einigem Nachdenken,
vor sich. — Der Einfall wär' nicht übel, aber — —
Laut. Nein, diese paßt nicht. Man muß die Rose
nicht ans Welken erinnern, und — Liebe — nein!
das darf ich Ihr nicht sagen!

Röschen. Ich überlegte das leider auch zu spät,
ob ich schon diese Brieftasche zu einem Geschenk bestimmt hatte —

Prinz. Du?

Röschen. Ja, ich kanns nicht läugnen; darum

habe ich auch hinterdrein diese gestickt. *Zeigt ihm die andere.* —

Prinz. „Schön! schön!„ Weißer Atlaß und Rosenknöspchen —

Röschen. Und die Devise: Ueberall dein Bild!

Prinz. Vortrefflich! diese kauf' ich! — Läßt du sie mir wol für zehn Dukaten?

Röschen. Zehn Dukaten! *Freudig.* Das ist viel! sehr viel! *Schwankend.* Ich weiß nicht, ob ich das nehmen darf — —

Prinz, *vor sich.* Sie scheint doch dem Gelde nicht abgeneigt! — *Zählt zehn Dukaten auf.* Hier sind sie! Aber — du mußt mir auch eine kleine, unschuldige Neugier befriedigen, zur Zugabe! Du sagtest, du hättest diese Brieftäschen selbst erst zu Geschenken bestimmt —

Röschen. Ja, wenn Sie's nicht ungnädig nehmen, so ist's!

Prinz. Zudem — bei dieser Mirten auf Rosa Grunde, bei dieser weißen Rosenknöspchen, beidesmal Anspielung auf deinen Namen — Nicht wahr, Kind, du hattest einmal einen vornehmen Liebhaber?

Röschen. Nein! gewiß nicht! — Sie haben recht und auch unrecht.

Prinz. Erkläre mir das!

Röschen. Nun, freilich wollt' ich die Brief-

taschen einmal verschenken, aber bloß aus Dankbarkeit;
und die Rosen spielen auch an auf den Namen — nur
nicht auf meinen — Nein, auf meinen gewiß nicht!

Prinz. Wie denn sonst?

Röschen. Sehen Sie nur, ich habe eine vornehme Pathe, nur ein Jahr älter, als ich; die hat
mich immer sehr lieb gehabt; und meine Mutter hat
dort im Hause lange gedient, und ich habe die schöne
Comteß auch immer so von Herzen geliebt —

Prinz. Weiter!

Röschen. Und so oft ich hingekommen bin, hat
sie mich reichlich beschenkt; selbst dieses Kleidchen und
dieser Dukaten — Sie zeigt ihren Halsdukaten.

Prinz, als wollte er den Dukaten besehen. Ah —

Röschen, ihn abwehrend. Gnädigster Herr, Sie
scheinen manchmal so sanft, und manchmal wieder —

Prinz, vor sich. Merk dirs, Louis! — Nun,
fahr nur fort!

Röschen. O, die Pathe Comteß, die ist schön
und schlank, die Liebe und Güte selbst! — Da wollte
ich ihr nun auch einmal meine Liebe bezeigen; aber —
nachher, weil sie mich immer so von neuem beschenkte,
wenn ich hinkam, dachte ich wieder, das säh vielleicht
wie Bettelei aus — und — da hab' ichs lieber im Herzen behalten, wie lieb ich sie habe.

Prinz, neugierig. Und die Comteß hat auch deinen Namen?

Röschen. Nein doch! Freilich! ich habe vielmehr ihren.

Prinz. Was heißt das?

Röschen. Nun, ich habe den meinen von Ihr. Sie ist meine Pathe, freilich konnte sie noch nicht selbst stehen, aber —

Prinz. Also — Röschen heißt sie?

Röschen. Nein, dazu ist sie zu vornehm — Rosa!

Prinz. Was? — — —

Röschen. Nun, ja doch! die jüngste Comteß Hohenthurn!

Prinz, freudig auf und ab. Rosa von Hohenthurn! — Nun, wahrhaftig, Mädchen, du und ich sind unter glücklichen Sternen geboren! Vor sich. Ja, ja! so soll's seyn! — — Ich werde dich nicht wieder sehen, schönes Rosenmädchen! aber — mein Name soll doch in deiner Brust eine Erinnerung wecken! — — Gut, gut, gut so! — Aber auch diese — einen Kuß muß ich mir von ihr verdienen!

Röschen, will das Geld einstreichen. Ich danke Ihnen, gnädigster Prinz! —

Prinz. Noch einen Augenblick Geduld, Kind, ich habe noch Etwas mit Ihnen zu sprechen. —

Glauben Sie mir gewiß, daß ich es gut mit Ihnen meine, und daß nur ihr eignes Bestes mich bewogen hat —

Röschen. Wie wäre das möglich?

Prinz. Haben Sie nicht einen Bräutigam, Namens Heinrich?

Röschen. Sind Sie allwissend? — Ich kann es nicht läugnen.

Prinz. Hat dieser nicht einen Bruder, der Schorsteinfeger ist und Karl heißt.

Röschen, ahnend. Großer Gott! wohin soll das führen? — Ja, das ist wahr!

Prinz. Nun, so fürchte ich, daß — — Ohne Umschweife! Dieser Pursch ist durch das Kamin in meine Stube gestiegen; die Chatoulle hat offen gestanden —

Röschen, von Schreck ergriffen. Barmherziger Gott! — Armer Junge! Hättest du dich blenden lassen — Fällt auf die Knie. Gnade für ihn! Gnade für den armen Karl, der noch nie —

Prinz, sehr erweicht. O nicht doch! fassen Sie sich! stehen Sie auf! Hebt sie auf — dann wieder heiterer: Es ist nicht so schlimm; eben deswegen wollte ich mit Ihnen sprechen, und — wenn Sie mir für die Befreiung des armen Karls einen einzigen Kuß schenken wollten — Legt leicht seinen Arm um sie.

Röschen. Tausend dankbare Küsse auf diese wohlthätige Hand; wenn Ihre Güte, wenn Ihre Nachsicht den Unglücklichen rettet!

Prinz. Nicht Ihre Dankbarkeit, nicht einen Handkuß, sondern. —

Röschen. Lassen Sie meinen Bräutigam, den Bruder des Unglücklichen, rufen, und, in seiner Gegenwart — wenn der Kuß eines armen Mädchens Ihnen eine gute Handlung verschönern kann —

Prinz, ohne Verstellung. Fern sey es von mir, den Frieden dieses Herzens zu stören! — Wissen Sie denn, Karl ist unschuldig —

Röschen. O Gott sey Dank! Gott sey Dank!

Prinz. Ich weiß durch ihn von Ihrer Liebe und den unbedeutenden Hindernissen, die ihrer Verbindung entgegen stehen, ich gebe Ihnen mein Wort, nicht eher abzureisen, bis Ihr Glück begründet ist!

Röschen. Es scheint mir alles so wunderbar, was Sie sagen; kaum glaub' ich, zu wachen —

Prinz. Ich werde Sie überzeugen! Doch ehe dieß geschehen kann — — Sie habe ich geprüft; aber kaum kann ich glauben, daß Ihr Liebhaber ein so edles, liebevolles Herz verdiene!

Röschen. Ich kenne ihn schon seit Jahren. Er ist treu, wie Gold, treu und ohne Falsch —

Prinz. Das werden wir sehen! — Wollen

Sie wol die Güte haben, indeſſen dieſe Maske zu nehmen und in dieß Kabinet zu treten?

Röschen. Nein, gnädigſter Herr! um Alles in der Welt, nicht! Ich glaube, Heinrich wär' vor Schrecken des Todes, wenn er mich hier, bei Ihnen verſteckt und verkleidet. —

Prinz. Wie aber, wenn ich Ihnen ſeine ganz unverdächtige Geſellſchaft gebe?

Röschen. Wer könnte das ſeyn?

Prinz. Ich kann Geiſter citiren?

Röschen. Doch nur gute?

Prinz. Schwarz, wie die Hölle, und doch gut! — Unſichtbarer! hörſt du deines Gebieters Stimme?

Karl, ſingt im Kamin, indem er ganz zuletzt ein wenig mit dem Kopfe herausguckt.

> „Geſtern Abend ging ich aus
> In den grünen Wald hinaus!
> Saß ein Häschen hinterm Sträuch,
> Spitz das Ohr, und hell das Aug'.“

Röschen. Was iſt das? Sieht ſich um, ohne Karl gewahr zu werden.

Prinz. Mein Mephiſtophiles! Ruft am Kamin. Queerpfeifer!

Karl, ſpringt heraus. Hier!

Prinz. Iſt dieſe Geſellſchaft unverdächtig genug?

Röschen, lächelnd. Ja, gnädigster Herr!

Prinz zu Karl. Nun, so hilf die Jungfer Muhme einmal ankleiden! Klingelt.

Dreizehnter Auftritt.

Die Vorigen. Hermann.

Hermann. Befehlen —?

Prinz. Der Kellnerpursch Heinrich soll sogleich herauf kommen! — Dann ankleiden! Es wird an= gespannt!

Hermann ab.

Röschen hat sich unterdessen maskirt.

Prinz. So! allerliebst! Nun hier herein, und laffen Sie mir den Erwählten nicht so gar leichten Kaufes davon — sonst. — —

Röschen und Karl ins Kabinet.

Vierzehnter Auftritt.

Der Prinz. Röschen und Karl im Kabinet.
Hermann. Heinrich. Bediente und Aufwärter.

Hermann. Hier ist er! Zu den Bedienten und Auf-
wärtern. Dieß zum Aufpacken! Die Chatoulle in den
Wagen. Bedienten und Aufwärter räumen und tragen fort.
Es bleibt nichts, als die Kleidung und der Mantel des Prinzen,
welche Hermann zu sich nimmt.

Heinrich. Mein Herr König, oder wer Sie
sonst sind — ich habe sollen hereinkommen. Aber —
es ist wol ein Irrthum. Ich bin nur der Heinrich;
aber der vornehme Marqueur, der heißt Henri,
eben, weil er der vornehme ist, und ich bin gegen
ihn nur ein einfältiger Pursche, der mit großen Herren gar nicht umzugehen weiß.

Prinz. Eben dich wollte ich haben, weil ich
etwas Wichtiges mit dir sprechen muß.

Heinrich. Mit mir? Vor sich. Was das für
ein allerliebster gnädiger Herr ist! Laut. Das kann
wol nicht seyn! — Sie? mit einem Faßbinder-Ge-
sellen?

Prinz. Nun nun, wenn du auch arm bist, so
bist du doch immer ein recht feiner junger Mensch —

Heinrich. „Ehrlich und redlich;" und so viel Verstand, als ein Böttcher braucht —

Prinz. Höre Pursch, du hast doch gewiß deine zwei und siebzig Zoll. Willst du nicht Soldat werden? Es ist ein gar herrliches, lustiges Leben, und tausendmal besser, als so eine Kellerwurm s Existenz! Du kannsts mit der Zeit zum Officier bringen, und ich gebe dir auf der Stelle zwanzig Dukaten Handgeld.

Heinrich, schmunzelnd. Nein, das wäre viel und doch auch gar nichts für mich!

Prinz. Hast du's Kanonenfieber?

Heinrich. Das eben nicht, Herr König, aber ein anderes — Zeigt aufs Herz.

Prinz. Das Liebesfieber?

Heinrich. Ja, und recht stark!

Prinz. Du hast aber doch nicht schon ein Mädchen?

Heinrich. Auch ja, und auch recht stark! — Wenn ich mich nur unterstehen dürfte, es Ihnen zu sagen — —

Prinz. Das ist fatal! Du bist ja zu gar nichts zu brauchen.

Heinrich. Das dächte ich nicht!

Prinz. So? Du kannst noch zurück? — Nun, ich sehe schon, daß du ein kluger Pursche bist! Kurz und gut also, es hat sich ein hübsches, sittsames, nicht ganz unbemitteltes Mädchen, dem ich wohl will, sterblich in dich verliebt, und ich habe versprochen, ihren Freiwerber abzugeben.

Heinrich. Der Herr König will sich einen Spaß mit mir machen; wär' es aber der Ernst, so thät mir es leid —

Prinz. Was? du willst nicht?

Heinrich. Nehmen Sies nicht ungnädig — da kann ich nicht dienen!

Prinz. Warum denn nicht?

Heinrich. Je nun, ich habs ja schon gesagt —— weil ich versprochen bin!

Prinz. Laß jene laufen! Die ich dir vorschlage, ist reich, schön, tugendhaft —

Heinrich. Das ist viel auf einmal! Aber die meine ist hübsch und auch gut; und so, wie sie, giebt es keine mehr auf der Welt. Das ist doch noch mehr!

Prinz. Die meine ist ein leibhafter Engel —

Heinrich. Und die meine ein recht liebes, braves Mädchen, gerade, wie ich sie haben will — das ist am Ende gerade genug!

Prinz. Du solltest doch wenigstens die meinige sehen!

Heinrich. Was kann das helfen? Ich mag sie nicht!

Prinz. Wer kann das wissen?

Heinrich. Ich weiß es!

Prinz. So lasse ich mir nicht den Korb geben; ich befehle dir — —

Heinrich. Ja, wenn das ist — Vor sich. Das Ansehen hat man umsonst!

Prinz, ins Kabinet. Mamsell! Etwas leiser. Ohne Queerpfeifer!

Funfzehnter Auftritt.

Die Vorigen. Röschen, maskirt aus dem Kabinet tretend.

Prinz. Nun, Heinrich? Nicht wahr, die ist hübsch? — Vergleicht euch indeß! Zur Verlobung komm' ich schon noch zurecht! Zu Hermann. Komm! Prinz und Hermann ins andre Kabinet ab.

Heinrich. Was, Geier? Gar verlarvt! Das ist mir warlich zu rund!

Sie stehen einander gegen über, und besehen sich von allen Seiten.

Röschen, diesen ganzen Auftritt hindurch mit verstellter Stimme. Hem! hem!

Heinrich. Was sagten die Mamsell?

Röschen. Ich hustete nur!

Wieder eine Pause.

Röschen, niest.

Heinrich. Ihr Wohlseyn!

Röschen. Ich danke.

Wieder eine Pause. —

Röschen, vor sich. Der Spitzbube! „Das Ansehen hat man umsonst!"

Heinrich, ebenso. Sie sieht aus, wie eine vornehme Madam — wol gar ein abgesetztes Schätzchen!

Wieder eine Pause.

Röschen, vor sich. Ich muß nur anfangen! —
Laut. Sie sind nun drittehalb Jahr in diesem Hause,
Monsieur Heinrich?

Heinrich. Zu dienen!

Röschen. Man sagt, es gefiele Ihnen nicht
ganz hier; Sie wünschten sich weg, wünschten sich
selbst zu etabliren?

Heinrich. Wer wünscht das nicht?

Röschen. Sie wünschten sich auch zu verän-
dern. —?

Heinrich. Nach Befinden —

Röschen. Sie hätten sich auch schon was aus-
gesucht —?

Heinrich, vor sich. Sie muß gehorcht haben!
Laut. Das könnte seyn!

Röschen. Eine gewisse Jungfer Wernerin!

Heinrich, vor sich. Was Geier? Hätt' ich sie

denn genannt? *laut.* Ja, ja, es ist keine Sünde, so zu heißen.

Röschen. Bewahre! das will ich nicht gesagt haben. — Ein wenig vorsehen möchten Sie sich indessen; das Sprichwort sagt: Traue, schaue, wem? —

Heinrich. Da haben Sie recht —

Röschen, *vor sich.* Wie meint er das? *laut.* Es kann immer ein Mädchen recht hübsch und artig seyn, und doch —

Heinrich, *etwas höhnisch.* Morgenbesuche abstatten!

Röschen. Ei! ei! — Man sagt, das Mädchen sey nicht ohne Mittel; sie kriege eine Ausstattung —

Heinrich. Aber ehrlicher Weise; aus einem Testamente!

Röschen. Ich weiß wol; aus dem Wernerschen Gestifte —

Heinrich, *vor sich.* Das ist mir zu arg. *laut.* Sie mögen recht haben!

Röschen. Sie haben sich auch so ein zwanzig Thälerchen gesammelt —

Heinrich, *vor sich.* Die Mamsell hat den Teufel! *laut.* Wer sagt Ihnen denn das?

Röschen. Der kleine Finger! Ich könnte Ihnen wol noch mehr sagen; aber — Wenn sich nun ein anderes, wenigstens eben so hübsches, Mädchen fänd,

das schon jetzt ein ansehnliches mehr besäß, als sie wol
dächten, und vielleicht in Zukunft —

Heinrich. Das Gewisse ist mir lieber, als —
die ungewissen Unterstützungen!

Röschen. Und das Sie noch weit zärtlicher
liebte — —

Heinrich. Das kann sie nur bleiben lassen!

Röschen. Wie Sie auch wunderbar sind!
Nimmt seine Hand, die er ihr nur gezwungen läßt. Verstehen
Sie sich etwa auf Träume, Musje Heinrich?

Heinrich, *reißt sich los und will fort.* Ich will
gleich nachsehen, ob die alte Kartenschlägerin hier ist,
die immer früh zu den Damen schleicht.

Röschen, *hält ihn.* Nicht doch! Sie sollen mirs
selbst deuten; ihr Herz soll es!

Heinrich. Das wird stumm seyn, wie ein Fisch!

Röschen. Ach, lieber Musje Heinrich, mir hat
heute Nacht von einem großen, hellen Feuer geträumt.
Wissen Sie, was das anzeigt?

Heinrich. Ganz und gar nicht.

Röschen, *sehr zärtlich.* Eine Braut zeigt es an,
eine Braut!

Heinrich, *vor sich.* Sie ist toll! — *Laut.* Ja,
da passen nur die Träume nicht zusammen.

Röschen. Wie so?

Heinrich. Mir hat diese Nacht von pechschwar-

zen Pferden geträumt, und das bedeutet, daß aus
einer Sache nichts wird.

Röschen. Das sollte mir leid thun. — Ich
liebe Sie so zärtlich —

Heinrich, vor sich. Das ist zu arg! laut. Da
thut mirs wahrhaftig leid um Sie!

Röschen. Sie würden ein gemachter Mann —

Heinrich. Das findet sich.

Röschen. Sie könnten ihren Bruder nachdrück-
lich unterstützen —

Heinrich, ernst. Das wäre etwas; aber — ich
habe gesunde Hände —

Röschen. Sie können so grausam seyn? Sie
mögen mich nicht?

Heinrich, vor sich. Nein, so etwas ist mir noch
nicht vorgekommen! laut. Kurz und bündig! Nein!

Letzter Auftritt.

Die Vorigen. Der Prinz, völlig angekleidet, der
schon eine Weile zugehört hat, und Hermann aus dem
Kabinet.

Prinz. Ich erstaune. Du willst sie nicht? —
Es ist dein völliger Ernst?

Heinrich. Nehmen Sie's ja nicht ungnädig —
Ja! mein völliger Ernst!

Prinz. Auch nicht, wenn ich sie ausstatte —

Heinrich. Nein! nein! nein! Nicht im ge-
ringsten!

Prinz. So thut mirs leid, daß du dein Glück
mit Füßen stößest! So thut mirs leid, liebes Röschen!

Röschen, demaskirt sich. Hermann nimmt den Domino und geht kopfschüttelnd ab. Du verschmähst mich,
Heinrich?

Heinrich, erschrocken. Lieber Gott! du hier,
Röschen? — Hält sich die Augen zu. Das ist zu arg!
das ist zu arg! — Fest. Wen ich hier versteckt finde
— ach, das Glück meines Lebens ist auf immer dahin, ich bin so unglücklich, so los von der ganzen
Welt — — aber, wen ich hier, im schönsten Staate
hier versteckt finde — Nein! Nein! Nein! Wir sind
geschieden, Röschen, auf ewig! Will fort.

Prinz. Bleib, Freund! Sey nicht so wild; höre erst —

Heinrich, sehr weich. Lebwohl, Röschen! — leb wohl, liebes Röschen! Will fort. —

Prinz. Du sollst da bleiben? hab' ich befohlen! Dein Mädchen ist unschuldig —

Heinrich. Das — kann auch kein König befehlen!

Prinz. Sie hat sich nur den Augenblick, ehe du eintratst, hier verborgen.

Heinrich. Desto schlimmer! — — Ach ich bin unglücklich! ich bin ganz unglücklich!

Prinz, ruft ins Kabinet. Queerpfeifer raus!

Karl, springt heraus und fällt Heinrichen um den Hals. Da bin ich schon! — Sey kein Narr, Brüderchen; ich habe hier bei ihr gesteckt, und sie ist so gut, wie ein Engel.

Heinrich. Du bist hier bei ihr gewesen? Du bist so lange hier gewesen, als sie?

Karl. O noch eine halbe Stunde länger! Der Herr Prinz hat mich Musje Karl geheißen; und, ich habe mir zwei Gnaden ausbitten dürfen!

Heinrich, zu Röschen, kleinlaut. Bist du noch böse, Röschen?

Röschen. Bist du's? Sie sehen sich einen Augenblick an und fallen sich dann in die Arme.

Prinz. Brávo! bravo! das gefällt mir.—

Röschen und Heinrich fahren auseinander.

— Heinrich. Ach, nehmen Sie's nur nicht ungütig, daß wir —

Röschen. Wir bedachten nicht —.

Prinz. Laßt's gut seyn!— Aber die Zeit eilt;
ich muß hier meine Geschäfte in Ordnung bringen.
*Nimmt die beiden Handschuhe und die seidne Brieftasche, und
zieht sein Taschenbuch heraus.* Also, diese Brieftasche ist
gehandelt; *zu Röschen* — streichen Sie ein!! *Legt einen
Handschuh in sein Taschenbuch, den andern in die seidne Brieftasche.* Für das übrige. — *Schiebt ihr die Rolle hin —*
kaufen Sie erstlich dem braven Karl anständige Kleidung, und — *er schreibt einen Namen auf eine Karte* — spedi-
ren ihn auf der Post an diese Adresse! Der ehrliche
Alte, zu dem er kommen soll, ist ein sehr geschickter
Musikus — *Zu Karl.* Wenn du was braves lernst,
wirst du wenigstens Hautboist!

Karl, *springend.* Ich bin Queerpfeifer-Rekrut!
Hautboisten-Rekrut!

Prinz. Da bleibt aber schon noch etwas übrig;
es sind zusammen hundert Dukaten. Der Rest ist
euer — für einen einzigen Gang —

Röschen. Ach, gnädigster Herr!—

Heinrich. Für einen einzigen Gang —?

Prinz, *giebt Röschen die seidne Brieftasche.* Wenn

Sie Hochzeit machen, tragen Sie eine Torte und dieß zu der schönen Pathe Comteß. Sagen Sie ihr, der Name Rosa habe den glücklichen Räuber zum Hochzeitvater gemacht; sagen Sie ihr —

Karl. Victoria! Victoria! — Ich fahre zum letztenmal in den Schorstein und schreie über die ganze Stadt weg: Vivat! Vivat der Prinz! hohaho! Schnell in den Kamin.

Röschen und Heinrich fallen vor dem Prinzen nieder, zugleich: Wie sollen wir Ihnen danken? — Ach, wie gut sind Sie! —

Prinz. Bist du zufrieden mit mir, schönes Mädchen? — Aber so muß es nicht seyn, so —! Hebt sie auf und legt sie einander in die Arme. Ach wer auch so neben Rosa ständ! Man hört, jedoch gedämpft, ein Quartett von Posthörnern. Fort! fort! Heinrich und Röschen wollen ihm nach. Nicht von der Stelle! — Lebt wohl! Ab.

Heinrich, Röschen, ihm nachrufend. Ach, Gottes Segen — Und eine Rosa —

Röschen. Lieber Heinrich! —

Heinrich. Bestes Röschen! —

Röschen. In vier Wochen bist du Meister!

Heinrich. In sechs Wochen sind wir getraut!

Karls Stimme wie von oben. Vivat! Vivat! hoha!

Heinrich. Wir haben entsetzlich viel Geld —

Röschen. Wir können Weine einlegen —

Heinrich. Wir hängen einen großen Kranz raus —

Röschen. Wir lassen einen dicken, goldnen Bacchus machen —

Karls Stimme. Vivat! Vivat! Hohaho!

Heinrich, zu den Zuschauern. Und wer von den Damen nette Badewännchen braucht, und wer von den Herren zuweilen frühstückt, der wird doch wol einem jungen Anfänger was zuwenden?.

Die Posthörner fallen wieder ein und der Vorhang fällt.

V.

Der Orangenbaum.

Lustspiel in Einem Act.

1 8 0 8.

Perſonen.

Steuerſecretair Feder.

Minchen, ſeine Anverwandte.

Chriſtine, ſeine Haushälterin.

Karl Müller.

Heinrich, der ſtumme Blumenjunge genannt.

Ein Läufer.

Scene: Ein Vorzimmer mit einer Eingangs = und
zwei Kabinets = Thüren.

Erster Auftritt.

Feder. Christine mit dem Marktkorbe.

Christine, stuzig.

Wie Braten heute?-

Feder.

Ja! ich sage Braten, Braten!
Und auf die Suppe reibt sie dießmal auch Muskaten;
Ein Tortchen zum Dessert —

Christine.

Da steh' ich steif und stumm!
Wir haben Werkeltag; ich bitte Sie, warum?

Feder.

Ei was! Sie wird das schon zu seiner Zeit erfahren!
Einmal für allemal, ich will nun heut' nicht
sparen;

Denn —

Christine.

Denn, Herr Secretar —?

Feder.

Nein, Tinchen! großen Dank!
Durch sie erführ' es wol die ganze Fleischerbank,
Wenn — sich verneigend — Excellenzen noch es heimlich
sich vertrauen —

Christine, zärtlich.

Sonst sagen sie mir doch —

Feder.

Sie wird ein Wunder schauen;
Doch ist's Geheimniß noch, und ruht — sich verneigend. —
in hoher Hand.
Jetzt geh' sie, geh' sie nur!

Christine, weinerlich.

Sie sind ganz umgewandt!
Ab.

Zweiter. Auftritt.

Feder allein.

Ja! 's ist ein wahres Kreuz, das Junggesellenleben,
Und ganz zur rechten Zeit ward Minchen mir gegeben;
Just heute bin ich nun — sprich: fünf und zwanzig
Jahr,
Im Bier-Departement der erste Secretar,
Und stehe jeden Tag, dieselbige Minute,
In die Canzlei zu geh'n, allhier mit Stock und
Hute —
O du, Alltäglichkeit, du bist ein werther Schatz!
Glock Neune jeden Tag sitz' ich auf meinem Platz
Und lese den Courier. Man stellt nach mir die
Uhren,
Bestellt nach mir Friseurs, Balbiere, Sänften,
Fuhren.

Sieht nach der Uhr.

Potz Wetter! Neune bald! was hält mich hier zurück?
Just heute winkt mir ja das längst ersehnte Glück!
Ein Viertel Säculum blieb mein Verdienst im Dunkeln,
Doch heute, heute wird's, gleich einer Sonne, funkeln;
Man wird zum Steuerrath — ha! wie das klingt! —
ernannt,
Das hohe Cabinet macht selber es bekannt — —

Drum fort! — ja, Federchen! wenn dort nicht Minchen wäre —

Kommst du nicht bald zum Schluß, so kostet's deine
Ehre!

Gesteh', gesteh' dir's nur, du hast zuweilen jetzt
Die edle Pünktlichkeit recht freventlich verletzt;
Du stand'st schon manchen Tag hier mit der langen
Nase,

Unschlüssig zögernd, wie das Müllerthier im Grase.
Die Zeitung winkte dort, und hier das liebe Kind —
Horcht.

Sie sitzt schon am Klavier — Nur frisch! wer wagt,
gewinnt!

Ja, ja, dem Secretar ließ sich wol noch entweichen;
Vor dem Herrn Steuerrath wird man die
Seegel streichen!

In das Kabinet ab.

Dritter Auftritt.

Heinrich, einen Orangenbaum im Arm, guckt anfänglich nur
mit dem Kopfe herein.

Wie steht's? Ganz wie gedacht! Ja, ja, der Weg
ist rein;

Fort ist der alte Herr; denn eben schlug es Neun.

Vermuthlich nahm er heut' den Weg durch andre
Gassen;

Was hätt' ich denn davon, noch länger aufzupassen?

Wie schnell vergeht ein Tag — ja, Heinrich kennt
die Welt;

Ein braver Stummer löst hier täglich schweres Geld!

Bedauern muß ich nur die andern Herrn Collegen;

Mir bringt ein jeder Tag auch einen neuen Segen!

Verkauft' ich diesen Baum nicht in der Frühe schon,

Und kriegte obenein zwei Gulden Botenlohn!

Das markt ein Andrer nicht; ja, schönen guten
Morgen!

Warum man mir es giebt, das macht mir keine
Sorgen.

Was kümmert's denn auch mich, daß man die Alten
prellt

Und mit dem Blumenstock ein Billetdoux bestellt?

Daß auch der junge Herr es mit mir abgekartet,

Und unten, wie ein Fuchs am Taubenſchlage,
　　　　　wartet? —
Doch warlich, es wird Zeit; ſonſt kommt er wol zu
　　　　　früh.
Auf, Heinrich, faſſe Muth, und zeige dein Genie!
Er guckt an der Kabinetsthür durchs Schlüſſelloch, zeigt, daß
　　nichts zu ſehen ſey, und pocht leiſe an.

———————

Vierter Auftritt.

Feder tritt haſtig heraus. Heinrich prallt erſchrocken
　zurück. — Zuletzt Müller an der Eingangsthür.

Feder.

Was will man hier? was guckt man hier am Schlüſ-
　　　　　ſelloche?

Heinrich,
durch die ganze Scene mit vielen Grimaſſen, ſchüttelt.

Feder.

Wie kam man hier herein?

Heinrich, ſchüttelt.

Feder.

　　Wozu die leiſe Poche?

Heinrich, ſchüttelt.

Feder.

Man ſpreche doch!

Heinrich

zeigt, daß er taub und ſtumm ſey.

Feder.

Ach ſo?

fängt nun auch an zu geſticuliren.

Nun kurz, was will man hier?

Heinrich,

präſentirt ihm den Orangenbaum.

Feder.

Das wär' mir eben recht! Die Thaler wachſen mir!
Dich Schurken kenn' ich ſchon——

Heinrich

zeigt, daß er ſich der Ehre freue.

Feder.

— mit deinem Blumenweſen;
Die Pomeranzen ſind vermuthlich aufgeleſen
Und hier an's Reiß geſteckt; das Bäumchen iſt
wol gar
Ein abgeſchnittner Zweig und ohne Wurzelhaar —

Heinrich

betheuert seine Unschuld und macht auf die Schönheit des Bäum-
chens aufmerksam.

Feder.

Nein! nein! ich mag ihn nicht! Du aber sollst mir
sagen:
Wie konntest du dich hier in meine Zimmer wagen?
Hat man dich herbestellt?

Heinrich bejahet es.

Feder.

Erlogen! nimmermehr!
Zu mausen kamst du bloß —

Heinrich

zeigt, daß ihn ein stattlicher Herr heraufgeschickt habe.

Feder.

Ein Herr! so sage wer?

Heinrich

zeigt, daß er ihn nicht kenne, daß aber der Baum schon bezahlt sey.

Feder.

Der Baum ist schon bezahlt?

Heinrich nickt.

Feder.

Hieher warbst du gewiesen?

Heinrich nickt stärker.

Feder.

Hieher?

Heinrich

betheuert es immer haftiger, setzt den Baum ab und sucht Gelegenheit, zu entwischen. Müller wird an der Thüre sichtbar.

Feder.

Potz Element! das ist doch zum Erschießen!
Ich bin erst halb und halb ein Ehemann in spe!! — —
Wie soll mirs künftig geh'n? —

Heinrich

hat abgewandt seine Schadenfreude angedeutet, giebt Müllern
rückwärts mit der Hand ein Zeichen, er solle sich fort machen und
will entwischen.

Feder.

Halt, halt Patron!

Er wird Müllern gewahr.

He! he!
Was untersteht man sich, im Saal zu spioniren?
Musje, belieben Sie, nur näher zu spazieren!

Fünfter Auftritt.

Die Vorigen. Müller tritt ein.

Müller.

Mein Herr! vergeben Sie, wenn man zu früh erscheint —

Feder.

O! pardonniren Sie; Sie waren nicht gemeint;
Goldmännchen! denken Sie, der Schurke da von
Jungen
Hat sich, mit diesem Baum, ins Zimmer eingedrungen,
Und spricht —

Müller,

hat Heinrichen forschend angesehen, kann aber aus dessen Schüt-
teln und Achselzucken nicht klug werden. — Nach einiger Besinnung, doch zuweilen mit Verlegenheit:

Er hat ganz recht! Hier ist kein Trug im
Spiel!
Ich geb' es gerne zu, daß mich die Lust befiel,
Den allerliebsten Baum — als kleines Angedenken —

Zu Heinrich.

Geh' deiner Wege, Pursch!

Heinrich ab.

— dem werthen Freund zu schenken —

Feder,

ihn mit den Augen meſſend.

Was hör' ich? Wunderbar! — O vielmals obligirt!
Goldmännchen, ſeh'n Sie doch — —

Müller, *vor ſich.*

Er ſcheint mir ſehr frappirt,
Und doch — da hilft kein Gott! er ſoll und muß es
glauben! —
Was fällt mir ein! — ha, ſchön!

Feder.

Doch werden Sie erlauben,
Faſt find' ich's ſonderbar, daß Mann ſich gegen Männ
So ungemein galant, ſo zärtlich zeigen kann —

Müller.

Wie? glauben Sie denn nicht, daß man Verdienſte
kenne —

Feder.

O allzu ſchmeichelhaft!

Müller.

— dieß zu beweiſen brenne,
Beſonders da —

Feder.

Nun da? —

Müller.

Das weiß das ganze Land:
Wer fünf und zwanzig Jahr' in Ihrem Posten-stand,
Ist aller Kränze werth, die treue Diener lohnen.

Feber.

So? darum sandten Sie dieß Bäumchen mit Citronen?

Müller.

Wär' ich der Landesfürst, so —

Feder, vor sich.

Ah, ich merk' es schon,
Er hat wahrhaftig Wind — ein pfiffiger Patron! —
Und will im Voraus sich bei mir recommandiren —

Müller,
der sich dem Kabinet genähert hat und immer aufmerksam ist,
vor sich.

Es scheint, wir sind im Zug, einander anzuführen!

Feder, vertraulich.

Wie? hörten Sie vielleicht, was man ins Ohr sich
spricht? —

Müller, zerstreut.

Hm! — ja, von weitem — so —

Feder.

Ich glaub' es selber nicht;
Auch giebt's wol Andre noch, Verdient're noch im
Staate;
Doch geht so ein Gerücht von einem Steuerrathe,
Der heute —

Müller, vor sich.

Weiß er's schon?

Feder.

— aus seinem Ei springt;
Just heute, sagt die Stadt —

Müller, vor sich.

Hm! meine List gelingt
Fast zu gut! Irr' ich nicht, so scheint er gar zu
hoffen —

Feder.

Wie sagten Sie, mein Freund? — Sie scheinen so
betroffen —

Müller.

Ich? Nicht im mindesten —

Feder!.

— ei —Nun, ich verſtehe ſchon,
Und bleibe obligirt für die Attention.
Kann ich — das glauben Sie, mein lieber Mül-
ler! — Ihnen
Durch meine Freundſchaft, durch Empfehlung jemals
dienen,
So rechnen Sie auf mich —

Müller.

Schön! die Gelegenheit,
Mein lieber Secretair, iſt hoffentlich nicht weit,
Und dann erinnr' ich Sie an das, was Sie ver-
ſprachen —

Feder.

Sie haben gegen mich ſich ſo galant betragen;
Was ich zu thun vermag —

Müller, lächelnd.

Ich gehe fröhlich fort,
Wenn Sie mein Gönner ſind! —

Mit einem verſtohlnen Kuß nach der Kabinetsthür.

Adieu! Ab.

Feder, ihn begleitend.

Ein Mann, ein Wort!

Sechster Auftritt.

Feder allein.

Der Geier werde klug aus diesem Baumgeschenke!
Errieth ich wirklich ihn? — — Wenn ich's so recht
bedenke,

Er wollte nicht heraus, brach von der Sache ab,
Und, als ich ihm mein Wort, ihn zu befördern, gab,
Schien's fast, als lachte er — Gut steht er ange-
schrieben,

Und Seine Excellenz soll ihn vor andern lieben —
Ja, wissen könnt' ers wol! — er hat Gelegenheit!
Was hätt' er sonst gewollt? — er schien oft so zer-
streut —

Ach! was zerquäl' ich mich? es wird sich ja bald
zeigen;
Auch muß ich warlich nun aufs — sich verneigend — hohe
Landhaus steigen!
Was mach' ich mit dem Baum! — 's hängt doch kein
Briefchen dran? —

Nachdem er ihn genau visitirt hat.

Nein! nirgends Contreband! — —

Ich biet' ihn Minchen an,
Als hätt' ich ihn gekauft; gewiß, das muß sie rühren,
Und schnell in meinen Arm die kleine Spröde führen.

He, Minchen, komm heraus, komm ohne Furcht
herein;
Der junge Herr ist fort, und wir sind ganz allein!
He! Minchen, hörst du nicht?

Siebenter Auftritt.

Feder. Minchen, in Halb-Trauer, mit Niedergeschla-
genheit.

Minchen.

Was soll ich denn, Herr Vetter?

Feder.

Ei munter, munter, Kind! lieb Mäuschen! ah, potz
Wetter!
Das ist kein Brautgesicht —

Minchen, seufzend.

Wo giebt's denn eine Braut?

Feder.

Du kleine Spitzbübin! Nur fröhlich! Aufgeschaut!

Präsentirt ihr den Baum auf dem Huthe.

Sieh doch, was ich gekauft, ein Freudchen dir zu
machen!

Minchen, vor sich.

Ach, weinen möcht' ich nur, und warlich! ich muß
lachen!

Feder.

Nicht, liebe, kleine Maus, was Schön'res giebt es
kaum?
Es kostet auch viel Geld —

Minchen, mit Gefühl.

Gewiß, ein schöner Baum!

Feder.

Der schönste weit und breit; hier Früchte und hier
Blüte;
Er kostet schweres Geld, und dennoch, Herzchen,
biete
Ich dir ihn zärtlich an —

Minchen, mit Doppelsinn.

Er kommt aus lieber Hand!

Feder.

O sag' das noch einmal! Jetzt sprichst du mit Verstand.
Ja, Mäuschen, herzlich gern mach' ich dir ein Vergnügen;

Lâg nur die Ehrbarkeit nicht in den letzten Zügen,
So.———

Minchen.

Ja, die Wahl ist fein! Des Gebers Geist
errieth:
Man liebt der Bäume Grün, wenn mans — so
selten sieht!
Den wärmsten Dank dafür!

Feder.

So, Kind! das läßt sich hören!
Jetzt leider muß ich fort; doch niemand soll dich
stören;
Besieh dir nur den Baum so recht nach Herzenslust —

Minchen.

Ich athme seinen Duft mit sehnsuchtsvoller Brust —

Feder.

Sieh, ich bin diese Frucht —

Minchen.

Die Früchte sind wol bitter?

Feder.

Du kleiner loser Schalk! Du find'st doch jeden Splitter!

Die Blüte da bist du. —: Daß du dich recht kannst
freu'n,

Schließ' ich, bis Tinchen kommt, mein süßes Mäuschen ein!

Geht ab und verschließt von außen das Zimmer.

Achter Auftritt.

Minchen allein.

Brav! immer riegle zu, und halte mich gefangen!
Nur dich nicht mehr zu seh'n, ist einzig mein Verlangen!

Doch irrst du dich, Tyrann! ich bin nicht ganz allein;
Die Liebe ist bei mir, und zärtlich denk' ich sein!

Sie betrachtet zärtlich den Baum und drückt zuletzt den Blu-
mienafch mit beiden Armen an ihre Brust.

Komm, schöner Baum! wie treu will ich dich pflegen!
Wie oft wirst du mir süße Düfte streu'n!
Wie oft zur Wehmuth mich bewegen,
Wie oft mit sanftem Trost erfreu'n!
Mag unter Gram der Tag verfließen,
Mag jede andre Freude flieh'n;
Dich will ich früh und spät begießen;
Von meinen Thränen sollst du blüh'n!

Und wird Er dann vorübergehen,
Voll Sehnsucht nach dem Fenster schau'n,
Dann will ich hinterm Vorhang stehen,
Und meine Liebe dir vertrau'n!
Dann wird mein Karl nicht längern trauern,
Und froh entflieh'n mit seinem Raub —
Mag doch mein Kerkermeister lauern;
Wie bald fliegt nicht ein Kuß durchs Laub!

Was er nur wollte
Der Liebe, Gute? — —
Ach! wie so bange,
Ist mir zu Muthe!
Was er nur wollte,
Daß er es wagte,
Hieher zu kommen?
Daß er, der Stolze,
Selbst zum Betruge
Zuflucht genommen? —
Bloß mich zu sehen?
Kaum kann ich's glauben!
Füttr' ich nicht täglich,
Ihn zu erwarten,
Vor meinem Fenster
Freundliche Tauben?
Sah' ich nicht gestern

Abends ihn winken? —
Mit mir zu sprechen? —
Konnt' er das hoffen?
Durft' ich das wagen?
Hätten nicht Blicke
Alles verrathen?
Müßt' ich nicht zagen
Vor meinem Quäler,
Vor neuen Plagen?

Und hat Er nichts gewagt, der Gute?
Was konnte mir denn wol gescheh'n?
Was denkt Er wol von meinem Muthe? —
Der Alte konnte finster seh'n,
Mich wieder in den Käfig schicken;
Wär denn die Strafe allzugroß?
O! könnt' ich meinen Freund beglücken,
Gern trüg' ich ja das härt'ste Loos!

Gewiß, gewiß, er wird mich hassen,
Die seine Hoffnung ihm verdarb! — —
Wie bin ich doch so ganz verlassen,
Seit meine sanfte Mutter starb!
Ist alles denn für mich verschlossen?
Erbarmt sich niemand meiner Qual?

Ist Liebe nur in mich ergossen,
Und jedes andre Herz von Stahl?

Sie stützt traurig den Kopf auf die Hand. Nach einigen Augenblicken hört man von außen aufriegeln.

Neunter Auftritt.

Minchen. Christine, mit dem Einkauf zurückkommend.

Christine, giftig.

Das nenn' ich mir doch toll! schon wieder einge-
schlossen;
Ja, der Herr Secretar sind wie vor'n Kopf geschossen!
Das allerliebste Kind sitzt wie ein Wachsbild da —
Mamsellchen! hören Sie — he! Mamsell Minchen!

Minchen.

Ah!

Ist sie schon wieder heim?

Christine.

Ich bin auch schön gelaufen!
Man möchte sich vor Gift ja jedes Haar ausraufen.
Kein Wunder wär' es nicht, man kriegte hier den Tod,
Die Gelbsucht und die Gicht —

Minchen.

Was hat fie denn für Noth?

Chriſtine.

Wie? ich? ich ſollte mich hier länger hudeln laſſen?
Nein! nein! ſo heiß' ich nicht —

Minchen.

Such' ſie ſich doch zu faſſen!

Chriſtine.

Wie? was? — was ſpricht die Stadt? was weiß
man ganz genau?

Minchen.

Nun?

Chriſtine.

Der Herr Secretar nähm ehſtens Sie zur
Frau!

Minchen.

Davon weiß ich noch nichts!

Chriſtine.

Was brauchen Sie's zu wiſſen?—
Du armes Heimchen, du! du wirſt zuletzt wol müſſen;

Doch ich bin nicht so zahm; ich kehr' das Rauche raus.
Hätt' er sein Wort erfüllt, längst wär' ich Frau im
Haus!

Minchen,

aufmerksam werdend.

Was sagt sie? Schäm' sie sich, so Alles zu vergessen!
Geh' sie an ihren Heerd; besorge sie das Essen!

Christine,

den Marktkorb heftig wegsetzend.

Da steh' und werde schwarz! Wenn ich hier Magd
soll seyn,
So stecke jeder Gast ein fein stumpf Messer ein!
Ich habe lang genug den Kukuk rufen hören,
Und, denken Sie an mich, ich will die Heirath
stören!
Ich, ich, Mamsellchen, ich — Sie sind ein frommes
Kind,
Wie Tauben ohne Falsch — ich klug, wie Schlan-
gen sind!
Ei ja, das wäre mir! — nun, nun! ich will nicht
hetzen —
Doch will ich ihm gewiß den Kopf zurechte setzen!

Minchen.

Was hat er denn gethan?

Chriſtine.

— ⸻ ⸺ Mein Gott! Sie fragen, was?
Sie? martert er denn Sie nicht, ohne Unterlaß?
Sie werden sich doch wol nicht endlich noch bequemen,
Und diesen — alten Herrn zum Ehgemahle nehmen?
Ach, wär' ich jung, wie Sie, gewiß ich wollte ihn —
Ja, Feuer hätt' ich längst zum Fenster 'naus ge-
⸻ schrie'n! —
Sie kommen ja nicht mehr nur an die liebe Sonne,
Und leben Tag für Tag wie eine Klosternonne;
Oft dacht' ich so für mich: So hübsch und sechzehn
⸻ Jahr,
Und hätte keinen Schatz? das Beispiel wär mir rar!

Minchen.

So dürft' ich ihr vertrau'n —?

Chriſtine.

Wie? gelt, ich hab's errathen?
Jüngst bot ein schöner Herr mir einen Randducaten;
Doch damals wußt' ich nicht — Nun, sprechen Sie
⸻ nur frei;
Mein Herz ist butterweich, und mein Gemüth wie
⸻ Brei!
War's wol der liebe Schatz? —

Minchen.

Wer weiß — doch ich vermuthe —

Christine.

Er ging in schwarzem Frack, mit einem runden
Hute —

Minchen.

So geht die halbe Welt —

Christine.

Trug Stiefeln spiegelblank,
Recht feine Wäsche —

Minchen.

So?

Christine.

Er ist recht schmuck und schlank —

Minchen.

Ei nun, er ist nicht klein —

Christine.

Ganz, wie mein sel'ger Bruder,
Der Schützentambour war; nur trägt er keinen Puder,
Und einen Hahnekämm —

Minchen.

Wie war denn wol sein Mund?

Christine.

Roth, wie Stettinerchen; doch kohlpechschwarz die
       Augen,
Und — glauben Sie's, mein Kind! er wußte sie zu
       brauchen —
Er sprach so sanft, so sanft; kaum konnt' ich wider-
       steh'n;
Mehr, als das blanke Gold, bewegte mich sein
       Flehn —

Minchen.

Ach ja, er war's, er war's!

Christine.

Wer kann Sie drum verdenken?
So einem würd' ich auch mein ganzes Herze schenken,
Und hätt' er warlich kaum das liebe trockne Brod —

Minchen,
mit zärtlicher Wehmuth.

Ach ja! ich kannt' ihn schon vor meiner Mutter
       Tod —
Ach! hätte die gewußt, man werde mich verschließen,

Sie hätte nimmermehr zum Onkel mich verwiesen;
Sie war so gut, — so gut — es war ihr einz'ger
                          Gram,
Daß mein geliebter Karl kein würdig Amt bekam;
Wir sahn uns manchmal —.

Christine.

          Sie soll'n sich wieder sehen!
Vor mir kann er getrost nun kommen oder gehen;
Ich bin kein Schäferspitz —

Minchen.

        Ach Tinchen, ist das wahr?

Christine.

So wahr ich auch geliebt! —

      Vor sich, Schnippchen schlagend.

       Nun, mein Herr Secretar,
Ich will; ich will sie schon —!

Zehnter Auftritt.

Die Vorigen. Müller, schnell eintretend.

Müller.

O meine Wilhelmine!

Minchen, erschrocken.

Ach liebster —

Sie fliegen sich in die Arme.

Christine.

Hol's der Fuchs! ich heiße nicht Christine,
Das ist der schöne Herr! Der kommt mir recht
zu paß.
Du liebes Gottchen, du, wie herzt, wie küßt sich das!
Die haben ohne mich wol schwerlich lange Weile;
Drum — komm nur wieder her, du schöne Schöpsen‑
keule!

Mit dem Marktkorbe ab.

Minchen, sich losmachend.

Nun geh, nun geh — ach Karl! das ist nicht recht —
ich muß — —

Müller.

Das war das erste Du, und der Verlobungskuß!

Minchen.

O sprich nicht so — doch, Freund; wie konnten Sie
es wagen,
Zum zweitenmal hieher —

Müller.

Konnt' ich es länger tragen,
Mein wiederfahrnes Glück —

Minchen.

Gewiß! Sie wagten viel! —

Müller.

Nichts, Wilhelmine, nichts! Gewonnen ist das
Spiel!
Nicht länger sollst Du hier die Jugendzeit vertrauern;
Ich, ich befreie dich aus diesen Kerkermauern.
Ich habe Amt und Brod; noch heute wird's bekannt.
Dein Quäler komme her; ich fodre deine Hand!

Minchen.

Ich zittre! Ist das wahr?

Müller.

Ja, Minchen! laß die Sorgen!
Das eben trieb mich her schon mit dem frühen Morgen.

Drum braucht' ich diese List, drum sandt' ich diesen
                        Baum,
Um zu erforschen, ob —

Minchen.

Ach, ist's gewiß kein Traum?

Müller.

Die Probe glückte nicht; ich fing mich an zu schämen;
Jetzt komm ich wieder, um dem Alten dich zu nehmen,
In Güte, mit Gewalt —

Minchen.

O ende meine Qual,
Und zeige, zeig' ihn mir, der Hoffnung schönen
                     Strahl!

Müller.

Ich sagte dir ja wol, daß ich ein Buch geschrieben;
Lang war es unbekannt, ich übersehn geblieben;
Ein Gönner bracht' es jetzt in des Ministers Hand,
Der — nun, ich sag' es dir! — es gut, es trefflich
                     fand;
Kurz, war ich früher gleich nie Frau Fortuna's
                     Pathe,
Bin ich doch nun ernannt zum Obersteuerrathe;
Sieh des Ministers Brief —

Minchen, *entzückt.*

O Dank dem edlen Mann!
O lieber Brief!

Sie küßt den Brief.

Müller.

Recht wohl! doch, liebes Mädchen, kann
Ich dieß auch dulden? Was? ich sollte müßig stehen,
Und diesen Rosenmund auf fremden Zügen sehen?

Minchen.

Der Kuß war ja für dich —

Sie sinken sich in die Arme.

Eilfter Auftritt.

Die Vorigen. Feder, *schwitzend und triefend zurückkommend.*

Feder, *noch draußen.*

War noch kein Laufer da
Von Seiner Excellenz?

Tritt ein, erblickt sie und bleibt, wie vom Himmel gefallen, stehn.

Was? alle Wetter! ha!
Ist das die strenge Zucht —?

Zu Müller.

Wie kann man sich erkühnen—?

Müller, kalt.

Herr! mit wem sprechen Sie?

Feder, immer hitziger.

Mein Herr! mein Herr! mit Ihnen!

Müller.

So seyn Sie höflicher —

Feder.

Das ist zu toll! was? was?
Hier, dieses ist mein Haus —

Müller.

Und meine Braut ist das!

Feder,
Minchen fortreißend.

Was? — Willst Du gleich! — ich bin — ich bin ein
Mann im Staate —

Müller.

Mich hat der Fürst ernannt zum Obersteuerrathe —

Feder.

Mein Herr — — Sie sind verrückt! haha! haha! haha!

Müller,

ihm den Brief anbietend.

Wär's nicht gefällig —

Feder.

Wie —?

Zwölfter Auftritt.

Vorige. Ein Läufer.

Läufer.

Ei schön! da sind Sie ja! — Von Seiner Excellenz —!

Uebergiebt ein Billet.

Feder,

zieht ihn auf die Seite.

Um alles in der Welt,
Man sage ja kein Wort, daß ich ihn herbestellt.
Es war, um meine Braut so recht zu überraschen — —

Er sucht Geld.

1. Laufer.

Ja, ja, man weiß das schon —

Vergnügt vor sich.

Er sucht in allen Taschen

Nach einem goldnen Fuchs —

Feder.

Empfehl' er mich, mein Sohn!

Zu höchsten Gnaden — hier —

Giebt ihm.

Laufer,
besieht das Geld und giebt es spöttisch zurück.

Ich kriege meinen Lohn.
Ab.

Feder,
macht mit vielen Ceremonien Anstalt zum Lesen.

Man höre! Mit Respect! Man trete hier bei Seite!
Vielleicht erlebt man nie so einen Tag wie heute —
Der Schnitt wahrhaftig Gold, wie Atlas das Papier —
Wie schmeckts, mein junger Herr? Der Steuerrath

sitzt hier! —

Gebt Messer, Messer her! Der Grafenkrone Ehre!
He! Messer, Messer, Mes — nun! oder eine Scheere!

Hat den Brief sehr umständlich eröffnet und liest bald zufrieden,
bald stutzig werdend und hustend.

„Mein lieber" — mein lieber, hm! — „mein lieber Feder! Nachdem Seine Durchlaucht in höchsten Gnaden geruhet — geruhet haben, Herrn" — Hm! hm! — „Herrn — — Carl — — Müller — — wegen dessen bewiesener — Kenntnisse und — Geschicklichkeit" — Seh'n Sie doch! Seh'n Sie doch! freut mich außerordentlich — „zum — zum — *Wird blaß, hustet stärker* — zum — Obersteuer — Obersteuerrathe zu ernennen;" — *Aufstehend.* Ei, seh'n Sie doch! Seh'n Sie doch! ich gratulire, bitte um collegialische Freundschaft — *Setzt sich wieder* — „so haben Höchstselbst auch bei dieser Gelegenheit Ihres oftmaligen Gesuchs um ein Prädicat gedacht, *stockt,* und Ihnen in Erwägung — in Erwägung Ihres nunmehrigen acht und dreißigjährigen Dienstalters und fünf und zwanzigjährigen Secretariats — den — — Titel — eines geheimen" — hören Sie doch — „geheimen — — — geheimen — Bier-Secretairs conferiret, welches ich Ihnen hiermit — —"

Der Brief fällt ihm aus der Hand. Er springt krampfhaft auf, und spricht mit Wuth:

O welche Gnade! ach! welch unerhörtes Glück!
Geheimer Bier — o Gott! o sel'ger Augenblick!
Geheimer — Zu Müller. O Herr Rath! ich hätte fast
vergessen —
O setzen Sie Sich doch — — ich schnappe Luft
indessen —

Läuft hastig hin und her.

Minchen,
mit ängstlichem Mitleid.

Herr Vetter, sagen Sie. —

Feder.

Geh', Schlange, geh', —

Minchen, ruft hinaus.

Christine! —

O lieber Müller —

Dreizehnter Auftritt.

Die Vorigen. Christine, in der Küchenschürze und etwas berußt, hereinstürzend.

Christine.

Was! Mein Gottchen! welche Miene!
Was giebt's denn da? was giebt's? — Hier ist Me-
lissengeist —
Ich bin des blassen Todes —

Rennt Federn immer mit dem Riechfläschchen nach.

Mamsellchen! ne! was heißt
Denn das? — Man möchte ja —

Zu Federn, dem sie das Glas vor die Nase hält.

Sie müssen stärker ziehen;
Das Fieber schüttelt Sie — Sie zittern mit den
Knieen —

Feder.

Es geht vorüber schon — das Glück —

Christine.

Mein Gott! warum —

Feder, schreiend.

Ich bin geheimer Bier — Christine! geh' sie
zum — —

Herr Obersteuerrath! ich bitte zu vergeben —
Das unverhoffte Glück — drang mir so recht ans
    Leben —
Ergriff mich allzusehr — wer denkt an den Respekt,
Wenn eine Freudenpost, wie diese, ihn erschreckt —
Ich bin so froh gestimmt —

    Müller.

    So sprechen wir denn offen!

    Feder.

Schön! schön! ich darf also gewiß Verzeihung
    hoffen —

    Müller.

Nichts mehr davon, mein Herr Geheimer Se-
    cretair!
Ich kam bloß mit dem Wunsch nach Minchens Hand
    hieher;
Schon fast ein Jährchen alt ist unsre heiße Liebe;
Wir sahen uns —

    Feder, vor sich.

   Ja, ja, Gelegenheit macht Diebe! —
    Zu Minchen, wieder heftig.
Was, Kleine, sagst denn du?

Minchen.

Herr Vetter, seyn Sie gut!
Ich liebte diesen längst, noch eh' in ihre Huth
Das Schicksal mich gebracht —

Feder, *(leise)* *und vor sich,*
zu Müller halb ins Ohr.

Sie hat wol was Vermögen;
Doch, wenn Sie Sich vielleicht in diesem Punkt
betrögen — —

Müller, laut.

Ja oder Nein, mein Herr?

Feder, vor sich.

Mit dem komm ich nicht aus;
Der schickt zuletzt mir gar den Präsident ins Haus,
Und wird dann selbst mein Feind —

Müller.

Nicht wahr, Sie sind gesonnen —

Feder.

Sie haben — — durch den Baum — mein ganzes
Herz gewonnen —
Grimmig vor sich zu dem Baume.

In Fetzen reiß' ich dich! —

Wieder laut.

Die Ehre ist sehr groß,
Mein liebes Waischen kommt so recht dem Glück in
Schoos. —
Nun, allerliebster Rath! ich habe nichts dagegen —

Minchen.

O bestes Vetterchen!

Feder.

Da, nehmt denn meinen Segen!

Christine,
aus dem Hintergrund hervorkommend.

Sie wollten eine Frau — Wie wär's denn nun mit
mir?

Feder,
stolz ihre Hand zurückschleudernd.

Bedenkt sie, wer ich bin? —

Mit wieder ausbrechender Wuth.

O! oh! geheimer Bier— —!

Wirft sich in einen Stuhl.

Letzter Auftritt.

Vorige. Heinrich, mit einem verdeckten Körbchen.

Christine,
weinerlich.

Kann man so ruchlos seyn?

Feder.

Weg! weg!

Indem er sich abwendet, erblickt er Heinrichen, der ihm den
Korb überreicht.

Plagt dich der Teufel?

Auch du bist wieder hier?

Heinrich schnell ab.

Minchen,
indem sie den Korb aufdeckt.

Ein Glückwunsch ohne Zweifel!

Im Korbe liegt auf einem Prachtkissen eine colossale vergoldete
Feder, ein mit Kindern und Störchen lächerlich verzierter Braut-
kranz und ein Zettel. Minchen liest:

Der acht und dreißig Jahr
Mit der Minute kam,

Geheimer Secretar ȶ, · : ᾳȜ,

Und offner Bräutigam!

Dir senden die Collegen

Der Jubel-Feder-Glanz,

Und — wünschend reichen Segen, —

Der Braut den Hochzeitkranz!

Feder, *vor sich.*

Ja, Bräutigam! — o schön! — das hab' ich klug
gemacht! —

Ich selber hab's verschwatzt; nun werd' ich ausgelacht!

Die Kinder zeigen auf den alten Junggesellen,

Der Sperling pfeift davon, und selbst die Hunde
bellen!

Giebts denn sonst keine Braut? —

Stolz.

Geheimer Secretar — —

Müller.

Wie? solch ein Mann im Staat —?

Minchen.

O machen Sie es wahr!

Chriſtine.

Vergeſſen denn ſo ganz Sie Ihrer treuen Taube —?

Feder,

— in Verzweiflung.

Gut! ich bin Bräutigam! —

Drückt ihr den Kranz aufs Kopfzeug.

Da! ſetz' ihn auf die Haube!

VI.

Der Abend am Waldbrunnen.

Dramatisches Idyll in Einem Aufzuge.

1-8-1-8.

Personen.

Röschen, Landmädchen.
Dorchen, Strohflechtermädchen.
Ein fremder Knabe.
Ferdinand, Jäger.

Waldgegend, von der Abendsonne durchschienen. Ein Brunnen, der aus dem Felsen quillt, mit steinerner Einfassung und einigen Stufen, alles mit Gebüsch und Schlingpflanzen reich bewachsen. In der Nähe eine alte, seltsam gewundene und hohle Weide.

––––––

Erste Scene.

Röschen, allein,

steht auf den Stufen und hat Wasser geschöpft. Sie besprengt damit einen Kranz und Strauß; sieht dann nach der Ferne und setzt sich auf den Rand des Brunnen.

Wundern sollt' es mich doch, wenn sie heute
Von der lieben Gewohnheit wich,
Nicht im Walde der Kühlung sich freute,
Nicht zum schattigen Brunnen schlich.
Darf man doch wol an fröhlichem Feste
Früher, als sonst, von der Arbeit ruh'n,
Und, in Ermangelung anderer Gäste,
Hier — mit den Finken sich gütlich thun!

    Freilich, will ich mir's recht überlegen,
Ist wol der Brunnen für sie was weit;

Käme sie bloß des Wassers wegen
Oder des Umgangs der Freundin zu pflegen,
Fänd sich wol näh're Gelegenheit.
Wenn ich auch noch so gern schäkre und schwatze,
Ist, was ich plaudre, doch einfach und schlicht —
Wahrlich, dieß Bändchen, und gleich vom Latze,
Will ich verwetten, zu diesem Platze
Zieht sie die Quelle und Röschen nicht!
Pflegt sie doch immer sich umzusehen,
Hört nicht, so reg' sich mein Mühlwerk treibt,
Weiß es bald so und bald so zu drehen,
Daß sie allein zurück hier bleibt!
Aber der Grund? — den muß ich erfahren —
Denk' du nur immer, Röschen ist blind! —
Manchem kommt wol der Verstand vor den Jahren —
Herrlich! da ist sie! — Mein Sträuschen! — Ge:
schwind!

Sie verbirgt den Kranz unter das Laubwerk, nimmt den Strauß
und steckt ihn vor.

Zweite Scene.

Röschen. Dorchen, mit einem Kruge, einen Strohhut
am Arme.

Dorchen.

Gott grüß' dich, liebes Kind!

Röschen,

wie zerstreut, immer noch mit dem Strauß tändelnd.

Ach Dorchen — Schönen Dank!

Dorchen.

Vergieb! du mußtest heut' wol lange auf mich warten?

Röschen.

Ach nein, das wüßt' ich nicht. Als schon die Sonne
sank,
Pflückt' ich in größter Eil' dieß Sträuschen noch im
Garten —

Dorchen.

Ei sieh! Was trieb dich denn?

Röschen,

sich umsehend, als ob sie jemand erwarte.

Ich meine nur — J nu,
Ich braucht' es eben —

Dorchen,

aufmerksam werd'end, und sich gleichfalls umsehend.

So? Und wenn man fragt, wozu?

Röschen.

Wozu? Hm, sonderbar! Wozu es Andre pflücken!
Wie? oder dünkt es dir vielleicht, mein Kind! nur du
Darfst, wenn's zum Brunnen geht, dich täglich schö-
ner schmücken?
Hm! glaubst du denn, man trägt zeitlebens Kin-
derschuh?

Dorchen.

Nein, Röschen! sage mir — du bist ganz anders
heute —

Röschen, fortfahrend.

Kennst du das Sprichwort nicht: Aus Mädchen werden Bräute?

Dorchen.

So — hofftest du wol gar — Jemanden hier zu
seh'n?

Röschen,

vor sich, auf ihr Band deutend.

Mein bleibt das Bändchen!

Ich? — ich wüßte doch nicht, wen?

Dorchen, vor sich.

Sie scheint verlegen!

Laut.

Um so eher kannst du sagen,
Was hatte denn der Strauß so gar gewalt'ge Eil'?

Röschen.

Nichts Leicht'res auf der Welt! der Grund davon war,
weil —
Du legst's heut' recht d'rauf an, zu necken und zu
plagen!

Dorchen.

Nun, liebes Röschen, weil —?

Röschen.

Nun — weil ich mich besann,
Daß heut' getanzt noch wird —

Dorchen,
einlenkend und sich von neuem umsehend.

Ja freilich! Aber dann
Darf man am Brunnen auch nicht allzulang verweilen —

Röschen,

sich gleichfalls umsehend.

Ich habe keinen Grund, jetzt allzusehr zu eilen!
Es ist so reizend hier, so ruhig, still und kühl;
Dort, jener Linde Duft ist wahrlich zum Entzücken —

Dorchen.

Doch —

Indem sie sich auf den Arm schlägt.

unerträglich sind die Millionen Mücken!

Röschen.

Ach nein! das wüßt' ich nicht. Mich freut ihr schwär=
mend Spiel —

Dorchen,

den Arm reibend.

Nun, nun, ich wünsche Glück, wenn dir die Arme
schwellen! —
So giftig war'n sie nie!

Sich wieder schlagend.

Ach! abermals ein Stich!

Röschen.

Wer wird so zärtlich seyn! Dafür belust'gen mich
Auch — nein! du glaubst's nicht, wie? — die flattern=
den Libellen.

Sieh nur das Pärchen dort! Welch schillernd Grün
und Blau —!

Dorchen, verächtlich.

's sind alte Jungfern —

Röschen.

So? Weiß man das so genau?

Als wollte sie welche haschen.

Die beiden wenigstens halt' ich für Mann und
Frau;

Weil sie zusamm'en fliehn.

Sie stolpert.

Dorchen.

Gewiß, du wirst noch fallen —!

Röschen.

Und — eben als du kamst, vernahm ich Nachtigallen,

Aus dem, aus jenem Baum, ich glaube fast, aus
allen,

Nein! So was hört' ich nie! Es hat mich so ergötzt,

Daß ich recht auszuruh'n mir heute vorgenommen;

Drum wird, gefällt's auch dir, zuförderst sich
gesetzt!

Sie setzt sich unter einen Baum.

Dorchen,
verlegen, indem sie Waſſer ſchöpft.

Du fragſt gar nicht, wie ſonſt, warum ich ſpät gekommen?

Röschen.

's iſt ja noch gar nicht ſpät! Die Luft iſt noch recht heiß —

Dorchen.

So thut's beinah mir leid, nicht bloß um meinen Fleiß,
Nein! wahrlich, 's thut mir leid um meinen guten
Willen —

Röschen.

Wenn du die Neugier weckſt, ſo magſt du ſie auch
ſtillen;
Was meinſt du, Dorchen? ſprich!

Dorchen,
halb liſtig, halb gutmüthig.

Du haſt ſo oft geklagt,
Daß dich der Sonne Stich im Feld' gewaltig plagt,
Und, will man ehrlich ſeyn, du kriegſt auch Sommer-
ſproſſen —

Röschen, vor ſich.

Still! wo will das hinaus?

Dorchen.

! — Drum war ich längst entschlossen,
Für dich zu sorgen — o! ich bin dir herzlich gut! —
Sprich, liebes Röschen! wie gefällt dir dieser Hut?

Röschen, auffspringend.

Ach, der ist allerliebst! — und aus so lieben Händen —
Für Fräulein schön genug; so zart ist sein Geflecht!

Dorchen.

Das glaube nicht, mein Kind! den ist nur Fremdes
recht! —
Jetzt ließ mir's keine Ruh', ich mußt' ihn erst vol-
lenden;
Da nimm und trag' ihn heut' zum ersten Mal beim
Tanz —

Röschen.

Ich dachte auch an dich; der Strauß ist nur von
Wicken;
Für mich geht das schon an; dich müssen Rosen
schmücken!
Die besten, die ich fand, pflückt' ich für dich zum
Kranz.

Sie nimmt den Kranz unter dem Laubwerk hervor. Beide
küssen und putzen sich gegenseitig.

Dorchen.

Träg' schnell den Hut nach Haus —!

Röschen, vor sich.

Will sie mich bloß vertreiben? —
Ist's nichts, als eine List; wird's so nicht abgethan!

Dorchen.

Dein Name steht auch drin; ich ließ recht groß ihn
schreiben; ·
Denn sonst vertauscht sich's leicht.

Röschen

hat schnell hineingesehen. Dann leicht gerührt vor sich.

Ich that ihr Unrecht an!

Dorchen.

Er läßt dir wunderschön! Da, nimm geschwind dein
Krügel,
Und zeig' der Mutter dich, beäugle dich im Spiegel!
Wär' dir vielleicht der Kopf zu hoch, der Rand zu
breit,
Ich hole dich noch ab, und ändr' es dir noch heut!

Röschen,
lächelnd vor sich.

Das Recht scheint doch getheilt!

Laut, indem ſie zum Brunnen tritt.

Mein Spiegel ſei die Quelle!
Sieh nur, wie ein Kriſtall, iſt hier das Waſſer helle,
Und — 's giſt ein lieblich Spiel, ſich ſpiegeln wie ein
Reh;

Sich auf uns nieder bückend.

Sieh, jetzt ſinkt Röschen tief, jetzt hebt ſich's in
die Höh' —

Dorchen, verdrüßlich.

Kein Reh; ein Aeffchen, warſt du längſt — auch
ohnedieß! —
Die Mutter rufte dich im Garten —

Röschen.

So? Gewiß?
Und jetzt erſt fällt dir's bei? — Sei ehrlich, Liebe,
Gute!
Du regſt dich ſpät und früh, arbeiteſt dich faſt blind;
Doch ſparteſt du die Zeit, um mich mit dieſem Hute
Noch heute zu erfreu'n! Wem wir gewogen ſind,
Dem ſchenken wir auch wol ein unbeſchränkt Ver-
trauen,
Zumal — wenn's ihm gelang, uns halb ſchon zu durch-
ſchauen.

Dorchen.

Was meineſt du damit?

Röschen.

Und du, was wirst du roth? —
Dich drückt, gesteh' es nur, geheime Liebesnoth!
Du wartest hier auf wen — Ja! wenn du willst er=
schrecken,
Dann üb' ich, wie ich weiß und kann, der Freund=
schaft Pflicht,
Besetze diesen Platz bei Sonn= und Mondenlicht,
Bis mir es selbst gelingt, das Weit're zu entdecken!

Dorchen.

Das — heißt Gewalt gebraucht!

Röschen.

Mir gilt jetzt alles gleich!
Ich liebe dich einmal!

Dorchen, vor sich.

's ist ein verwünschter Streich;
Ich werde sie nicht los —

Röschen.

Ich schwör' dir's zu, bewachen
Will ich den Brunnen nun, trotz einem Zauberdrachen!

Dorchen.

Nun, wenn du schweigen kannst —

Röschen.

Ich? Schweigen, wie ein Fisch!

Zieht sie zu sich nieder.

Komm, Dorchen, setze dich! und nun gebeichtet!
frisch!

Dorchen.

Es war im vor'gen Mai, zur Zeit der Aepfel-Blüthe;
Ich suchte Veilchen hier, und, als ich nun so kniete,
Vernahm ich ein Geräusch, und sieh! am Brunnen saß
Ein schlanker Jägersmann, der etwas eifrig las,
Oft auf zum Himmel sah, zuletzt das Briefchen
küßte —

Röschen.

Das fängt verdächtig an! Ei! ei!

Dorchen.

Das ich nicht wüßte!
Was ging das mich denn an?

Röschen, kalt.

Nun freilich!

Dorchen.

Wahr bleibt wahr!
Drum will ich dir gesteh'n, es schien mir wunderbar.

Ich lauschte durchs Gebüsch; vielleicht mocht' er was
hören
Und jetzt ein fremder Blick ihn in Gedanken stören;
G'nug, er stand auf und ging!

Röschen.

Der hat's bei mir verseh'n.
Erblicken konnt' er dich, der Menschenfeind! und
geh'n?
Das häuft noch den Verdacht:—

Dorchen.

Bald wirst du anders sprechen!
Er ging so eilig fort, daß, durch des Zufalls Spiel,
Ihm, wie ich deutlich sah, sogar der Brief entfiel.

Röschen.

Und du —?

Dorchen.

Die Neugier ist die kleinste meiner
Schwächen —

Röschen.

Bei Mädchen unsrer Art versteht sich das am Rand'!

Dorchen.

Doch mußt' ich hier vorbei, wollt' ich nach Hause gehen;

Da fing ein Frühlingswind, gewaltig an zu wehen;
Und wehte mir den Brief — gerade in die Hand!

Röschen.

Wer kann für das Geschick?

Schnell.

Du hast ihn doch gelesen?

Dorchen.

Ich wollt' es nicht, und that's! — Es war ein Ab-
schiedsbrief,
Des Vaters Segen war's, eh' Gott ihn zu sich rief.
Er schrieb, welch treuer Sohn der Jüngling stets ge-
wesen;
Daß er der Aeltern Herz erfreut nur, nie betrübt,
Daß er die schönste Pflicht fast über Macht geübt,
Sich Alles abgedarbt vom Lohn', um nur den Alten
Und noch ein Brüderchen zu kleiden, zu erhalten.

Röschen, mit Gefühl.

O wahrlich, das war schön! Gewiß, der ist dein
werth,
Dein, die durch regen Fleiß den blinden Oheim
nährt!

Dorchen.

O still! — Ich war bewegt und überdachte eben,

Wie den gefundnen Brief zurück ich wollte geben;
Denn sicher war er ihm ein theures, werthes Pfand;
Da kehrt' er selber um —

Röschen, lauernd.

Hm! von des Brunnen Stufen
Hört' ich dich ein'ge Mal schon einen Namen rufen;
Das Echo rief ihn nach —

Schnell.

Nicht wahr, 's ist Ferdinand?

Dorchen, nickt.

Er kam; mein Aug' war feucht; es bebte mir die
Hand —
Das Weit're weiß ich kaum; g'nug, liebes Kind, wir
finden
Uns hier, so oft sich's fügt —

Röschen.

Du sollst es nicht bereu'n,
Daß du dich mir vertraut! Vor allem fällt mir ein:
Was hindert euch daran, fest euer Glück zu gründen?
Dich preißt als Meisterin die Gegend nah und fern,
Er dient schon manches Jahr bei einem braven Herrn;
Nun, nach des Vaters Tod, ließ sich wol manches
sparen;

Auch heißt's ja: „Jung gefreit; hat Niemand leid
gethan —

Dorchen.

Wie altklug du doch sprichst!

Die Achsel zuckend.

Er fängt nie davon an —

Röschen.

Wär' ich an deiner Statt, das müßt' ich doch erfahren,
Und heute, heute noch!

Dorchen.

Horch doch! Was klimpert dort?

Röschen, aufspringend.

Ein Zitherknabe! — Still! er geht vielleicht sonst fort!

Setzt sich wieder.

Dritte Scene.

Die Vorigen. Ein fremder Knabe, etwas romantisch gekleidet und mit einer Guitarre (anfänglich noch außerhalb der Scene.)

Knabe,
singt zur Guitarre. *)

Die Hirtin kam zum Wiesenquell
Und bückte sich hinein,
Und sah im Wasser klar, und hell,
Gar holden Widerschein —

Er stimmt noch an der Guitarre.

Röschen.
Der Anfang ist recht hübsch!

Dorchen.
Ja, ja, er läßt sich hören.

Röschen,
ist aufgestanden und guckt.

Er sitzt noch unterm Strauch'; wir woll'n ihn ja
nicht stören.
Setzt sich wieder.

*) Componirt von Carl Maria von Weber. Das ganze hier abgekürzte Lied: „Bach, Echo und Kuß" steht in meinen Gedichten (Leipzig bei Hartknoch, 1817. ff.) 4tes Bdch. S. 161.
d. Verf.

Knabe, fortfahrend.

Doch blieb's so einsam im Gefild,
Es konnt' ihr das Narcissus-Bild
Nur flücht'gen Scherz verleih'n!

Röschen.

Das ist recht sonderbar —

Dorchen.

Gewiß! Es scheint beinah,
Als hätt' er uns belauscht, als Aeffchen sich besah!

Knabe, wie oben.

Die Hirtin seufzte tief und sang,
Süß, wie die Nachtigall,
Und von der Sehnsucht Lied erklang
Der ferne Widerhall;
Doch Antwort nicht dem Liebeston,
Nichts gab zurück der Felsensohn,
Als den empfangnen Schall.

Röschen.

Da siehst du, 's geht auf dich —

Dorchen.

Ich bitte dich, verschone —

Röschen.

Ich ließ mich niemals ein mit dem Herrn Felsen-
sohne!

Knabe.

Die Hirtin suchte Rast und Ruh'
Am duft'gen Schattenbaum;
Da schlich der Jäger sich hinzu —

Röschen,
klatscht in die Hände.

Der Jäger! hörst du, Kind?

Es wird still.

Dorchen.

Du ew'ger Störefried!
Du hältst auch keine Ruh'! Nun hast du ihn vertrieben —

Knabe,
schnell eintretend, vor sich.

Welch allerliebstes Paar!

Sich verneigend.

Könnt' euch vielleicht ein Lied,
Ein Tanz, ein Potpourri, von meiner Kunst belieben?

Röschen,
leise zu Dorchen.

Er ist gewaltig hübsch!
laut.

Nein, fahr' nur fort, mein Sohn!
Doch hab' ich nur den Strauß bei mir —

Knabe.

Wer fragt nach Lohn,
Schön Mütterchen! Doch sprich, wo war ich denn
geblieben?

Röschen,
singt mit Neckerei gegen Dorchen.

„Da schlich der Jäger sich hinzu —"

Knabe,
setzt sich ihnen gegenüber und fährt fort.

Ihr dünkt' es nur ein Traum.
Er sann nicht lang' auf Wort und Gruß;
Schnell fühlte seinen leisen Kuß
Der Lippen Rosensaum.

Nun dünkt ihr Flur und Wald nicht leer —
Sie sprach in stillem Sinn:
Dich Bächlein, such' ich nimmer mehr,

Rausch' deines Weg's nur hin!
Behalt' den matten Gegengruß,
Freund Widerhall! des Jägers Kuß
Bringt höheren Gewinn.

Sag', Dorchen, sprach sie recht?

Zum Knaben.

Das Liedchen ist wol aus?

Knabe,

aufspringend, als wollt' er sie beide küssen.

Ja — bis auf die Moral!

Röschen.

Nichts! nichts! du bist kein Jäger!

Knabe.

Ei, glaubt ihr Kinderchen, die Sänger wären träger?

Röschen.

Nichts, die ist eine Braut!

Knabe.

Und du?

Röschen.

Hier ist der Strauß!

Knabe,

nimmt ein Notenblatt, läßt sie den Strauß auflegen und steckt
ihn dann auf den Hut.

Auch gut! ich danke schön!

Röschen.

Es war nicht mehr bedungen —

Dörchen.

Von mir genüg' es dir: du hast recht schön gesungen.

Knabe.

Von Mädchen, hübsch wie ihr, ist dieß der schönste
Sold;
Selbst Reiche wissen oft, mit Worten abzuspeisen;
Da muß man obendrein noch ihren Zartsinn preisen,
Und spricht: der Edlen Lob gilt Sängern mehr als
Gold! —
Doch könntet ihr vielleicht mir einen Dienst er:
weisen,
Falls — ihr von meiner Kunst nicht noch was hören
wollt —

Dorchen,

giebt Röschen einen verneinenden Wink.

Dir einen Dienst —?

Röschen.

Womit?

Knabe.

Sagt, welcher von den Wegen
Führt mich nach Maiendorf?

Dorchen.

Da, nur den Wald grad' aus!

Röschen.

Das rothe Ziegeldach ist meines Vaters Haus;
Die Aeltern geben gern vom lieben Gottessegen;
Drum fodre Milch und Obst! — Du kommst heut'
recht gelegen —

Knabe,

mit Empfindung, vor sich.

Ach ja, das hoff' ich auch!

Laut.

Wie meinst du das? Wie so?

Dorchen.

Wir haben heut' ein Fest.

Röschen.

Ja, heut ist Alles froh;
Der Maiendorfer Herr, kein Freund vom Kloster-
leben —

Dorchen.

Hat gestern sich verlobt —

Röschen.

Drum wird ein Tanz gegeben,
Und ganz natürlich ist's, wo Fröhliche sich freu'n —

Knabe.

Da pflegt Musik und Lied ein lieber Gast zu seyn!

Röschen.

Ganz recht!

Knabe.

Ihr selber seid wol aus dem Dorf?

Röschen.

Ja freilich!

Knabe.

O schön! so können wir ja mit einander geh'n!

Dorchen, ausweichend.

Das schickt sich wohl nicht recht —

Röschen.

Uns ist das nicht so eilig!

Dorchen ins Ohr.

Wir müssen vor dem Tanz ja noch den Jäger seh'n;
Ich gebe dir mein Wort, er soll und muß gesteh'n,
Was ihn so blöde macht —!

Knabe, vor sich.

Was haben die zu flüstern?

Dorchen, zu Röschen.

Nein! so war's nicht gemeint!

Röschen,

nimmt den Knaben bei der Hand und führt ihn nach einer Seite.

Hier geht der Weg! Gieb Acht!
Hier links! Und spude dich! Du siehst ja, 's wird bald
Nacht.

Knabe.

Drum eben meint' ich ja — Wollt ihr allein im
Düstern —?

Dorchen.

O! wir sind hier bekannt —

Röschen.

Wer sagt dir denn: allein?

Knabe.

Verstanden, schönes Kind! Ich will nicht lästig seyn!
Ihr kommt doch auch bald nach? Ich habe viele
Lieder —

Röschen.

Nur ohne Lebewohl!

Dorchen.

Recht bald seh'n wir uns wieder!

Knabe

im Abgehen, vor sich.

Wol eher, als ihr denkt! Hier giebt's ein Stelldichein!

Schleicht sich um ein Gebüsch und verbirgt sich hinter den

Vierte Scene.

Röschen. Dorchen. Der Knabe, verborgen, doch dann und wann hervorlauschend. (Dieß stumme Spiel muß hier und vorzüglich im folgenden Auftritte wol abgemessen werden, weil sonst des Guten leicht zu viel oder zu wenig geschehen kann.)

Dorchen.

Du haſt das gut gemacht, wenn auch nicht eben
fein.

Röschen.

Ja, Dorchen! Mädchenliſt gilt viel, doch nicht beim
Sänger;
Denn leicht ſucht hinterm Strauch, wer ſelbſt dahin-
ter ſtand —

Dorchen.

Mir ward beinahe bang —

Röschen.

Wie ſo?

Dorchen.

Ja, Ferdinand

Iſt —

Röschen.

Eiferſüchtig wol?

Dorchen.

Manchmal ein Grillenfänger;
Hätt' er den Knaben mit der Cither hier geſeh'n —

Röschen.

So war's vielleicht für heut' um ſeine Gunſt
geſcheh'n?
O ſchön! das iſt mir lieb!

Dorchen.

Wie ſo? was willſt du machen?

Röschen.

Je nun, die Eiferſucht ein wenig anzufachen,
Wär' wol in dieſem Fall erlaubte Schelmerei,
Und führt den rechten Punkt: weshalb er ſchweigt?
herbei.

Dorchen.

Du wirſt doch nicht —?

Röschen.

Ei wol! Ich werd' es ihm entdecken,

Daß du dich mir entdeckt. Ich will so lang' ihn
necken,

Bis er den Grund mir sagt, der ihn zurücke hält,
Daß er nicht frohen Muths das Aufgebot bestellt —

Dorchen.

Nein! sag', wo denkst du hin?

Röschen.

Du kannst dich ja verstecken!

Horch, horch, dort rauscht's im Busch! Wahrhaftig
Ferdinand!

Dorchen.

Wohin verberg' ich mich?

Röschen.

Dort hintern Brunnenrand!

Dorchen,
die Augen niederschlagend.

Da — lauscht' ich manchmal schon —

Röschen.

Nun denn, dort in die Hecken!

Dorchen.

Auch da —

Röschen.

So, so? — Wohlan, in diese Weid'
hinein!
Die scheint zu dem Behuf blos auf der Welt zu
ſeyn,
Und — hoffentlich in der biſt du noch nicht ge-
weſen?

Dorchen.

Nein, nie —!

Röschen,

ihr hineinhelfend.

Geſchwind! Nur friſch! — Ich will hier
Erdbeer' leſen!
Sie kniet ihr gegenüber auf den Raſen, und ſtellt ſich, als
ſuchte ſie welche.

Fünfte Scene.

Röschen. Dorchen und der Knabe verborgen.
Ferdinand tritt auf und setzt sich, ohne Röschen zu bemerken, am Brunnen nieder. Als er anfängt zu reden, lauscht der
Knabe schnell hervor, macht eine heftige Bewegung und verbirgt
sich wieder.

Ferdinand.

Es geht doch keins von allen Leben
Ueber das Leben im grünen Wald!
Hab' ich auch ungern mich ihm ergeben,
Ward mir's doch liebe Gewohnheit bald;
Möcht's nun mit keinem andern vertauschen!
Ha! wenn die Tannen knirren und rauschen,
Oder wenn Westwind im Birkenlaub spielt,
Heut' den Hirsch, morgen den Eber belauschen,
Wenn er keimende Saaten durchwühlt,
Traun! das gewährt ein freudig Vergnügen,
Stärket die Sennen, und bringt auch Gedeihn,
Ist der gerecht'ste von allen Kriegen —
Möchte kein and'rer auf Erden seyn!

Röschen, vor sich.

's ist ein recht ehrlich Blut! o der ist leicht gefangen!

Dorchen, eben so.

Wie's scheint, trägt er nach mir kein allzuheiß Verlangen!

Ferdinand.

Ach, wie leicht war mir sonst zu Muthe,
Wenn ich, ermüdet von fröhlichem Müh'n,
Bald in des Forstes schattendem Grün,
Bald am labenden Brunnen ruhte!
Wol scheint die Gegend jetzt schöner zu blüh'n,
Seit mir die Holde, Reizende, Gute,
Seit mir das liebliche Dorchen erschien —

       Röschen und Dorchen nicken sich verstohlen zu.

Aber seit Lieb' in diesem Herzen,
Tief, ach! nur allzutief, Wurzel gefaßt,
Kann ich nicht über mein Schicksal mehr scherzen,
Finde bei Ihr nur Erquickung und Rast.
Ach, wol auch da nicht! — Wie soll ich's ertragen,
Bietet ein Andrer ihr seine Hand? —
Dennoch — muß ich ihr nicht entsagen?
Soll sie ein Glück sich meinthalb verschlagen,
Den sein Verhängniß, zu säumen, verband?

Dorchen, vor sich.

Wie dauert mich sein Schmerz! Was werd' ich hören
müssen!

Röschen, eben so.

Das klingt doch wunderbar! Nun vollends muß ich's
wissen!

Ferdinand.

Ruhig, mein Herz! Denn Bangen und Zagen
Wendet den Rathschluß des Himmels nicht!
Dulde und hoffe! Ist's männlich, zu klagen?
Fodert's das Schicksal, so leiste Verzicht;
Zwingt dich doch eine ältere Pflicht —

Dorchen, vor sich.

Was ist das? Himmel! wie —?

Röschen, ebenso.

Beinahe wird mir bange!
Hätt' er vielleicht ein Weib! Das wär' ein schöner
Streich!
Nein! nein! ich glaub' es nicht — Doch wissen
will ich's! gleich!
Längst riß mir die Geduld! —

Springt auf und schreit.

He! Hülfe! eine Schlange!

Ferdinand,
herzueilend und den Hirschfänger ziehend.

Wo ist das Unthier denn?

Röschen.

Dort! ſieh' nur! unterm Buſch'!
Siehſt du den Kopf? den Schwanz? Wie ſie ſich
krümmt! — Huſch! Huſch!
Nun ja, nun iſt ſie fort —

Ferdinand.

Gering nur iſt der Schade!

Röschen.

So? gilt mein Schreck denn nichts? Zu ſterben
ohne Gnade,
Das hätte ihr gebührt —

Ferdinand.

Doch ſoll es edel ſeyn,
Wenn man nicht ſtrafen kann, großmüthig zu verzeih'n.

Röschen.

Du ſpotteſt noch? Schon gut! Ich könnte dir was
ſagen
Von großer Wichtigkeit —

Ferdinand.

Für mich? Nun, darf man fragen —?

Röschen.

Nichts! Ich bin taub und stumm!

Ferdinand.

Ließ sich nicht Dorchen seh'n?

Röschen.

Wär' ich nur nicht zu gut! — Ja wol sah ich sie
geh'n;
Wohl dir, daß du's nicht sahst —

Ferdinand,
mit immer steigendem Affekt.

Sprich, was soll das bedeuten?

Dorchen, vor sich.

Was fängt die Thörin an!

Röschen.

Sie ließ sich heut' begleiten —

Ferdinand.

Begleiten? wie? von wem?

Röschen.

Nun, von dem jungen Mann —

's ist wol ein Freund von dir? — Der zu der Zither
Saiten,
Du glaubst es nicht, wie schön, wie zärtlich singen
kann —

Ferdinand.

Ein junger Mann, sagst du?

Röschen.

Mein'thalben auch ein Knabe,
Doch schlau dabei, gewandt; er hat so eine Gabe,
Man kann nicht widersteh'n! Du mußt's ihr schon
verzeih'n;
Er ist ein arger Schalk —

Ferdinand.

Was? Nimmermehr! nein, nein!
In Stücke hau' ich ihn'—!

Röschen.

Ich dächte gar, in Stücke!
Mach's lieber auch, wie sie!

Dorchen.

O Himmel! welche Tücke!
Sie ist die Schlange selbst!

Röschen,
zärtlichthuend.

Steh' nicht so finster, blicke
Doch einmal Röschen an! Ich war dir lange gut —
Mein Vater ist nicht arm —, auch, — gab's hier nichts
zu flüchten
Vor Schlangen; blos dein Aug' wünscht' ich auf mich
zu richten, —
Das wirst du doch verzeih'n?

Ferdinand,
sie zurückstoßend.

Ha! falsche Weiberbrut!
Euch, Mädchen, sollte man, euch! Schlangen, Nat-
tern nennen! —
Auch Sie ist voll Verrath!

Dorchen,
beugt sich ein wenig aus der Weide.

Kannst du mich so verkennen?

Ferdinand.

Wie? spotten Bäume mein?

Er entdeckt Dorchen und umarmt freudig den Stamm.

Du bist's, mein Dorchen? Du?

O so war alles Scherz! Du hörteſt ſelbſt uns zu;
O komm heraus, geſchwind!

Eine Hand am Baum, die andere nach ihr ausgeſtreckt.

Du wollt'ſt wol hier im Kühlen —

Wart', warte nur, du Schelm! — nur freilich um-
gekehrt,

Und drum gedoppelt ſchön — mit mir Verwandlung
ſpielen? *)

Dorchen.

Ei, das verſteh' ich nicht; das iſt mir zu gelehrt!

Ferdinand.

's iſt ſo 'ein Reſtchen noch, von dem, was ich
geleſen

In meiner Knabenzeit — vom alten Götterweſen;
Die ſchufen Mädchen oft in Bäum' und Pflanzen
um —

Röschen, vor ſich.

Gut, daß ſie ausregiert; denn das war doch — recht
dumm!

*) Theatermaler und Schauſpielerin werden es zu
bewirken wiſſen, daß in dieſem Auftritte das Bild einer
Ovidiſchen Metamorphoſe den Zuſchauern lebendig vor
Augen ſchwebe.

Ferdinand,
immer noch hinaufredend.

Die Locke flog als Laub; es mußten sich zu Zweigen
Die Aermchen, weiß wie Schnee; die Zeh'n zu Wur-
zeln beugen;
Ein Mädchen haschte man, ach! und umfing geschwind
Den fühllos kalten Stamm —

Röschen, vor sich.

Ich glaub' es nicht! 's ist Wind!

Ferdinand.

Doch, wenn es dir beliebt, der Weide zu entsteigen,
Verwandelt sich der Baum für mich in's schönste
Kind —

Röschen, vor sich.

Was wahrlich klüger ist!

Dorchen,
springt an Ferdinands Hand heraus.

Geschehen ist das Wunder!

Ferdinand,
sie freudig umarmend.

O, bestes Dorchen, du! Du scheinst so froh, so munter!

Ein Rosenkranz im Haar! Fast gleichst du einer
Braut —

Röschen.

Und warum ist sie's nicht?

Dorchen, zu Ferdinand.

Komm, Freund, und laß uns gehen!

Bitter zu Röschen.

War das der Lohn dafür, daß ich mich dir vertraut?
Nur ließ dein schwarzes Herz sich allzufrüh durch-
spähen —

Röschen.

Nein! das ist mir zu toll! Verliebte Leute sind —

Dorchen.

O schweig'! bemüh' dich nicht!

Röschen.

Auf beiden Augen blind!

Dorchen,

sie nachahmend.

„Ich war dir lang' schon gut!"

Röschen.

Wie konnte das dich ängsten?
Hätt' ich die Beichte wol dir Aug' in Aug' gethan?

Dorchen,

etwas gemäßigter.

„Mein Vater ist nicht arm!"

Röschen.

Kommt, Kinder, hört mich an!
Frisch mit der Wahrheit 'raus! Währt ehrlich doch
am längsten!

Dorchen, vor sich.

Wahrhaftig, sie hat Recht! Konnt' ich so thöricht
seyn — ?

Röschen.

Daß ihr euch leiden könnt, hat Dorchen beichten
müssen;
Doch, wer sich leiden kann, der pflegt sich auch zu
frei'n.
Warum das ihr nicht thut, das will, das muß ich
wissen!

Zu Ferdinand.

Wär' ich an deiner Statt, ich spräch' noch heut zum
Herrn:
Wer selber glücklich ist, erfreut auch Andre gern;
Sie haben eine Braut; Sie sind so froh, so heiter,
Auch ich möcht's gerne seyn — nun! und so — und
so weiter!

Dorchen, verweisend.

Still, Röschen!

Ferdinand.

Laß sie doch! Längst lag mir wie ein Stein
Was auf dem Herzen — jetzt, jetzt will ich dir's
erklären;
Mich drängt's dazu; ich fühl's, es muß, es muß
so seyn —
Schenk' mir Gehör —

Röschen, pathetisch.

Gut! gut! Das woll'n wir dir gewähren!

Ferdinand.

Mein Vater, karg belohnt für rege Treu' und Müh',
Fand spät ein liebend Weib; die Gute starb uns
früh;

Er gab uns Unterricht, und fing — ich ſag' es
        .... offen — ....
Von unſerm Kopf und Fleiß das Beſte an zu hoffen.
Wol rauh und dornig oft'iſt des Gelehrten Bahn; ...
Der Vater hatte das in vollem Maaß erfahren, ..
Doch wählt' er ſie für uns, fing, Gott vertrauend, an;
Was immer möglich war, ſich ſelber abzuſparen.
Umſonſt! ein Krankheitsſtoff, den er ſchon lang' ge-
                nährt,
Brach aus — und lähmte ihn zuletzt an allen Gliedern.
Ach, laßt mich übergeh'n! — Genug, bald war's
                erklärt,
Das Wen'ge reiche kaum für einen von uns
                Brüdern.

Dorchen.

Dein armer Vater!

Röschen.

Ja, nun lach' ich auch nicht mehr.

Ferdinand.

Ich hatt' es wol bemerkt — traf's gleich mein Herz
                erſt ſchwer, ...
Und konnt' ich's überdieß nur insgeheim erlauern —
Am allermeiſten ſchien der Jüngſte ihn zu dauern,

Dem, schon rin früh'ster Zeit, — so viel ergab sich
klar —
Weit höh're Fassungskraft, als mir, verliehen war;
Ich überlegte das —

Dorchen.

Du guter Ferdinand!

Ferdinand.

Gott selber fügt' es wohl, daß ich das Rechte fand.
Ein Förster hatte mich einst aus der Tauf' gehoben;
Drum fing ich an, von fern die Waidmannskunst zu
loben,
That's öfter — und erkohr dann selbst den Jägerstand.

Röschen.

Das hast du recht gemacht! Ich wenigstens erblicke
Dich lieber — so hübsch grün, als schwarz, in der
Perücke,
Und, will ein Waidmann mich, da, da ist meine
Hand!

Ferdinand.

Kaum hatt' ich ausgelernt, ward ich hieher empfohlen;
Mich — schreckt' erst die Livrei, doch — reichlich war
der Lohn;

Da dacht' ich; Jeder Rock ehrt einen treuen Sohn!
Dacht' an den Bruder Fritz — mir brannt' es unter'n
Sohlen!

Dorchen.

Wie brav, wie gut bist du!

Röschen.

Ja, du kannst sicher seyn,
Ich necke dich nicht mehr!

Ferdinand.

Das schönste Glück ward mein!
Ich konnt' in kurzer Zeit ein Sümmchen mir er=
schwingen,
Ward Jäger für den Forst — Mit Freudenthrä=
nen gab
Dem alten Vater ich die Tröstung mit ins Grab,
Auf ein Gymnasium den Bruder Fritz zu bringen —

Dorchen.

O du —!

Ferdinand.

Und dieß Gelübd' muß in Erfüllung geh'n;
Ich darf es nicht bereu'n, hab' ich — gleich dich geseh'n!
Ich habe Vaterpflicht; darf ich den Sohn verlassen?

Dorchen.

Nein, theurer Ferdinand! Dann müßteſt du mich
haſſen!

Ich ſelbſt, dein Dorchen iſt's, die zärtlich dich
beſchwört:

Bleib' treu der ſchönen Pflicht! — Ich hab' gar oft
gehört,

Daß armer Knaben Geiſt, in Dürftigkeit geboren,

Von armer Hand gepflegt, der Höchſte ſich erkohren,

Daß ſie das Herrlichſte auf dieſer Welt vollbracht.—

Ferdinand.

So hab' ich dich gehofft! Doch — haſt du auch
bedacht —?

Dorchen.

Ich bleib' dir ewig treu; und ſollt' ich auch auf
Erden,

Geſchieht's aus dieſem Grund, nie, nie die Deine
werden!

Wer weiß ja auch, ob Gott uns nicht ein Glück
beſchert —

Er kann's ja, wenn's uns frommt —

Röschen, feurig.

Wie ſeyd ihr mir ſo werth!

Ich weiß vor Freuden kaum ein Ende hier zu
machen;
Das Weinen ist recht schön, doch schöner noch das
Lachen;
Drum — drückt nun Mund auf Mund, drum fügt
nun Hand in Hand,
Bestätigt das Gelübd' —!

Dorchen,
in Ferdinands Armen.

Mein Ferdi —

Der Knabe,

der schon mehrere Male, doch von den Spielenden unbemerkt, sichtbar worden ist, erhebt sich mit ausgebreiteten Armen.

Ferdinand!

Er verschwindet wieder. Alle sehen sich verwundert um.

Sechste Scene.

Die Vorigen. Bald darauf der **Knabe** sichtbar werdend.

Ferdinand.

Ist denn noch Jemand hier?

Dorchen.

Dort schien es her zu schallen.

Röschen.

Das Echo kann doch nur Empfang'nes widerhallen;
Doch rief's den Namen aus —

Ein Laufer auf der Guitarre.

Ferdinand.

Horch! Aeolsspiel im Wald —?

Dorchen.

Es scheint kein Mährchen blos, daß Bäume sich
beleben —

Röschen.

Wie? was? Seht doch dorthin! Gewiß, nun glaub'
ich bald,

Daß Nymph' und Wassernix aus Brunnen sich
erheben —

Der Knabe steigt auf den Brunnenrand und springt herunter.

O Himmel! o! ein Geist!

Knabe,
mit ausgebreiteten Armen auf Ferdinand und Dorchen zueilend.

Nein! ich ertrag's nicht länger!
Schließt ihr euch Arm in Arm, gehör' ich auch
dazu —

Ferdinand.

Nur sacht, nur sacht, mein Freund! Sag' an, wer
bist denn du?

Röschen.

Nun seht den Bösewicht! 's ist der verwünschte
Sänger —

Ferdinand.

Wie? welcher Sänger? Ha! so wär' es dennoch
wahr —

Röschen.

Das Bärtchen fliegt erst an, nicht groß ist die Gefahr —

Ferdinand.

Er spricht bei alledem in so vertrautem Tone
Und an dem Sängervolk ist oft kein gutes Haar —

Knabe.

Du bist, irr' ich nicht ganz, ja selbst ein Exemplar,
Mein strenger, zorn'ger Herr! von einem Cantors-
sohne —

Ferdinand.

Sprich, woher kennst du mich?

Knabe,

fällt ihm freudig um den Hals und dreht sich einigemal mit
ihm herum.

Ich dich? Nein, alle Blitz!
Nein, hast du denn den Staar? — Ich bin ja Bruder
Fritz!

Ferdinand.

Ist's möglich! o mein Fritz! Du bist's, den ich
umfange!
So frisch, gesund, so groß!

Knabe.

Ja, aber 's ist auch lange,

Daß wir uns nicht geseh'n! Gelt, das ist deine
Braut?

Geschwind den Schwesterkuß — sonst, sonst wein'
ich noch laut —

Zu Röschen.

Auch du, wer du auch seyst —

Röschen.

Es sey! — Doch nur die Wange!

Denn wir sind nicht verwandt —

Knabe.

Sind's alle Frohe nicht?

Und ich, ich bin so froh —!

Ferdinand.

Doch gieb nun auch Bericht,

Wie kommst du jetzt hieher?

Röschen.

Ja, wie —?

Knabe.

Blos um den Willen

Des besten, bravsten Mann's gehorsam zu erfüllen,

Um deine Sorg' um mich, mein Bruder! zu zerstreu'n,

Und — wenn du Hochzeit machst, mich grenzenlos
zu freu'n!

Ferdinand.

Schweig, Bruder! ziemt's doch nicht, auch über
Ernstes scherzen!

Knabe.

Wer setzt wol Ziel und Maaß dem lustdurchglühten
Herzen? —
O überschwenglich viel hast du an mir gethan;
So nimm — von meiner Hand, dieß Brautgeschenk
auch an!

Giebt ihm ein Papier.

Ferdinand, es zurückgebend.

Fritz! Fritz! Gott steh' uns bei! Ich muß für dich
erblassen —
Wie kömmst du zu dem Schein, fünfhundert Thaler
werth —?

Knabe.

Dem besten Bruder hat die Vorsicht es beschert!
O könnt' ich in ein Wort nur Alles, Alles fassen!
So höre denn geschwind: Ein edler, reicher Greis
Ließ jüngst dem einz'gen Sohn zum langen Abschied
singen —

Röschen.

Zum langen Abschied —?

Ferdinand.

Wie —?

Knabe.

Ihr fragt, doch —

auf Dorchen deutend, die gerührt zum Himmel aufblickt.

diese nicht!

Der Abschied ist gemeint, wo man bei Fackellicht

„Wie sie so sanft ruh'n!" singt — Ich war mit in dem Kreis,

Mit in dem Schülerchor, und mein Gesang, wer weiß,

Wie Gott es so gefügt, mocht' ihm zum Herzen dringen;

Er zog Erkund'gung ein, nach mir, nach meinem Fleiß;

Ich mußt' ihm eine Schrift, dann — deine Briefe bringen;

Er las, und sprach gerührt: „Fahr' fort, mein Sohn! fortan

Sei mein allein die Sorg' für deine Lebensbahn!"

Ferdinand.

O guter Gott!

Dorchen.

Du sorgst —!

Knabe.

Schon ist mir eine Stelle
Der ersten Schul' im Land — bedenk' nur! — aus-
gemacht;
Da will ich lernen! da! — Doch rief er auf der
Schwelle,
Als ich, halb traurig, schied, noch einmal mich zurück,
Und sprach — du glaubst es nicht, mit welchem Heil-
gen Blick? —

„An keinem Mädchen hat dein Bruder hier geschrieben;
Sowenig er das sagt, sie mögen wol sich lieben!
Da nimm ihm dieses mit, und sag', er soll sein Glück
Umdeinetwillen nun auch keinen Tag verschieben!"
Da lieber Ferdinand!

Ferdinand.

Nein! nein! fast kränkt es mich —
Du bleibst doch auch mein Sohn! ich that's so gern
für dich! —

Röschen.

Das heißt den Eigensinn doch auch aufs Höchste
treiben!

Knabe.

Dein Sohn, dankbar und treu, das werd' ich ewig
bleiben;
Doch scheint's fast, er errieth, du könntest widersteh'n;
Er sprach: „Nimmt er's nicht an, laß nie dich
wiederseh'n!"

Röschen.

Brav, brav! der ist mein Mann! Man muß die
Menschen zwingen!

Knabe.

Nun, darf ich bald ein Lied zu Eurer Hochzeit singn?
Ich muß in Kurzem fort —

Ferdinand.

Frag' Dorchen!

Dorchen, ihn umarmend.

Ferdinad!

Röschen.

So recht, ihr Kinderchen! Es wird Euch nht
gereuen!

Knabe, zu Ferdinand.

Die Liebe lohne dir!

Dorchen, zu demselben.

Es muß die Engel freuen,
Wird fromme Treu' belohnt —

Ferdinand.

"Durch" treuer Liebe Hand!

Indem sich alle vier umarmen, fällt der Vorhang.

Inhalt

des zweiten Bandes.

Das Nachtlager in Granada. Schauspiel
in zwei Aufzügen. 1817. . . S. 1

Zuerst gedruckt in Beckers Taschenbuche
zum geselligen Vergnügen auf das Jahr
1819. — Aufgeführt auf dem Burgtheater zu
Wien, auf dem Hoftheater zu Dresden, auf dem
Theater zu Frankfurth am Main u. a. — Vorzüglich in der Kaiserstadt ward es mit dem aus-
gezeichnetsten Beifall beehrt und soll daselbst
bereits die goldne Hochzeit gefeiert haben. —
Frau Hofschauspielerin Friederike Schir-
mer zu Dresden ist in der Rolle der Gabrielle
von E. B. v. Leyser en gouache gemalt und
von Stölzel in Kupfer gestochen worden.
(Schwarz und colorirt — im Verlage der Ritt-
nerschen Kunsthandlung.)

II. Petrus Apianus, oder Achtung der Wissenschaft. Schauspiel in Einem Aufzuge. 1818.
S. 77
Zuerst gedruckt im Becker'schen Taschenbuche auf das J. 1820. — Einigemal aufgeführt in Wien, Prag und Dresden.

III. Der Weinberg an der Elbe. Ländliches
Lust- und Festspiel in Einem Aufzuge. 1817. S. 131
Wie die, nicht zur Aufführung gediehene Fest-
oper Alcindor (s. den ersten Band) von der
Königl. Sächs. General- Theater- Intendanz
erhaltenem Auftrage gedichtet, und zum ersten
Mal, sowohl besonders, als (in den "Maleri-
schen Schauspielen) mit "Van Dyks Landleben"
vereinigt erschienen bei Göschen 1817. — Aufgeführt zu Dresden, am 15. und 16. November,
ingl. am 7. December 1817. wiederholt, bei An-
wesenheit der Frau Erbgroßherzogin von Tos-
kana, am 5. October 1819. — Die zwei Pro-
loge zu den drei ersten Vorstellungen, von
Theodor Hell, s. in der Abend-Zeit. 1817.
Nr. 281. und Nr. 306. so wie den Prolog zur
vierten, vom Dichter des Stücks, ebendas. 1819.
Nr. 239.

IV. Das Morgenstündchen. Lustspiel in Einem
Act. 1806. S. 181

Zum Theil nach einer Anekdote. — Zuerst gedruckt im zweiten Bändchen der Tulpen. Leipzig, bei Hartknoch 1807. Kurz nach seinem Erscheinen mehre Mal aufgeführt, in Leipzig und
Dresden, späterhin auch in Berlin."

V. Der Orangenbaum. Lustspiel in Einem Act,
1808.   S. 239

"Der stumme Blumenjunge, größtentheils
nach einem damals in Dresden lebenden, allbe-
kannten Original. — Dieß Stück ward zuerst
gedruckt im sechsten Bändchen der Tulpen, und
von der Sächs. Hofschauspielergesellschaft mehr-
mals mit Beifalle aufgeführt. Julius Weid-
ner, damals in Dresden, jetzt in Frankfurth
am Main, bewährte in der Rolle des Feder
seine Meisterschaft als Charakteristiker, und ist,
in der von ihm selbst angegebenen Maske, abge-
bildet im ersten Heft der „Theater-Costume der
Kön. Sächs. Hofschauspieler, von C. Strauch."
Leipzig, bei Spieß in Commission.

VI. Der Abend am Waldbrunnen. Idyll in
Einem Acte. 1818.   .   .   S. 285

Zuerst gedruckt in Adolph Müllners Al-
manache für Privatbühnen auf das Jahr

1819. — Dieſes Idyll mißfiel in Berlin, wo es zuerſt auf die Bühne kam, gänzlich. Auf den Theatern zu Leipzig und Dresden ward es ſpäterhin einige Mal mit Beifall aufgeführt.

Sämmtliche Stücke ſind anjetzt nochmals überſetzen und, ſo viel thunlich, verbeſſert.